Anth[illegible]

« Il s'émerveillait [illegible] [illegible]cée de deux trous, précisément [illegible] [illegible]tenberg qui parlait aussi d'« un [illegible] [illegible]e manche ». De tels aphorismes donnent le vertige. Lichtenberg, bien sûr, ne pouvait que se retrouver avec Poe, Swift, Sade, de Quincey, Allais, Jarry, Roussel, Kafka, Savinio, Dali, Prévert et d'autres, dans l'*Anthologie de l'humour noir* qu'André Breton publia en 1940, mais dont l'édition fut différée jusqu'en 1943 par la censure.

L'humour noir est subversif. Il transgresse les tabous, renverse les privilèges. Il a le pouvoir de la contestation. Il met en question la littérature, l'art, le monde. De la plaisanterie cruelle, féroce, voire funèbre, à la formule flamboyante, à l'éclair pur, fulgurant, qui cingle comme un vent de folie, en passant par les sentences libres qui mettent en pièces la bienséance et l'ordre, tournent en ridicule la normalité, il y a toujours quelque chose d'inconvenant, de sacrilège, de diabolique, d'infernal. C'est la volonté de surprendre, d'inquiéter, de scandaliser, de pulvériser. A cultiver l'inattendu, le saugrenu, le mauvais goût (« Ce qu'il y a d'enivrant dans le mauvais goût, c'est tout le plaisir aristocratique de déplaire », dit Baudelaire), on côtoie la mystification, le sarcasme, la polémique. Le bon sens et le non-sens se télescopent à travers une logique toute spéciale, hors des normes. On éprouve alors l'expérience de la plus grande lucidité, de l'absolue rigueur et, par cette distanciation, se dévoile une sagesse inaltérable née de l'amertume et d'une inquiétude face au monde.

C'est dans une conférence à Pragues, en 1935, que Breton définit l'humour qu'il appelle « objectif ». Se référant à Hegel et à Freud, il explique l'humour et ses rapports avec l'inconscient. L'humour est supérieur au comique car il a quelque chose de libérateur et de sublime, il tend à donner l'invulnérabilité parce qu'à travers lui la réalité hostile se désagrège. Jacques Vaché écrit : « Je crois que c'est une sensation — j'allais presque dire un sens — aussi, de l'inutilité théâtrale (et sans joie) de tout. » Attitude exemplaire et définitive : Vaché, Crevel, Rigaud, Cravan, Duprey se sont suicidés.

« C'est à Jacques Vaché que je dois le plus. » Sur son enfance et son adolescence, Breton ne fait guère de confidences. Il naît à Tinchebray, dans l'Orne, le 18 février 1896. On le retrouve à Nantes, en 1915, il est mobilisé et, comme il fait des études de médecine, affecté au service de santé de l'hôpital de la rue du Bocage. C'est là qu'il rencontre Jacques Vaché, immobilisé pour une blessure au mollet. « Le temps que j'ai passé avec lui à Nantes en 1916 m'apparaît

(Suite au verso.)

presque enchanté », écrit Breton dans *Les Pas perdus,* publié en 1924. Jacques Vaché a un an de plus que lui. C'est un jeune homme aux cheveux roux, à l'allure élégante, raffinée. Il est insolent, excentrique et ennemi de toute sentimentalité. Allongé sur son lit, il passe son temps à dessiner et à peindre des séries de cartes postales pour lesquelles il invente des légendes bizarres.

Breton va se consacrer au développement et à l'orientation d'un nouveau mouvement littéraire jusqu'à sa mort, survenue le 28 septembre 1966. Poèmes, essais, récits, manifestes, tracts, conférences, expositions, entretiens, son activité politique, littéraire et esthétique est intense. Elle se ponctue d'alliances et d'exclusions. Breton est un meneur d'hommes et d'idées. Il a cette aura, ce rayonnement, cette autorité sur les autres. « Il était beau, d'une beauté non pas angélique, mais archangélique », disait de lui Adrienne Monnier, la célèbre libraire de la rue de l'Odéon. Breton s'entoure d'écrivains, de poètes, de peintres. Ce sont d'abord Aragon et Soupault avec qui il fonde la revue *Littérature* en 1919. Il aime présenter ses relations les unes aux autres pour voir le résultat, comme un alchimiste pervers. Quelqu'un l'intéresse, Tzara à Zurich, Freud à Vienne, aussitôt il veut le connaître. Il lui écrit, se déplace, le rencontre, et parfois l'aspire dans son sillage. Comme l'humour noir, il est subversif, et tous autour de lui sont magnétisés. Desnos, Crevel, Vitrac, Aragon, Eluard, Soupault, Gracq, Artaud, Duchamp, Leiris, Duprey, Prévert, Queneau, Ernst, Masson, Miró, Dali, Magritte, Giacometti, Arp, Tanguy, Brauner… tous ces hommes, à un moment ou à un autre, se sont liés avec Breton.

On est loin déjà de l'expérience qu'il avait proposée à Philippe Soupault : écrire un livre ensemble, au fil de la pensée, sans plan, sans sujet, sans corrections, qui avait donné naissance aux *Champs magnétiques,* en 1919, et à l'appellation de « surréalisme » pour leur technique nouvelle. Il y a eu le premier et le second *Manifestes du Surréalisme* (1924 et 1930), *Nadja* et *L'Amour fou* (1928 et 1937), *Les Vases communicants* publiés en 1932 avec une couverture de Max Ernst. Puis ce sont les années d'exil aux Etats-Unis, de 1939 à 1945. A son retour, il reprend la direction du groupe, et continue à écrire jusqu'à sa mort : *Arcane 17, Flagrant délit, La Clé des champs, Le Surréalisme et la Peinture.* Après Simone Hahn, Jacqueline Lamba, une troisième femme partage sa vie, c'est Elisa, rencontrée à New York. « Il n'y a pas de solution hors l'amour », et l'amour fou. Il écrira encore « la grande malédiction est levée, c'est dans l'amour humain que réside toute la puissance de régénération du monde ».

Nicole Chardaire

ANDRÉ BRETON

Anthologie de l'humour noir

JEAN-JACQUES PAUVERT

L'ACTUELLE *édition, revue, apporte à la précédente quelques corrections de détail. De propos délibéré, elle n'est pas augmentée, quitte à laisser certains sur leur appétit. Dans la perspective qui fut, au départ, celle de cet ouvrage, certes, au cours de ces dernières années, l'auteur n'a pu manquer de voir surgir de nouvelles figures appelant le même éclairage. Il lui a fallu, en particulier, résister à la tentation d'y faire participer Oscar Panizza, Georges Darien, G.I. Gurdjieff (tel que le montre son magistral « Eveil du penser », en introduction aux* Récits de Belzébuth à son petit-fils), *Eugène Ionesco, Joyce Mansour, mais il y a renoncé pour des raisons évidentes. Ce livre, publié pour la première fois en 1939 et réimprimé, avec certains ajouts, en 1947, a marqué, tel qu'il est, son époque. Qu'il suffise de rappeler qu'à son apparition les mots « humour noir » ne faisaient pas* sens *(quand ils ne suggéraient pas une forme de raillerie qui serait propre aux « nègres » !). C'est seulement depuis lors que la locution a pris place dans le dictionnaire : on sait quelle fortune la notion d'humour noir a connue. Tout indique qu'elle reste en pleine effervescence et se propage tant par la voie orale (les histoires du type dit « Marie la San-*

*glante ») que par celle de l'expression plastique (tout spécialement au niveau du dessin dans certains hebdomadaires) et celle du film (du moins quand il se veut en marge de la production de tout repos). Que le présent ouvrage reste ainsi en prise sur notre époque non moins que sur la précédente nous garde de faire en sorte qu'on puisse l'assimiler à on ne sait quel annuaire constamment remis à jour, qu'il prenne un aspect de palmarès dérisoire et on ne peut plus contraire à sa destination originelle. Qu'on veuille donc trouver ici l'édition définitive de l'*Anthologie de l'Humour noir.

Paris, 16 mai 1966.

Paratonnerre

La préface pourrait être intitulée :
le paratonnerre (Lichtenberg).

« POUR qu'il y ait comique, c'est-à-dire émanation, explosion, dégagement de comique, dit Baudelaire, il faut... »

Emanation, explosion : il est frappant de trouver les deux mêmes mots associés chez Rimbaud et cela au cœur d'un poème on ne peut plus prodigue d'humour noir (il s'agit, en effet, du dernier poème qu'on ait de lui, où « l'expression bouffonne et égarée au possible » resurgit, condensée à l'extrême, suprême, des efforts qui ont eu pour but son affirmation, puis sa négation) :

« *Rêve* »

On a faim dans la chambrée,
C'est vrai ....
Emanations, explosions,
Un génie : Je suis le gruère !
....

Rencontre, réminiscence involontaire, citation ? Il faudrait, pour en trancher, qu'on eût poussé assez loin l'exégèse de ce poème, le plus difficile de la langue française, mais cette exégèse n'est pas même entreprise. Une telle coïncidence verbale n'en est pas moins déjà significative. Elle révèle, chez les deux poètes, une même préoccupation des conditions pour ainsi dire atmosphériques dans lesquelles peut s'opérer entre les hommes le mystérieux échange du plaisir humoristique. Echange auquel, depuis un siècle et demi, s'est trouvé attaché un prix croissant qui tend à en faire aujourd'hui le principe du seul commerce intellectuel de haut luxe. Il est de moins en moins certain, vu les exigences spécifiques de la sensibilité moderne, que les œuvres poétiques, artistiques, scientifiques, les systèmes philosophiques et sociaux dépourvus de *cette sorte* d'humour ne laissent pas gravement à désirer, ne soient pas condamnés plus ou moins rapidement à périr. Il s'agit ici d'une valeur non seulement ascendante entre toutes, mais encore capable de se soumettre toutes les autres jusqu'à faire que bon nombre d'entre elles cessent universellement d'être cotées. Nous touchons à un sujet brûlant, nous avançons en pleine terre de feu, nous avons alternativement tout le vent de la passion pour et contre nous dès que nous pensons à lever le voile sur cet humour dont pourtant nous parvenons à isoler dans la littérature, dans l'art, dans la vie, avec une satisfaction unique, les produits manifestes. Nous avons, en effet, plus ou moins obscurément le sens d'une hiérarchie dont la possession intégrale de l'humour assurerait à l'homme le plus haut degré : c'est dans cette mesure même que nous échappe et nous échappera sans doute longtemps toute définition globale de l'humour, et cela, en vertu du principe que « l'homme tend naturellement à déifier ce qui est à la limite de sa compréhension ». De la même manière que « la haute initiation, celle à laquelle atteignirent seulement quelques esprits d'élite, comme ultime postulat de la Haute-Science, arrive à peine à faire comprendre comment la Divinité peut se raisonner[1] » (la Haute-Kabbale, réduction de la Haute-Science au plan terrestre, est tenue jalousement secrète par les hauts initiés), il ne peut être question d'expliciter l'humour et de le faire servir à des fins didactiques. Autant vouloir dégager du suicide une morale de la vie. « Il n'est rien, a-t-on dit, qu'un humour intelligent ne puisse résoudre en éclats de rire, pas même le néant..., le rire, en tant que l'une des plus fastueuses prodigalités de l'homme, et jusque la débauche, est au bord du néant, nous donne le néant en nantissement[2]. » On conçoit le parti que l'humour serait apte à tirer, notamment, de sa définition même et surtout de cette définition.

Il ne faut pas s'étonner, dans ces conditions, si les diverses enquêtes entreprises jusqu'à ce jour à son sujet ont donné les plus piètres résultats. A l'une d'elles, d'ailleurs fort mal conduite dans la revue *Aventure*, en novembre 1921, M. Paul Valéry répondait : « Le mot *humour* est intraduisible. S'il ne l'était pas, les Français ne l'emploieraient pas. Mais ils l'emploient précisément à cause de l'indéterminé qu'ils y mettent, et qui en fait un mot très convenable à la dispute des goûts et des couleurs. Chaque proposition qui le contient en modifie le sens ; tellement que ce sens lui-même n'est rigoureusement que l'ensemble statistique de toutes les phrases qui le contiennent, et qui viendront à le contenir. » Ce parti pris de réticence absolue ne laisse pas, en fin de compte, d'être préférable à la prolixité dont a fait montre M. Aragon qui, dans le *Traité du Style*, semble s'être donné pour tâche d'épuiser le sujet (comme on noie le

1. Armand Petitjean, *Imagination et Réalisation* (Denoël et Steele, 1936).
2. Pierre Piobb : *Les Mystères des Dieux*. Vénus (Daragon, éd., 1909).

poisson), mais l'humour ne lui a pas pardonné et il n'est personne à qui, par la suite, il ait plus radicalement faussé compagnie : « Vous voudriez les autres parties anatomiques de l'humour ? Eh bien ! prenez le doigt qu'on lève, M'sieu ? pour demander l'autorisation de parler, vous aurez la chevelure. Les yeux deux oublies pour les glaces. Les oreilles des pavillons de chasse. Le bras droit nommé symétrie représente le palais de Justice, le gauche est un bras de manchot du bras droit... Il est ce qui manque aux potages, aux poules, aux orchestres symphoniques. Par contre, il ne manque pas aux paveurs, aux ascenseurs, aux chapeaux claques... On l'a signalé dans la batterie de cuisine, il a fait son apparition dans le mauvais goût, il tient ses quartiers d'hiver dans la mode... Où court-il ? A l'effet d'optique. Sa maison ? Le Petit Saint-Thomas. Ses auteurs préférés ? Un certain Binet-Valmer. Sa faiblesse ? Les crépuscules quand ils sont bien œuf sur le plat. Il ne dédaigne pas la note sérieuse. Il ressemble fort, somme toute, à la mire sur le fusil », etc. Bon devoir de premier de première qui s'est proposé ce thème comme un autre et qui n'a de l'humour qu'une vue *extérieure*. Toute cette jonglerie n'est, encore une fois, que dérobade. Il est rare que la question ait été serrée d'aussi près que par M. Léon Pierre-Quint qui, dans son ouvrage *Le Comte de Lautréamont et Dieu*, présente l'humour comme une manière d'affirmer, par-delà « la révolte absolue de l'adolescence et la révolte intérieure de l'âge adulte », une *révolte supérieure de l'esprit*.

Pour qu'il y ait humour... le problème restera posé. On peut toutefois considérer que Hegel a fait faire à l'humour un pas décisif dans le domaine de la connaissance lorsqu'il s'est élevé à la conception d'un *humour objectif*. « L'art romantique, dit-il, avait pour principe fondamental la concentration de l'âme en elle-même, qui, ne trouvant pas que le monde réel répondît parfaitement à sa nature intime, restait indifférente en face de lui. Cette opposition s'est développée dans la période de l'art romantique, au point que nous avons vu l'intérêt se fixer tantôt sur les accidents du monde extérieur, tantôt sur les caprices de la personnalité. Mais, maintenant, si cet intérêt va jusqu'à faire que l'esprit s'absorbe dans la contemplation extérieure, et qu'en même temps l'humour, tout en conservant son caractère subjectif et réfléchi, se laisse captiver par l'objet et sa forme réelle, nous obtenons dans cette pénétration intime un *humour* en quelque sorte *objectif.* » Nous avons annoncé d'autre part[1] que le sphinx noir de l'*humour objectif* ne pouvait manquer de rencontrer, sur la route qui poudroie, la route de l'avenir, le sphinx blanc du *hasard objectif,* et que toute la création humaine ultérieure serait le fruit de leur étreinte.

Observons en passant que la situation assignée par Hegel aux divers arts (la poésie les commande en tant que seul art *universel,* elle règle leur démarche sur la sienne en tant qu'elle est seule à pouvoir représenter les *situations successives* de la vie) suffit à expliquer que la forme d'humour qui nous intéresse ait fait beaucoup plus tôt son apparition en poésie qu'en peinture, par exemple. L'intention satirique, moralisatrice y exerce sur presque toutes les œuvres du passé qui, par quelque côté, pourraient ressortir à cet humour une influence dégradante, les expose à verser dans la caricature. Tout au plus serait-on tenté de faire exception pour une partie de celles de Hogarth, de Goya, et de réserver le cas de quelques autres où l'humour se laisse plutôt pressentir, ne peut être

1. *Position politique du Surréalisme* (1935) : Position surréaliste de l'objet.

donné que pour hypothétique comme la presque totalité de l'œuvre peinte de Seurat. Le triomphe de l'humour à l'état pur et manifeste sur le plan plastique paraît devoir être situé dans le temps beaucoup plus près de nous et reconnaître pour son premier et génial artisan l'artiste mexicain Jose Guadalupe Posada qui, dans d'admirables gravures sur bois de caractère populaire, nous rend sensibles tous les remous de la révolution de 1910 (les ombres de Villa et de Fierro, concurremment à ces compositions, sont à interroger sur ce que peut être le passage de l'humour de la spéculation à l'action, le Mexique, avec ses splendides jouets funèbres s'affirmant au reste comme la terre d'élection de l'humour noir). Depuis lors, cet humour s'est comporté dans la peinture comme en pays conquis. Son herbe noire n'a cessé de grésiller partout où le cheval de Max Ernst « la Mariée du Vent » a passé. Dans les limites du livre, il n'est rien, à cet égard, de plus accompli, de plus exemplaire, que ses trois romans en « collages » : *La Femme sans tête, Rêve d'une petite fille qui voulut entrer au Carmel, Une Semaine de Bonté ou les sept Eléments capitaux.*

Le cinéma, dans la mesure où non seulement comme la poésie il représente les situations successives de la vie, mais encore il prétend rendre compte de leur enchaînement, dans la mesure où, pour émouvoir, il est condamné à pencher vers les solutions extrêmes, devait rencontrer l'humour presque d'emblée. Les premières comédies de Mack Sennett, certains films de Chaplin (*Charlot s'évade, Le Pèlerin*), les inoubliables Fatty et Picratt commandent la ligne qui doit aboutir en toute rigueur à ces déjeuners de soleil de minuit que sont *One Million Dollars Legs* et *Animal Crackers* et à ces excursions en pleine grotte mentale, tant de Fingal que de Pouzzoles, que sont *Un Chien anda-*

lou et *L'Age d'Or* de Bunuel et Dali, en passant par *Entr'acte* de Picabia.

« Il serait temps, dit Freud, de nous familiariser avec certaines caractéristiques de l'humour. L'humour a non seulement quelque chose de libérateur, analogue en cela à l'esprit et au comique, mais encore *quelque chose de sublime et d'élevé*, traits qui ne se retrouvent pas dans ces deux ordres d'acquisition du plaisir par une activité intellectuelle. Le sublime tient évidemment au triomphe du narcissisme, à l'invulnérabilité du moi qui s'affirme victorieusement. Le moi se refuse à se laisser entamer, à se laisser imposer la souffrance par les réalités extérieures, il se refuse à admettre que les traumatismes du monde extérieur puissent le toucher ; bien plus, il fait voir qu'ils peuvent même lui devenir occasions de plaisir. » Freud en donne cet exemple grossier, mais suffisant : le condamné que l'on mène à la potence un lundi s'écriant : « Voilà une semaine qui commence bien ! » On sait qu'au terme de l'analyse qu'il a fait porter sur l'humour, il déclare voir en celui-ci un mode de pensée tendant à l'épargne de la *dépense nécessitée par la douleur.* « Nous attribuons à cet assez faible plaisir — sans trop savoir pourquoi — un caractère de *haute valeur,* nous le ressentons comme particulièrement apte à nous libérer et à nous exalter. » Selon lui, le secret de l'attitude humoristique reposerait sur l'extrême possibilité pour certains êtres de retirer, en cas d'alerte grave, à leur *moi* l'accent psychique pour le reporter à leur *surmoi,* ce dernier étant à concevoir génétiquement comme l'héritier de l'instance parentale (« il tient souvent *le moi* sous une sévère tutelle, continuant à le traiter comme autrefois les parents — ou le père — traitaient l'enfant »). Il nous a paru intéressant de confronter avec cette thèse un certain nombre d'attitudes particulières qui relèvent de l'humour et de textes où cet humour s'est trouvé porté littérairement à son plus haut degré d'expression. En vue de leur réduction à une donnée commune, fondamentale, nous avons cru pouvoir, sans préjudice des réserves qu'appelle chez Freud la distinction nécessairement artificielle du *soi*, du *moi* et du *surmoi*, user pour plus de commodité dans notre exposé du vocabulaire freudien.

Nous ne nous défendons pas d'avoir apporté dans ce choix une grande partialité, tant il est vrai qu'une telle disposition nous paraît seule de mise à pareil sujet. La plus grande crainte, la seule cause de regret pourrait être, en l'occurence, de ne pas s'être montré assez difficile. Pour prendre part au tournoi noir de l'humour, il faut en effet avoir échappé à de nombreux éliminatoires. L'humour noir est borné par trop de choses, telles que la bêtise, l'ironie sceptique, la plaisanterie sans gravité... (l'énumération serait longue), mais il est par excellence l'ennemi mortel de la sentimentalité à l'air perpétuellement aux abois — la sentimentalité toujours sur fond bleu — et d'une certaine fantaisie à court terme, qui se donne trop souvent pour la poésie, persiste bien vainement à vouloir soumettre l'esprit à ses artifices caducs, et n'en a sans doute plus pour longtemps à dresser sur le soleil, parmi les autres graines de pavot, sa tête de grue couronnée.

1939.

Anthologie de l'humour noir

Jonathan Swift

1667-1745

TOUT *le désigne, en matière d'humour noir, comme le véritable initiateur. Il est impossible, en effet, de coordonner avant lui les manifestations fugitives d'un tel humour aussi bien, par exemple, chez Héraclite ou chez les Cyniques que dans l'œuvre des poètes dramatiques anglais du cycle élisabéthain. L'originalité incontestable de Swift, l'unité parfaite de sa production envisagée sous l'angle de l'émotion très spéciale et presque sans précédent qu'elle procure, le caractère indépassable, à ce point de vue, de ses réussites les plus variées justifient historiquement, ici, sa mise en avant. C'est que, contrairement à ce qu'a pu dire Voltaire, il n'a rien d'« un Rabelais perfectionné ». De Rabelais, il partage aussi peu que possible le goût de la plaisanterie lourde et innocente et la constante bonne humeur d'après-boire. A Voltaire, l'oppose de même toute la manière de réagir au spectacle de la vie, comme en témoignent si expressément leurs deux masques : l'un en proie à un perpétuel ricanement, celui de l'homme qui a pris les choses par la raison, jamais par le sentiment, et qui s'est enfermé dans le scepticisme, l'autre impassible, glacial, celui de l'homme qui les a prises de la manière inverse et qui a été sans cesse indigné. On a fait observer que Swift « provoque le rire, mais sans en participer ». C'est précisément à ce prix que l'humour, au sens où nous l'entendons, peut extérioriser l'élément sublime qui, d'après Freud, lui est inhérent et transcender les formes du comique. A ce titre encore, Swift peut à bon droit passer pour l'inventeur de la plaisanterie féroce et funèbre. La tournure profondément singulière de son esprit lui a inspiré une suite d'apologues et de réflexions de l'ordre de la « Philosophie des vêtements », de la « Méditation sur un balai » qui participent de l'esprit le plus moderne à un degré bouleversant, et font à eux seuls qu'il n'y ait peut-être pas d'œuvre qui ait moins vieilli.*

Les yeux de Swift étaient, paraît-il, si changeants qu'ils pouvaient passer du bleu clair au noir, du candide au terrible. Cette variation s'accorde à merveille avec sa façon de sentir : « J'ai toujours, dit-il, détesté toutes les nations, professions ou communautés, et je ne puis aimer que des individus. J'abhorre et je hais surtout l'animal qui porte le nom d'homme, bien que j'aime de tout mon cœur Jean, Pierre, Thomas, etc. » Lui qui méprise plus que personne le genre humain n'en est pas moins possédé par un besoin frénétique de justice. Il erre entre les palais de Dublin et sa petite cure de Laracor, anxieux de savoir s'il est fait pour soigner ses saules et jouir des ébats de ses truites ou pour se mêler des affaires de l'Etat. Comme malgré lui, il s'en mêle d'ailleurs, à plusieurs reprises, de la manière la plus active, la plus efficace. « Cet Irlandais, a-t-on pu dire, qui se regarde comme en exil dans son pays, ne parvient pas à fixer ailleurs sa résidence ; cet Irlandais, toujours prêt à dire du mal de l'Irlande, expose pour elle sa fortune, sa liberté, sa vie, et la sauve, pour près d'un siècle, de l'asservissement dont l'Angleterre la menace. » *De même ce misogyne, l'auteur de la* « *Lettre à une très jeune personne sur son mariage* », *est voué dans sa propre vie aux pires complications sentimentales : trois femmes, Varina, Stella et Vanessa, se disputent son amour et, s'il rompt en termes insultants avec la première, il est condamné à voir les deux autres s'entre-déchirer et mourir sans lui avoir accordé leur pardon. Ce prêtre est celui à qui l'une d'elles écrit :* « *Si j'étais très pieuse, vous seriez le Dieu que j'adorerais.* » *D'un bout à l'autre de sa vie, seule sa misanthropie est la disposition qui ne rencontre aucun correctif et que les événements ne viennent pas démentir. Il avait dit un jour, en montrant un arbre foudroyé :* « *Je suis comme cet arbre, je mourrai par le sommet.* » *Comme pour avoir souhaité parvenir à* « *ce degré de félicité sublime qui s'appelle la faculté d'être bien trompé, à l'état paisible et serein qui consiste à être un fou parmi les coquins* », *il se voit sombrer, en 1736, dans un affaiblissement intellectuel dont, avec une atroce lucidité, il pourra suivre la progression pendant dix ans. Il laisse par testament dix mille livres pour la création d'un hôpital d'aliénés.*

Bibliographie (traductions françaises) :
Conte du tonneau, 1721. — *Voyages de Gulliver*, 1727. — *Nouveaux mémoires du chevalier Guillaume Temple*, 1729. — *Le Grand Mystère ou l'art de méditer sur la garde-robe*, 1729. — *L'Art de voler ses maîtres*, 1854. — *Opuscules humoristiques*, 1859. — *Instructions aux domestiques, suivies des Opuscules humoristiques, etc.*, 1947.

Instructions aux domestiques

. . . .

Les maîtres et maîtresses querellent communément les domestiques de ce qu'ils ne ferment pas les portes après eux ; mais ni les maîtres ni les maîtresses ne réfléchissent qu'il faut ouvrir ces portes avant de pouvoir les fermer, et que fermer et ouvrir les portes, c'est double peine ; le meilleur moyen donc, le plus court et le plus aisé est de ne faire ni l'un ni l'autre. Mais si vous êtes si souvent tourmenté pour fermer la porte qu'il vous soit difficile de l'oublier, alors poussez-la avec tant de violence en vous en allant que la chambre en soit ébranlée et que tout y tremble, afin de faire bien voir à votre maître ou maîtresse que vous suivez ses instructions.

Si vous voyez que vous faites des progrès dans les bonnes grâces de votre maître ou maîtresse, saisissez quelque occasion de leur demander d'un ton très doux votre compte ; et, lorsqu'ils s'enquerront du motif, et qu'il paraîtra leur en coûter de se séparer de vous, répondez que vous aimeriez mieux vivre chez eux que chez n'importe qui, mais qu'un pauvre domestique n'est pas à blâmer s'il essaie d'améliorer sa condition ; que les gens qui servent n'ont pas de rentes ; que votre besogne est lourde, et que vos gages sont très légers. Là-dessus, votre maître, s'il n'a aucune générosité, ajoutera cinq ou six shillings par quartier, plutôt que de vous laisser partir ; mais si vous être pris au mot, et que vous n'ayez pas envie de partir, faites dire à votre maître par quelque camarade qu'il vous a décidé à rester.

Tous les bons morceaux que vous pouvez dérober dans la journée, serrez-les de côté pour vous régaler le soir en cachette avec vos camarades, et mettez le butler de la partie, pourvu qu'il vous donne de quoi boire.

Ecrivez votre nom et celui de votre amie, avec la fumée de la chandelle, au plafond de la cuisine ou de l'office, pour montrer votre savoir.

Si vous êtes un jeune homme de bonne mine, chaque fois que vous parlez bas à votre maîtresse à table, fourrez-lui votre nez dans la joue ; ou si vous avez l'haleine fraîche, soufflez-lui en plein visage ; j'ai vu ceci avoir de très bons résultats dans les familles.

Ne venez jamais que vous n'ayez été appelé trois ou quatre fois, car il n'y a que les chiens qui viennent au premier coup de sifflet ; et quand le maître crie : « Qui est là ? », aucun domestique n'est tenu d'y aller ; car *qui est là* n'est le nom de personne.

. . . .

Des dames délicates qui sont sujettes à s'enrhumer, ayant remarqué que les domestiques oublient souvent, en bas, de fermer la porte après eux lorsqu'ils rentrent ou sortent dans la cour de derrière, ont imaginé de faire adapter à la porte une poulie et une corde avec un grand morceau de plomb au bout, de façon qu'elle se ferme d'elle-même, et qu'il faille une certaine force pour l'ouvrir ; ce qui est une énorme peine pour les domestiques, que leur besogne peut obliger d'entrer et de sortir cinquante fois dans une matinée. Mais l'esprit peut beaucoup, car de prudents domestiques ont trouvé un remède efficace contre cet insupportable abus, en attachant la poulie de façon que le poids ne fasse aucun effet ; cependant, pour ma part, je préférerais tenir la porte toujours ouverte en mettant en bas une grosse pierre.

Les chandeliers des domestiques sont généralement cassés, car rien ne peut durer éternellement. Mais vous pouvez trouver bien des expédients ; il est assez commode de mettre votre chandelle dans une bouteille, ou avec un morceau de beurre contre la boiserie, dans une poudrière, ou un vieux soulier, ou un bâton fendu, ou un canon de pistolet, ou dans sa propre graisse, sur une table, dans une tasse à café, ou un verre à boire, ou un pot en corne, une théière, une serviette tortillée, un pot à moutarde, un encrier, un os à moelle, un morceau de pâté, ou bien vous pouvez faire un trou dans le pain et la ficher dedans.

Quand vous invitez un soir les domestiques du voisinage à se régaler avec vous à la maison, enseignez-leur une manière particulière de frapper ou de gratter à la fenêtre de la cuisine, que vous puissiez entendre, mais non votre maître ou maîtresse, que vous devez prendre soin de ne pas troubler ou effrayer à des heures indues.

Rejetez toutes les fautes sur un petit chien, ou un chat favori, un singe, un perroquet, un enfant, ou sur le domestique qu'on a renvoyé dernièrement ; en suivant cette règle, vous vous excuserez vous-même, vous ne ferez de mal à personne, et vous épargnerez à votre maître ou maîtresse la peine et l'ennui de gronder.

Quand vous manquez des instruments convenables pour l'ouvrage que vous êtes en train de faire, usez de tous les expédients que vous pouvez inventer plutôt que de laisser votre besogne inachevée. Par exemple, si le *poker* n'est pas là sous votre main, ou qu'il soit cassé, remuez le feu avec les pincettes ; si les pincettes n'y sont pas non plus, employez le bout du soufflet, le manche de la pelle à feu, ou du balai, le bout d'une *mop*, ou la canne de votre maître. S'il vous faut du papier pour flamber un poulet, déchirez le premier livre que vous verrez dans la maison. Essuyez vos souliers, à défaut d'un torchon, avec le bas d'un rideau, ou une serviette damassée. Arrachez le galon de votre livrée pour faire des jarretières. Si le butler a besoin d'un pot de chambre, il peut se servir de la grande tasse d'argent.

Il y a plusieurs manières d'éteindre les chandelles, et vous devez les connaître toutes : vous pouvez promener rapidement le bout de la chandelle contre la boiserie, ce qui l'éteint immédiatement ; vous pouvez la mettre par terre et l'éteindre avec votre pied ; vous pouvez la renverser sens dessus dessous, jusqu'à ce que sa propre graisse l'étouffe, ou l'enfoncer dans la bobèche ; vous pouvez la faire tourner dans votre main jusqu'à ce qu'elle s'éteigne ; quand vous allez au lit, après avoir pissé, vous pouvez tremper le bout de la chandelle dans le pot de chambre ; vous pouvez cracher sur votre index et votre pouce et pincer la mèche. La cuisinière peut la fourrer dans le tonneau à farine, ou le groom dans un boisseau d'avoine, ou une botte de foin, ou dans la litière ; la fille de service peut éteindre la chandelle contre le miroir, que rien ne nettoie si bien que la mouchure de chandelle ; mais la plus prompte et la meilleure de toutes les méthodes est de la souffler, ce qui la laisse nette et plus facile à rallumer.

. . . .

Modeste proposition pour empêcher les enfants des pauvres en Irlande d'être à charge à leurs parents ou à leur pays et pour les rendre utiles au public.

C'EST une triste chose pour ceux qui se promènent dans cette grande ville [1] ou voyagent dans la campagne, que de voir les rues, les routes et les portes des cabanes encombrées de mendiantes que suivent trois, quatre ou six enfants, tous en haillons et importunant chaque passant pour avoir l'aumône. Ces mères, au lieu d'être en état de travailler pour gagner honnêtement leur vie, sont forcées de passer tout leur temps à mendier de quoi nourrir leurs malheureux enfants qui, lorsqu'ils grandissent, deviennent voleurs faute d'ouvrage, ou quittent leur cher pays natal pour s'enrôler au service du prétendant en Espagne, ou se vendent aux Barbares.

Tous les partis tombent d'accord, je pense, que ce nombre prodigieux d'enfants sur les bras, sur le dos ou sur les talons de leurs mères, et souvent

1. Dublin.

de leurs pères, est, dans le déplorable état de ce royaume, un très grand fardeau de plus ; c'est pourquoi quiconque trouverait un moyen honnête, économique et facile de faire de ces enfants des membres sains et utiles de la communauté aurait assez bien mérité du public pour qu'on lui érigeât une statue comme sauveur de la nation.

Mais ma sollicitude est loin de se borner aux enfants des mendiants de profession ; elle s'étend beaucoup plus loin, et jusque sur tous les enfants d'un certain âge, qui sont nés de parents aussi peu en état réellement de pourvoir à leurs besoins que ceux qui demandent la charité dans les rues.

Pour ma part, ayant tourné mes pensées depuis bien des années sur cet important sujet, et mûrement pesé les propositions de nos faiseurs de projets, je les ai toujours vus tomber dans des erreurs grossières de calcul. Il est vrai qu'un enfant dont la mère vient d'accoucher peut vivre de son lait pendant une année solaire, avec peu d'autre nourriture, la valeur de deux shillings au plus que la mère peut certainement se procurer, ou l'équivalent en rogatons, dans son légitime métier de mendiante ; et c'est précisément lorsque les enfants sont âgés d'un an que je propose de prendre à leur égard des mesures telles qu'au lieu d'être une charge pour leurs parents ou pour la paroisse, ou de manquer d'aliments et de vêtements le reste de leur vie, ils contribuent, au contraire, à nourrir et en partie à vêtir des milliers de personnes.

Un autre grand avantage de mon projet, c'est qu'il préviendra ces avortements volontaires et cette horrible habitude qu'ont les femmes de tuer leurs bâtards, habitude trop commune, hélas ! parmi nous ; ces sacrifices de pauvres petits innocents (pour éviter la dépense plutôt que la honte, je soupçonne), qui arracheraient des larmes de compassion au cœur le plus inhumain, le plus barbare.

La population de ce royaume étant évaluée d'ordinaire à un million et demi, je calcule que sur ce chiffre il peut y avoir environ deux cent mille couples dont les femmes sont fécondes ; de ce nombre je soustrais trente mille couples, qui sont en état de pourvoir à la subsistance de leurs enfants (quoique je ne pense pas qu'il y en ait autant, dans l'état de détresse où est ce royaume) ; mais en admettant ceci, il restera cent soixante-dix mille femmes fécondes. Je soustrais encore cinquante mille pour les fausses couches ou pour les enfants qui meurent d'accident ou de maladie dans l'année. Restent par an cent vingt mille enfants qui naissent de parents pauvres. La question est donc : comment élever cette multitude d'enfants et pourvoir à leur sort ? Ce qui, comme je l'ai déjà dit, dans l'état présent des affaires, est complètement impossible par les méthodes proposées jusqu'ici. Car nous ne pouvons les employer ni comme artisans ni comme agriculteurs. Nous ne bâtissons pas de maisons (à la campagne, j'entends), et nous ne cultivons pas la terre ; il est fort rare qu'ils puissent vivre de vol avant l'âge de six ans, à moins de dispositions toutes particulières, quoique j'avoue qu'ils en apprennent les rudiments beaucoup plus tôt, durant lequel temps ils peuvent, néanmoins, à proprement parler, être considérés comme de simples aspirants ; ainsi que me l'a expliqué un des principaux habitants du comté de Cavan, qui m'a protesté qu'il n'avait jamais rencontré plus d'un ou deux cas au-dessous de six ans, même dans une partie du royaume si renommée pour sa précocité dans cet art.

Nos négociants m'ont assuré qu'avant douze ans, un garçon ou une fille n'est pas du tout de défaite ; et même à cet âge, ils ne valent pas plus de trois livres, ou tout au plus trois livres et une demi-couronne à la Bourse, ce qui ne saurait indemniser les parents ni le royaume, les frais de nourriture et de guenilles valant au moins quatre fois autant.

Je proposerai donc humblement mes propres idées qui, je l'espère, ne soulèveront pas la moindre objection.

Un jeune Américain de ma connaissance, homme très entendu, m'a certifié à Londres qu'un jeune enfant bien sain, bien nourri, est, à l'âge d'un an, un aliment délicieux, très nourrissant et très sain, bouilli, rôti, à l'étuvée ou au four, et je ne mets pas en doute qu'il ne puisse également servir en fricassée ou en ragoût.

J'expose donc humblement à la considération du public que, des cent vingt mille enfants dont le calcul a été fait, vingt mille peuvent être réservés pour la reproduction de l'espèce, dont seulement un quart de mâles, ce qui est plus qu'on ne réserve pour les moutons, le gros bétail et les porcs ; et ma raison est que ces enfants sont rarement le fruit du mariage, circonstance à laquelle nos sauvages font peu d'attention, c'est pourquoi un mâle suffira au service de quatre femelles ; que les cent mille restant peuvent, à l'âge d'un an, être offerts en vente aux personnes de qualité et de fortune dans tout le royaume, en avertissant toujours la mère de les allaiter copieusement dans le dernier mois, de façon à les rendre dodus et gras pour une bonne table. Un enfant fera deux plats dans un repas d'amis ; et quand la famille dîne seule, le train de devant ou de derrière fera un plat raisonnable, et, assaisonné avec un peu de poivre et de sel, sera très bon bouilli le quatrième jour, spécialement en hiver.

J'ai fait le calcul qu'en moyenne un enfant qui vient de naître pèse vingt livres, et que dans l'année solaire, s'il est passablement nourri, il ira à vingt-huit.

J'accorde que cet aliment sera un peu cher, et, par conséquent, il conviendra très bien aux propriétaires, qui, puisqu'ils ont déjà dévoré la plupart des pères, paraissent avoir le plus de droits sur les enfants.

. . . .

Une très digne personne, qui aime sincèrement son pays et dont j'estime hautement les vertus, a bien voulu, dernièrement, en discourant sur cette matière, proposer un amendement à mon projet. Elle a dit que nombre de gentlemen de ce royaume ayant détruit, depuis peu, leur gros gibier, elle croyait que l'on pouvait suppléer à ce manque de venaison par des corps de jeunes garçons et de jeunes filles, pas au-dessus de quatorze ans et pas au-dessous de douze, tant d'enfants des deux sexes étant en ce moment menacés de mourir de faim, faute d'ouvrage ou de service ; et les parents, s'ils sont encore en vie, ou, à défaut de ceux-ci, leurs plus proches parents étant tout disposés à s'en défaire. Mais avec toute la déférence due à un si excellent ami et à un si digne patriote, je ne puis être tout à fait de son sentiment ; car pour ce qui est des mâles, l'Américain que je connais m'a assuré, pour en avoir fait souvent l'expérience, que leur chair était généralement dure et maigre, comme celle de nos écoliers, et que les engraisser ne paierait pas les frais. Quant aux femelles, ce serait, je pense, en toute soumission, une perte pour le public, parce que bientôt elles deviendraient fécondes elles-mêmes. Et d'ailleurs, il n'est pas improbable que des gens scrupuleux seraient portés à censurer cette mesure (quoique bien injustement, il est vrai), comme frisant un peu la cruauté ; ce qui, je l'avoue, a toujours été, à mes yeux, la plus forte objection contre tout projet, quelque bonne qu'en soit l'intention.

. . . .

Je crois que les avantages de ma proposition sont évidents et nombreux, ainsi que de la plus haute importance.

Premièrement, comme je l'ai déjà fait observer, elle diminuerait considérablement le nombre des papistes dont nous sommes inondés tous les ans, car ce sont les plus grands faiseurs d'enfants de la nation, aussi bien que ses plus dangereux ennemis ; et s'ils restent au pays, c'est afin de livrer le royaume au Prétendant, espérant profiter de l'absence de tant de bons protestants, qui ont mieux aimé s'expatrier que de rester chez eux et de payer la dîme à un curé épiscopal contre leur conscience.

Deuxièmement. Les plus pauvres tenanciers auront quelque chose à eux que la justice pourra saisir et affecter au paiement de la rente de leur propriétaire, leur blé et leur bétail étant déjà saisis et l'argent une chose inconnue.

Troisièmement. Attendu que l'entretien de cent mille enfants de deux ans et au-dessus ne peut être évalué à moins de dix shillings par tête et par année, l'avoir de la nation s'accroîtra par là de cinquante mille livres par an, outre le profit d'un nouveau plat introduit sur les tables de tous les gens riches du royaume qui ont quelque délicatesse de goût ; et l'argent circulera parmi nous, l'article étant entièrement de notre cru et de notre fabrication.

Quatrièmement. Les producteurs réguliers, outre le gain annuel de huit shillings sterlings par la vente de leurs enfants, seront quittes de leur entretien après la première année.

Cinquièmement. Cet aliment amènera aussi beaucoup de consommateurs aux tavernes, où les cabaretiers auront certainement la précaution de se procurer les meilleures recettes pour l'accommoder dans la perfection, et, conséquemment, auront leurs maisons fréquentées par tous les beaux messieurs qui s'estiment fort justement en raison de leurs connaissances en cuisine, et un cuisinier habile, qui sait comment on engage ses hôtes, saura bien rendre celle-ci aussi coûteuse qu'il leur plaira.

Sixièmement. Ce serait un grand stimulant au mariage, que toutes les nations sensées ont encouragé par des récompenses ou imposé par des lois et des pénalités. Cela augmenterait le soin et la tendresse des mères pour leurs enfants, lorsqu'elles seraient sûres d'un établissement pour ces pauvres petits, soutenus en quelque chose aux frais et au profit du public. Nous verrions une honnête émulation entre les femmes mariées à qui apporterait au marché l'enfant le plus gras. Les hommes deviendraient aussi aux petits soins pour leurs femmes en état de grossesse qu'ils le sont aujourd'hui pour leurs juments, leurs vaches et leurs truies prêtes à mettre bas, et ils ne les menaceraient plus ni du poing ni du pied (comme ils en ont trop souvent l'habitude), de peur d'avortement.

. . . .

Méditation sur un balai

Ce simple bâton que vous voyez ici gisant sans gloire dans ce coin négligé, je l'ai vu jadis florissant dans une forêt : il était plein de sève, plein de feuilles, et plein de branches, mais à présent, en vain l'art diligent de l'homme prétend lutter contre la nature en attachant ce faisceau flétri de verges à son tronc desséché : il n'est tout au plus que l'inverse de ce qu'il était, un arbre renversé sens dessus dessous, les rameaux sur la terre, et la racine dans l'air ; à présent, il est manié de chaque souillon, condamné à être son esclave, et, par un caprice de la destinée, sa mission est de rendre propre les autres objets et d'être sale lui-même ; enfin, usé jusqu'au tronçon entre les mains des servantes, il est ou jeté à la rue, ou condamné, pour dernier service, à allumer le feu. Quand je contemplai ceci, je soupirai, et dis en moi-même : « Certainement l'homme est un balai ! »

La nature le mit au monde fort et vigoureux, dans une condition prospère, portant sur sa tête ses propres cheveux, les véritables branches de ce végétal doué de raison, jusqu'à ce que la hache de l'intempérance ait fait tomber ses verdoyants rameaux et n'ait plus laissé qu'un tronc desséché. Alors il a recours à l'art, et met une perruque, s'estimant à cause d'un artificiel faisceau de cheveux (tout couverts de poudre) qui n'ont jamais poussé sur sa tête ; mais en ce moment, si notre balai avait la prétention d'entrer en scène, fier de ces dépouilles de bouleau que jamais il ne porta, et tout couvert de poussière, provînt-elle de la chambre de la plus belle dame, nous serions disposés à ridiculiser et à mépriser sa vanité, juges partiaux que nous sommes de nos propres perfections et des défauts des autres hommes.

Mais un balai, direz-vous peut-être, est l'emblème d'un arbre qui se tient sur sa tête, et je vous prie, qu'est-ce qu'un homme, si ce n'est une créature sens dessus dessous, ses facultés animales perpétuellement montées sur ses facultés raisonnables, sa tête où devraient être ses talons, rampant sur la terre ! Et pourtant, avec toutes ses fautes, il s'érige en réformateur universel et destructeur d'abus, en redresseur de griefs, il va fouillant dans tous les recoins malpropres de la nature, amenant au jour la corruption cachée, et soulève une poussière considérable là où il n'y en avait point auparavant, prenant tout le temps son ample part de ces mêmes pollutions qu'il prétend effacer ; ses derniers jours se passent dans l'esclavage des femmes, et généralement des moins méritantes : jusqu'à ce qu'usé jusqu'au tronçon, comme son frère le balai, il soit jeté à la porte, ou employé à allumer les flammes auxquelles d'autres se chaufferont.

Pensées sur divers sujets moraux et divertissants

CELUI qui observe en marchant dans les rues verra, je crois, les visages les plus gais dans les voitures de deuil.

☆

Vénus, une belle et bonne dame, était la déesse de l'amour ; Junon, une terrible mégère, la déesse du mariage, et toujours elles furent ennemies mortelles.

☆

Apollon, le dieu de la médecine, passait pour envoyer les maladies. Dans l'origine, les deux métiers n'en faisaient qu'un, et il en est toujours ainsi.

☆

Les vieillards et les comètes ont été vénérés pour la même raison : leurs longues barbes et leurs prétentions à prédire les événements.

☆

Il est question dans Pausanias d'un complot pour livrer une ville, découvert par le braiement d'un âne ; le cri des oies sauva le Capitole, et la conspiration de Catilina fut trahie par une prostituée ! Ces trois animaux sont, autant qu'il m'en souvienne, les seuls fameux dans l'histoire comme témoins et comme révélateurs.

☆

Si un homme me tient à distance, ma consolation est qu'il s'y tient aussi.

☆

C'est parfaitement observé, dis-je, quand je lis dans un auteur un passage où son opinion s'accorde avec la mienne. Quand nous différons, je déclare qu'il s'est trompé.

☆

Un homme aurait peu de spectateurs s'il offrait de montrer pour trois pence comment il peut enfoncer un fer rougi au feu dans un baril de poudre, sans qu'elle prenne feu.

☆

Question. Les églises ne sont-elles pas les dortoirs des vivants aussi bien que des morts ?

☆

La jalousie comme le feu peut raccourcir des cornes, mais elle les fait sentir mauvais.

☆

Le chapeau d'un valet doit se tirer à tout le monde ; et c'est pourquoi Mercure, qui est le valet de Jupiter, avait des ailes au sien.

☆

La vision est l'art de voir les choses invisibles.

☆

Je demandais à un homme pauvre comment il vivait ; il répondit : « Comme un savon, toujours en diminuant. »

☆

Il est dit des chevaux dans la Vision que leur force était dans leur bouche et dans leur queue. Ce qui est dit des chevaux dans la Vision peut en réalité se dire des femmes.

☆

Les éléphants sont généralement dessinés plus petits que nature, mais une puce toujours plus grande.

☆

Personne n'accepte de conseils ; mais tout le monde acceptera de l'argent : donc l'argent vaut mieux que les conseils.

☆

A Windsor, je faisais observer à mylord Bolingbroke que la tour où logeaient les filles d'honneur (qui à cette époque étaient fort belles) était très fréquentée par les corbeaux. Mylord répondit que c'était parce qu'ils sentaient la charogne.

Opuscules humoristiques,
traductions de Léon de Wailly.

D.-A.-F. de Sade

1740-1814

Il *ne saurait être question de soumettre à l'optique particulière qui commande ce recueil une œuvre dont les horizons multiples commencent seulement à notre époque à se découvrir. Sans doute n'est-il au demeurant rien de plus* grave *qu'elle et cela dans la mesure même où en pleine société « civilisée » continue à peser sur elle le tabou d'une interdiction presque totale. Il a fallu toute l'intuition des poètes pour sauver de la nuit définitive à laquelle l'hypocrisie la vouait l'expression d'une pensée tenue entre toutes pour subversive, la pensée du marquis de Sade « cet esprit le plus libre qui ait encore existé » au témoignage de Guillaume Apollinaire. Il n'a fallu rien moins que la volonté que montrent les vrais analystes d'étendre, en surmontant tous les préjugés, le champ de la connaissance humaine pour dégager les aspirations fondamentales de cette pensée. C'est à quoi s'employèrent successivement en 1887, dans une brochure anonyme intitulée* La vérité sur le Marquis de Sade, *Charles Henry, futur directeur du Laboratoire de physiologie des sensations à la Sorbonne, au début de ce siècle le Docteur Eugène Duehren* (Le Marquis de Sade et son temps) *et, de 1912 à ce jour, M. Maurice Heine, dont les recherches systématiques évoquent une suite ininterrompue de conquêtes. Grâce à M. Maurice Heine l'immense portée de l'œuvre sadiste est aujourd'hui hors de cause : psychologiquement elle peut passer pour la plus authentique devancière de celle de Freud et de toute la psycho-pathologie moderne ; socialement elle ne tend à rien moins qu'à l'établissement, différé de révolution en révolution, d'une véritable science des mœurs.*

Si l'on songe que, sur le feuillet du manuscrit de ses Contes, *Sade se plut à écrire : « Il n'y a ni conte ni roman dans toutes les littératures de l'Europe où le genre sombre soit porté à un degré plus effrayant et plus pathétique », on éprouve toutefois moins de surprise à l'idée qu'il a pu sacrifier épisodiquement à l'humour noir. Les excès même de l'imagination à quoi l'entraîne son génie naturel et le disposent ses longues années de captivité, le parti pris follement orgueilleux qui le fait, dans le plaisir comme dans le crime, mettre à l'abri de la satiété ses héros, le souci qu'il montre de varier à l'infini, ne serait-ce qu'en les compliquant toujours davantage, les circonstances propices au maintien de leur égarement ont toute chance de faire surgir de son récit quelque passage d'une outrance manifeste, qui détend le lecteur en lui donnant à penser que l'auteur n'est pas dupe. Pour un temps très bref, le fantastique reprend possession de l'œuvre de Sade : le réel, le plausible sont délibérément transgressés. C'est une des plus grandes vertus poétiques de cette œuvre que de situer la peinture des iniquités sociales et des perversions humaines dans la lumière des fantasmagories et des terreurs de l'enfance, et cela au risque d'amener parfois celles-ci et celles-là à se confondre, comme dans l'épisode de l'Ogre des Apennins que nous avons choisi de reproduire.*

Sade, à plus d'un autre titre, incarnerait encore supérieurement ce que nous appelons l'humour noir. C'est lui qui, dans la vie, semble avoir inauguré, d'ailleurs terriblement à ses dépens, *le genre de la mystification sinistre confinant à « l'assassinat amusant » au sens où l'entendra plus tard Jacques Vaché. Les méfaits qui lui valurent ses premières années d'incarcération furent, à beaucoup près, moins horribles qu'on a dit*[1]*. Ce contempteur acharné de la famille, ce monstre de cruauté est le même qui, pour sauver, croit-on, ses beaux-parents de l'échafaud, mais surtout sans doute par conviction désintéressée et profonde, durant la Terreur s'élève hardiment contre la peine de mort et est rendu aux geôles par la Révolution que, du premier jour, avec enthousiasme, il a servie. Libéré après le 9 Thermidor, il est arrêté de nouveau en 1803, à la suite de la publication d'un pamphlet contre le Premier Consul et son entourage, et transféré comme fou de sa prison à l'hôpital de Bicêtre, puis à l'hospice de Charenton où il meurt.*

Il est permis de voir la manifestation d'un humour suprême dans ce dernier paragraphe de son testament, en contradiction poignante avec le fait que Sade a passé, pour ses idées, vingt-sept années, sous trois régimes, dans onze prisons et en a appelé, avec une plus dramatique espérance que quiconque, au jugement de la postérité :

---

1. Cf. Maurice Heine : L'affaire des bonbons cantharidés du Marquis de Sade, documents inédits (*Hippocrate*, mars 1933). — Le Marquis de Sade et Rose Keller ou l'affaire d'Arcueil devant le Parlement de Paris (*Annales de Médecine légale*, mars 1933).

« Je défends que mon corps soit ouvert, sous quelque prétexte que ce puisse être. Je demande avec la plus vive instance qu'il soit gardé quarante-huit heures dans la chambre où je décéderai, placé dans une bière de bois qui ne sera clouée qu'au bout des quarante-huit heures prescrites ci-dessus, à l'expiration desquelles ladite bière sera clouée ; pendant cet intervalle, il sera envoyé un exprès au sieur Lenormand, marchand de bois, boulevard de l'Egalité, n° 101, à Versailles, pour le prier de venir lui-même, suivi d'une charrette, chercher mon corps pour être transporté, sous son escorte, au bois de ma terre de la Malmaison, commune de Mancé, près d'Epernon, où je veux qu'il soit placé, sans aucune espèce de cérémonie, dans le premier taillis fourré qui se trouve à droite dans ledit bois, en y entrant du côté de l'ancien château par la grande allée qui le partage. Ma fosse sera pratiquée dans ce taillis par le fermier de la Malmaison, sous l'inspection de M. Lenormand, qui ne quittera mon corps qu'après l'avoir placé dans ladite fosse ; il pourra se faire accompagner dans cette cérémonie, s'il le veut, par ceux de mes parents ou amis qui, sans aucune espèce d'appareil, auront bien voulu me donner cette dernière marque d'attachement. La fosse une fois recouverte, il sera semé dessus des glands, afin que, par la suite, le terrain de ladite fosse se trouvant regarni et le taillis se trouvant fourré comme il l'était auparavant, les traces de ma tombe disparaissent de dessus la surface de la terre, comme je me flatte que ma mémoire s'effacera de l'esprit des hommes.

« Fait à Charenton-Saint-Maurice, en état de raison et de santé, le 30 janvier 1806.

« Signé : D.-A.-F. Sade. »

« *Sade, dit Paul Eluard, a voulu redonner à l'homme civilisé la force de ses instincts primitifs, il a voulu délivrer l'imagination amoureuse de ses propres objets. Il a cru que de là, et de là seulement, naîtrait la véritable égalité. La vertu portant son bonheur en elle, il s'est efforcé, au nom de tout ce qui souffre, de l'abaisser et de l'humilier, de lui imposer la loi suprême du malheur, contre toute illusion, contre tout mensonge, pour qu'elle puisse aider tous ceux qu'elle réprouve à construire sur la terre un monde à la mesure immense de l'homme*[1]. »

Bibliographie : *Justine ou les malheurs de la Vertu,* 1791. — *Aline et Valcour,* 1793. — *La Philosophie dans le Boudoir,* 1795. — *Juliette* ou la suite de *Justine,* 1796. — *Les Crimes de l'Amour,* 1800. — *Les 120 Journées de Sodome,* 1904. — *Contes et Fabliaux,* 1926. — *L'Aigle, Mademoiselle,* 1949, etc.

---

1. *L'Evidence poétique.*

Juliette

.. ..

En quittant la plaine volcanique de Piétra-Mala, nous remontâmes, pendant une heure, une haute montagne située sur la droite. Du sommet de cette montagne, nous aperçûmes des abîmes de plus de deux mille toises de profondeur, où nous dirigeait notre marche. Toute cette partie était enveloppée de bois si touffus, si prodigieusement épais, qu'à peine y voyait-on pour se conduire. Après avoir descendu à pic pendant près de trois heures, nous arrivâmes au bord d'un vaste étang. Sur une île située au milieu de cette eau, se voyait le donjon du palais qui servait de retraite à notre guide ; la hauteur des murailles qui l'entouraient était cause qu'on n'en pouvait distinguer que le toit. Il y avait six heures que nous marchions sans avoir rencontré la moindre maison..., pas un individu ne s'était offert à nos regards. Une barque noire comme les gondoles de Venise nous attendait au bord de l'étang. Ce fut de là que nous pûmes considérer l'affreux bassin dans lequel nous étions : il était environné de toutes parts de montagnes à perte de vue, dont les sommets et les flancs arides étaient couverts de pins, de mélèzes et de chênes verts. Il était impossible de rien voir de plus agreste et de plus sombre ; on se croyait au bout de l'univers. Nous montâmes dans la barque ; le géant la conduisait seul. Du port au château, il y avait encore trois cents toises ; nous arrivâmes au pied d'une porte de fer pratiquée dans le mur épais qui environne le château ; là, des fossés de six pieds de large se présentèrent à nous, nous les traversâmes sur un pont qui s'enleva dès que nous l'eûmes passé ; un second mur s'offrit, nous passâmes encore une porte de fer, et nous nous trouvâmes dans un massif de bois si serré que nous crûmes impossible d'aller plus loin. Nous ne le pouvions effectivement plus, ce massif, formé d'une haie vive, ne présentant que des pointes et n'offrant aucun passage. Dans son sein était la dernière enceinte du château ; elle avait dix pieds d'épaisseur. Le géant lève une pierre de taille énorme et que lui seul pouvait manier ; un escalier tortueux se présente ; la pierre se referme, et c'est par les entrailles de la terre que nous arrivons (toujours dans les ténèbres) au centre des caves de cette maison, desquelles nous remontons au moyen d'une ouverture défendue par une pierre semblable à celle dont nous venons de parler. Nous voilà enfin dans une salle basse toute tapissée de squelettes ; les sièges de ce local n'étaient formés que d'os de morts, et c'était sur des crânes que l'on s'asseyait malgré soi ; des cris affreux nous parurent sortir de dessous terre, et nous apprîmes bientôt que c'était dans les voûtes de cette salle qu'étaient situés les cachots où gémissaient les victimes de ce monstre.

Je vous tiens, nous dit-il dès que nous fûmes

assis, vous êtes en ma puissance ; je veux faire de vous ce qu'il me plaira. Ne vous effrayez pourtant point ; les actions que je vous ai vu commettre sont trop analogues à ma façon de penser pour que je ne vous croie pas dignes de connaître et de partager les plaisirs de ma retraite. Ecoutez-moi, j'ai le temps de vous instruire avant le souper ; on le prépare pendant que je vais vous parler.

Je suis Moscovite, né dans une petite ville qui se trouve sur les bords du Volga. On m'appelle Minski. Mon père en mourant me laissa des richesses immenses, et la nature proportionna mes facultés physiques et mes goûts, aux faveurs dont me gratifiait la fortune. Ne me sentant point fait pour végéter dans le fond d'une province obscure comme celle où j'avais reçu le jour, je voyageais ; l'univers entier ne me paraissait pas encore assez vaste pour l'étendue de mes désirs ; il me présentait des bornes : je n'en voulais pas. Né libertin, impie, débauché, sanguinaire et féroce, je ne parcourus le monde que pour en connaître les vices, et ne les pris que pour les raffiner. Je commençai par la Chine, le Mogol et la Tartarie ; je visitai toute l'Asie : remontant vers le Kamtschatka, j'entrai en Amérique par le fameux canal de Bering. Je parcourus cette vaste partie du monde, tour à tour chez les peuples policés et chez les sauvages, ne copiant jamais que les crimes des uns, les vices et les atrocités des autres. Je rapportai dans votre Europe des penchants si dangereux, que je fus condamné à être brûlé en Espagne, rompu en France, pendu en Angleterre, et massolé en Italie : mes richesses me garantirent de tout.

Je passai en Afrique ; ce fut là où je reconnus bien que ce que vous avez la folie de nommer dépravation n'est jamais que l'état naturel de l'homme, et plus souvent encore le résultat du sol où la nature l'a jeté. Ces braves enfants du soleil se moquèrent de moi quand je voulus leur reprocher la barbarie dont ils usaient avec leurs femmes. Et qu'est-ce donc qu'une femme, me répondaient-ils, sinon l'animal domestique que la nature nous donne pour satisfaire à la fois et nos besoins et nos plaisirs. Quels sont ses droits pour mériter de nous, plus que le bétail de nos basses-cours. La seule différence que nous y voyons, me disaient ces peuples sensés, c'est que nos animaux de ménage peuvent mériter quelque indulgence par leur douceur et leur soumission, au lieu que les femmes ne méritent que de la rigueur et de la barbarie, vu leur état perpétuel de fraude, de méchanceté, de trahison et de perfidie...

... J'ai conservé ces goûts ; tous les débris de cadavres que vous voyez ici ne sont que les restes des créatures que je dévore ; je ne me nourris que de chair humaine ; j'espère que vous serez contents du régal que je veux vous en faire faire...

... J'ai deux harems. Le premier contient deux cents petites filles, de cinq à vingt ans, je les mange, quand à force de luxure elles se trouvent suffisamment mortifiées ; deux cents femmes de vingt à trente sont dans le second ; vous verrez comme je les traite. Cinquante valets des deux sexes sont employés au service de ce nombre considérable d'objets de lubricité, et j'ai pour le recrutement cent agents dispersés dans toutes les grandes villes du monde. Croiriez-vous qu'avec le mouvement prodigieux qu'exige tout ceci il n'y ait cependant pour entrer dans mon île que la seule route que vous venez de faire ? On ne se douterait assurément pas de la quantité de créatures qui passent par ce mystérieux sentier.

Jamais les voiles que j'étends sur tout ceci ne seront déchirés. Ce n'est pas que j'aie la moindre chose à craindre : ceci tient aux Etats du grand-duc de Toscane : on y connaît toute l'irrégularité de ma conduite, et l'argent que je sème me met à l'abri de tout...

... Les meubles que vous voyez ici, nous dit notre hôte, sont vivants : tous vont marcher au moindre signe. Minski fait ce signe, et la table s'avance, elle était dans un coin de la salle, elle vient se placer au milieu ; cinq fauteuils se rangent également autour ; deux lustres descendent du plafond et planent au milieu de la table. Cette mécanique est simple, dit le géant, en nous faisant observer de près la composition de ces meubles. Vous voyez que cette table, ces lustres, ces fauteuils, ne sont composés que de groupes de filles artistement arrangés ; mes plats vont se placer tout chauds sur les reins de ces créatures...

Minski, observai-je à notre Moscovite, le rôle de ces filles est fatigant, surtout si vous êtes longtemps à table. Le pis-aller, dit Minski, est qu'il en crève quelques-unes, et ces pertes sont trop faciles à réparer pour que je puisse m'en occuper un instant...

... Mes amis, nous dit notre hôte, je vous ai prévenus qu'on ne se nourrissait ici que de chair humaine ; il n'est aucun des plats que vous voyez qui n'en soit. Nous en tâterons, dit Sbrigani ; les répugnances sont des absurdités : elles ne naissent que du défaut d'habitude ; toutes les viandes sont faites pour sustenter l'homme, toutes nous sont offertes à cet effet par la nature, et il n'est pas plus extraordinaire de manger un homme qu'un poulet. — En disant cela, mon époux enfonça une fourchette dans un quartier de garçon qui lui parut fort bien apprêté, et en ayant mis au moins deux livres sur son assiette, il les dévora. Je l'imitai. Minski nous encourageait ; et comme son appétit égalait toutes ses passions, il eut bientôt vidé une douzaine de plats.

Minski buvait comme il mangeait : il était déjà à sa trentième bouteille de bourgogne quand on servit l'entremets qu'il arrosa de champagne ;

l'aleatico, le falerne et autres vins précieux d'Italie furent avalés au dessert.

.. ..

La chance posthume de Sade, comme si par mystère elle devait compenser la folle rigueur du sort qu'il a connu de son vivant, est non seulement de lui attirer à longue distance les exégètes les plus dignes de lui mais, sur ce terrain foudroyé entre tous qu'est son œuvre — terrain propice à une mutation de la vie — de pencher les prospecteurs les plus aptes à déceler de nouveaux filons précieux. Dès la mort de Maurice Heine survenue en 1940 — coïncidant avec le deux centième anniversaire de la naissance de Sade — la noble relève a été assurée par Gilbert Lély qui, secondé à son tour par la plus heureuse fortune dans son amour et dans son zèle, se prépare à nous livrer nombre d'ouvrages et de documents soustraits jusqu'ici à notre connaissance et dont certains font passer de nouveaux éclairs sur un profil — le plus dérobé — du marquis. L'Aigle, Mademoiselle, *qui inaugure cette série de publications, nous porte, comme pour la première fois, aux sources brûlantes de sa passion, nous permet, sur le plan humain, de remonter jusqu'au principe de leur jaillissement. Dans l'éperdu de cet instant, dont la lettre reproduite ci-après marque le paroxysme, on verra que l'humour réclame la part de l'aigle et se l'attribue en particulier dans le secret de l'échafaudement de ces opérations arithmétiques auxquelles Sade accordait le sens de* signaux, *opérations qui, selon Gilbert Lély, « constituent une sorte de réaction de son psychisme, une lutte inconsciente contre le désespoir dans lequel sa raison aurait pu sombrer sans le secours d'un tel dérivatif ».*

A Madame de Sade

J'AI reçu ce matin une grande lettre de vous qui n'en finissait plus. N'en écrivez donc pas si long, je vous en prie : croyez-vous que je n'aie d'autre chose à faire que de lire vos rabâchages ? Il faut que vous ayez bien du temps à perdre pour écrire des lettres de cette taille-là, et moi de même pour y répondre, convenez-en. Mais cependant, comme l'objet de celle-ci est d'une grande conséquence, je vous prie de la lire à tête rassise et d'un beau sang-froid.

Je viens de trouver trois signaux de la plus grande beauté. Il m'est impossible de vous les cacher. Ils sont si sublimes que je suis persuadé que vous allez, en les lisant, applaudir malgré vous à l'étendue de mon génie et à la richesse de mes connaissances. On pourrait dire de votre *clique* ce que Piron disait de l'Académie : *vous êtes là quarante qui avez de l'esprit comme quatre.* Votre séquelle, c'est la même chose : vous êtes là six qui avez de l'esprit comme *deux.* Eh bien, avec tout votre génie, et quoiqu'il n'y ait que douze ans que vous travaillez *le grand œuvre,* je m'en vais vous parier double contre simple[1], si vous voulez, que mes trois signaux valent mieux que tout ce que vous avez fait. Attendez, je me trompe, il y en a, ma foi, quatre... Eh bien, c'est trois ou quatre, et vous savez que le trois-quatre est d'une grande force.

1. Hein ! double contre simple : il est joli, celui-là. Vous voudriez bien l'avoir trouvé ? (*Note de Sade*).

1er signal inventé par moi,
Christophe de Sade :

La première coupure ou déchirure que vous aurez à me signaler, il faudra couper les c... de Cadet de la Basoche (Albaret) et me les envoyer dans une boîte. J'ouvrirai la boîte, je me récrierai, je dirai : Eh, mon Dieu, qu'est-ce que cela ? — Jacques, le souffleur, qui sera là, derrière, répondra : *Ce n'est rien, Monsieur ; ne voyez-vous pas bien que c'est un* 19 ? — Eh non, je dis... Sans vanité, en avez-vous qui vaille celui-là ?

2e signal par le même :

Quand vous voulez signaler, *le 2, le double, le duplicata, le second toi-même, le payer deux fois,* etc., voici comme il faut vous y prendre : Il faudra faire poser en attitude dans ma chambre une belle créature (n'importe le sexe ; j'ai un peu l'esprit de votre famille, moi, je n'y regarde pas de si près ; et puis d'ailleurs *chien enragé,* etc.), il faudra donc, dis-je, faire placer dans ma chambre une belle créature dans l'attitude de la *Callipyge farnésienne,* là, le présentant beau. Je ne hais pas cette partie-là ; je pense, comme le président, je trouve que c'est plus charnu que le reste et que, par conséquent, pour quiconque aime la chair, ça vaut toujours mieux que ce qui est *ras...* En entrant, je dirai au souffleur, ou au soufflé : Qu'est-ce que c'est donc que cette infamie-là (pour la forme, seulement) et le souffleur répondra : *Monsieur, c'est un duplicata.*

3e signal,
toujours du même :

Quand vous voudrez faire un grand *pont,* comme cet été, avec le tonnerre et le conducteur (effet terrible qui a failli à me faire mourir en convulsions), il faudra mettre le feu au magasin à poudre (il est *verticalement* tourné au cabinet où je couche) : ça fera un effet sublime.

Oh ! voici le plus beau,
n'est-ce pas ?
Pour 4e enfin :

Quand vous voudrez faire un 16 à 9 (écoutez bien), il faudra prendre deux *têtes de mort* (*deux*, vous entendez bien ; j'aurais pu dire *six*, mais, quoique j'aie servi dans les *dragons*, je suis modeste : je dis donc *deux*) et, pendant que je serai au jardin, vous ferez arranger cela dans ma chambre, afin que je trouve la décoration toute prête en rentrant. Ou bien vous m'annoncerez quelque paquet venant de Provence, que l'on aura reçu pour moi : je l'ouvrirai avec empressement... et ce sera *ça* — et j'aurai bien peur (car je suis extrêmement timide de mon naturel, je l'ai prouvé deux ou trois fois dans ma vie).

Ah, bonnes gens, bonnes gens ! croyez-moi, n'inventez pas, car, pour inventer des choses si plates, si bêtes et si aisées à deviner, ce n'est pas la peine de se mettre en frais. Il y a tout plein d'autres choses à faire que d'inventer, et quand on n'a pas l'esprit d'inventer, il vaudrait mieux faire des souliers, des canules, que d'inventer *lourdement, gauchement et bêtement.*

Ce 19, et parti le 22.

A propos, envoyez-moi donc mon linge ; et dites à ceux qui *jugent* que je n'en ai que faire, qu'ils *jugent* fort mal, car M. le directeur de Rougemont, qui *juge* fort bien, vient de *juger* qu'il fallait de très grandes réparations à mon poêle, et il les fait faire. Ainsi, une fois dans la vie, si cela se peut, tirez donc la charrue ensemble, car quelques rosses que vous soyez tous, encore faut-il tâcher de ne pas l'être au point de tirer toujours à droite quand l'autre tire à gauche. Tirez comme M. le directeur de Rougemont ; c'est un homme d'un grand bon sens qui tire toujours très juste — ou qui se fait tirer quand il ne tire pas. — Mon valet se recommande bien à vous pour que la présidente n'oublie pas que s'il faisait bien le signal, elle avait promis de faire faire son fils sergent.

Georg Christoph Lichtenberg

1742-1799

CROIRE ou ne pas croire, *ce dilemme n'a jamais été agité d'une manière plus pathétique et plus géniale que par un homme doué au suprême degré du sens de la qualité intellectuelle comme le fut Lichtenberg, lui qu'on voit en 1775, dans une avant-scène de Londres, tout yeux pour le jeu du grand acteur Garrick dans le monologue d'Hamlet : « Digne et grave, il regarde la terre, de côté. Puis retirant sa main droite de son menton (mais si je m'en souviens bien, le bras droit n'en continue pas moins à être soutenu par le gauche), il prononça les mots :* To be or not to be, *à voix basse ; mais, en raison du grand silence (et non d'une qualité exceptionnelle de sa voix, comme certains l'ont écrit), il se fait entendre partout. » La voix de Lichtenberg n'est pas moins admirablement posée et son interrogation particulière sur le plan de la connaissance réussit à tirer le plus surprenant parti de sa disgrâce physique (il était bossu) en même temps qu'à tomber dans un silence sans égal, qui n'a fait que grandir, que tendre à l'oubli total jusqu'à nous. Il y aurait quelque vanité à en appeler de ce silence, rarement rompu depuis sa mort, si les hommes qui se sont réclamés de Lichtenberg n'étaient, à l'exclusion de tous les autres, très précisément quelques-uns de ceux avec qui la postérité a le plus compté. En dépit de très appréciables sujets de rancune qu'il pouvait nourrir contre lui, « nous pouvons, déclare Gœthe, nous servir des écrits de Lichtenberg comme de la plus merveilleuse des baguettes magiques. Lorsqu'il fait une plaisanterie, c'est qu'il y a là un problème caché. » Kant, à la fin de sa vie, mettait Lichtenberg au plus haut et, dans son exemplaire personnel, il s'est plu à souligner, tant en rouge qu'en noir, maint passage de ses* Aphorismes. *Schopenhauer voit en lui le penseur par excellence, celui qui pense* pour lui-même *et non pour les autres. Nietzsche place les* Aphorismes *à côté des* Entretiens de Gœthe avec Eckermann, *au centre du « Trésor de la prose allemande ». Wagner, en 1878, croit y découvrir une anticipation de sa pensée propre. Tolstoï, en 1804, se place sous l'influence de Lichtenberg plus électivement encore que sous celle de Kant et s'étonne de l'injustice du sort posthume envers lui : « Je ne comprends pas que les Allemands d'aujourd'hui négligent autant cet écrivain, tandis qu'ils raffolent d'un coquet feuilletoniste tel que Nietzsche. »*

La vie de Lichtenberg n'abonde pas moins que celle de Swift en contradictions passionnantes, d'autant plus passionnantes qu'elles affectent ici un esprit éminemment raisonnable. Athée on ne peut plus conscient, non seulement il estime que le christianisme est « le système le plus parfait pour favoriser la paix et le bonheur dans le monde », mais encore il lui arrive dans le désarroi sentimental de s'abandonner à la vie mystique des autres jusqu'à « prier avec ferveur ». Après avoir écrit : « La Révolution française est l'œuvre de la philosophie, mais quel bond depuis le Cogito ergo sum jusqu'au cri : A la Bastille ! retentissant au Palais-Royal ! » et admis la Terreur, il s'émeut de la mort de Marie-Antoinette. Tout grand contempteur qu'il est de l'amour à la Werther, il s'éprend en 1777 d'une fillette de douze ans : « Depuis Pâques 1780, écrit-il six ans plus tard au pasteur Amelung, elle resta complètement chez moi... Nous étions constamment ensemble. Quand elle était à l'église, il me semblait que j'y avais envoyé avec elle mes yeux et tous mes sens. En un mot, elle était sans la consécration du prêtre (pardonnez-moi, mon cher et excellent ami, cette expression) ma femme... Grand Dieu, cette céleste créature est morte le 4 août 1782, au soir, avant le coucher du soleil. » En lui, bien que l'homme des « lumières » soit l'adversaire déterminé du mouvement de Sturm und Drang (d'assaut et de tumulte) qui s'empare alors de la littérature allemande, il est d'emblée le plus enthousiaste admirateur de Jean-Paul. En lui encore, l'homme de l'expérience (professeur de physique à l'université de Göttingue, il a été le maître de Humboldt, il a découvert que les électricités positive et négative ne se propagent pas de la même manière dans les matières isolantes) vit dans la plus parfaite intimité avec le rêveur (le rationaliste Lichtenberg a fait l'éloge de Jacob Böhme, il a été le premier à pénétrer le sens profond de l'activité onirique et le moins qu'on puisse dire est que ses vues sur ce sujet restent de toute actualité). Il doit être célébré comme le prophète même du hasard, de ce hasard dont Max Ernst dira qu'il est le « maître de l'humour ». Rien de plus symptomatique, à cet égard, que de le voir consacrer ses premières leçons à traiter du calcul des probabilités au jeu. « Un des traits les plus remarquables de mon carac-

tère, c'est assurément la superstition singulière avec laquelle je tire de tout un présage, et me donne pour oracles cent choses en un jour. Je n'ai pas besoin de faire cette description ici ; je me comprends trop bien. Tout insecte qui rampe me sert de réponse à des questions sur ma destinée. N'est-ce pas étrange chez un professeur de physique ? »

Ne nier ni croire... « Je me fais fort, dit-il encore, de démontrer que l'on croit parfois à quelque chose, et que pourtant on n'y croit pas. Rien n'est plus insondable que le système des ressorts de nos actions. »

Dans le cône blanc de sa fameuse « chandelle allumée » on retrouve avec émotion sur le pastel d'Abel le plus fin sourire qui fut jamais, celui du précurseur en tous genres, on dirait d'un Paul Valéry première manière qui eût été revu et corrigé définitivement par M. Teste (mais M. Valéry ne doit guère à Lichtenberg que l'art de numéroter ses cahiers). Voici l'un des grands maîtres de l'humour. C'est l'inventeur de cette sublime niaiserie philosophique, qui configure par l'absurde le chef-d'œuvre dialectique de l'objet : « un couteau sans lame, auquel manque le manche ». Dans sa solitude, il est parvenu à beaucoup plus qu'à varier comme les hommes les positions de l'amour : il a décrit 62 manières de s'appuyer la tête sur la main.

Bibliographie : *Vermischte Schriften,* 1770-1799. — *Aphorismes.* Introduction et traduction de Marthe Robert, 1947 et 1966.

Aphorismes

J'AI ÉTUDIÉ l'hypocondrie, et je me suis tellement complu dans cette étude ! — Mon hypocondrie est, à vrai dire, un talent spécial qui consiste en ceci : de chaque incident de la vie, quel que soit le nom qu'il porte, savoir tirer la plus grande quantité de poison pour mon propre usage.

☆

Ce n'est pas la force de son esprit, mais celle du vent qui a porté cet homme où il est.

☆

Il était de ceux qui veulent toujours faire mieux qu'on ne le demande. C'est une abominable qualité chez un domestique.

☆

Le degré le plus haut jusqu'où puisse s'élever un esprit médiocre, mais pourvu d'expérience, c'est le talent de découvrir les faiblesses des hommes qui valent mieux que lui.

☆

Pour bien se rendre compte de ce que l'homme pourrait faire s'il voulait, il suffit de penser aux gens qui se sont sauvés ou ont voulu se sauver de prison. Ils ont fait autant avec un simple clou, que s'ils avaient eu un bélier.

☆

L'homme aime la société, quand même ce ne serait que celle d'une chandelle allumée.

☆

Il y a des gens qui ne sauraient prendre aucune résolution avant que la nuit ne leur ait porté conseil. C'est très bien ; mais il peut y avoir des cas où l'on risque d'être fait prisonnier, soi et sa literie avec.

☆

Quand on est jeune on sait à peine que l'on vit. Le sentiment de la santé ne s'acquiert que par la maladie. L'attraction exercée sur nous par la terre, nous ne la remarquons que si nous sautons en l'air, par le choc subi en retombant. Lorsque la vieillesse arrive, l'état de maladie devient une sorte de santé, et l'on ne remarque plus que l'on est malade. Si le souvenir du passé ne subsistait pas, on s'apercevrait peu du changement. Aussi, je crois que la vieillesse n'existe pas pour l'animal, sinon à nos yeux. Un écureuil qui, au jour de sa mort, mène une vie de mollusque n'est pas plus malheureux que le mollusque. Mais l'homme, qui vit en trois lieux, dans le passé, dans le présent et dans l'avenir, peut être malheureux dès que l'un des trois ne vaut rien. La Religion en a même ajouté un quatrième : l'éternité.

☆

Il n'est rien de plus contrariant que cette situation : prendre des précautions exagérées pour prévenir un accident, et faire, précisément par là, tout ce qu'il faut pour l'attirer sur sa tête, alors que, si l'on n'avait *rien prévu du tout,* on serait certainement en complète sécurité. J'ai vu quelqu'un casser un vase de prix, en voulant le retirer d'un endroit où il était tranquillement posé depuis six mois au moins ; et cela, dans la seule crainte que ce vase ne risquât, par hasard, d'être renversé quelque jour.

☆

Sa blibliothèque était devenue pour lui comme un vêtement qui ne lui allait plus. En général, les bibliothèques peuvent devenir ou trop étroites ou trop larges pour l'esprit.

☆

Quand tout le monde aujourd'hui écrit pour les enfants, ce serait une bonne idée de faire, une fois, un livre écrit par les enfants pour les grandes personnes. Mais la chose est difficile, si l'on tient à rester dans le caractère.

☆

Ce serait une excellente chose que d'inventer un catéchisme, ou mieux un plan d'études grâce auquel les hommes du tiers état pourraient être métamorphosés en une sorte de castors. Je ne connais pas de meilleur animal dans la création ; il ne mord que quand on veut s'emparer de lui, il est laborieux, extrêmement matrimonial, habile artisan, et sa peau est excellente.

☆

Cet homme avait tant d'intelligence qu'il n'était presque plus bon à rien dans le monde.

☆

Si je connais bien la généalogie de Dame Science, l'Ignorance est sa sœur aînée. Y a-t-il donc quelque chose de si révoltant à choisir la sœur aînée, alors même que l'on aurait à sa disposition la plus jeune ? Pour tous ceux qui ont connu l'aînée, j'ai entendu dire qu'elle a bien ses charmes, que c'est une jeune fille grassouillette et bonne, et que, précisément parce qu'elle dort plus qu'elle ne veille, elle fait une excellente épouse.

☆

Il faisait toutes ses découvertes à peu près comme les sangliers et les chiens de chasse trouvent les sources salées et les eaux minérales.

☆

Cet homme travaillait à un système d'histoire naturelle, dans lequel il classait les animaux d'après la forme de leurs excréments. Il distinguait trois classes : les cylindriques, les sphériques et ceux en forme de tourte.

☆

Cette théorie psychologique équivaut, selon moi, à celle bien connue en physique, qui explique l'aurore boréale par le reflet des harengs.

☆

Vivent les gens qui ont des nerfs gros comme des câbles !

☆

Il s'émerveillait de voir que les chats avaient la peau percée de deux trous, précisément à la place des yeux.

☆

Si vous faites peindre une cible sur la porte de votre jardin, vous pouvez être certain que l'on tirera dessus.

☆

A. Pourquoi ne venez-vous pas en aide à votre beau-père ? — B. Pourquoi ? — A. Il est bien pauvre. — B. Oui, mais il est travailleur, et je n'ai pas assez de fortune pour en faire un fainéant.

☆

J'ai connu un garçon meunier qui ne mettait jamais sa casquette, sauf quand il avait un âne cheminant à ses côtés. Pendant longtemps je n'ai pu me l'expliquer. Voici ce que j'ai enfin trouvé : il regardait cette compagnie comme humiliante pour lui, et il demandait pitié ; il paraissait vouloir, par ce geste, échapper à toute comparaison entre lui et son compagnon.

☆

« Il y a beaucoup de gens qui sont plus malheureux que vous ! » Cela ne donne pas un toit sous lequel on puisse habiter ; néanmoins l'argument est assez bon pour fournir un abri où se réfugier pendant une averse.

☆

Je l'ai pensé depuis longtemps ; la philosophie en viendra à se manger elle-même. La métaphysique l'a déjà fait en partie.

Cahiers d'Aphorismes,
traduction de Victor Bouillet.

☆

Il avait donné des noms à ses deux pantoufles.

☆

Je donnerais bien quelque chose pour savoir exactement pour qui ont été réellement accomplies ces actions dont on proclame publiquement qu'elles ont été accomplies pour la patrie.

☆

Potence avec paratonnerre.

☆

Autobiographie : ne pas oublier qu'une fois j'écrivis la question : *qu'est-ce que l'aurore boréale ?* la glissai au grenier de Graupner, avec cette adresse : *à un ange,* et me glissai, tout timide, à la recherche de mon billet, le lendemain matin. Oh ! s'il eût pu se trouver un farceur pour répondre à mon billet !

☆

Me trouvant en voyage, je mangeais dans une auberge, ou plus exactement dans une baraque au bord de la route, où l'on jouait aux dés. En face de moi était assis un jeune homme de bonne mine, qui semblait un peu évaporé et qui, sans prendre garde aux gens, assis ou debout, qui se trouvaient là, mangeait son potage ; cependant il jetait en l'air une cuillerée sur deux ou sur trois, la recevait à nouveau dans la cuiller et l'avalait tranquillement.

Ce qui fait pour moi la singularité de ce rêve, c'est que j'y faisais ma remarque *habituelle* : que de pareilles choses ne peuvent être inventées, qu'il faut les voir (je veux dire que jamais un romancier n'aurait eu une pareille idée) ; et pourtant je venais d'inventer cela à l'instant même.

A la table où l'on jouait aux dés se trouvait une grande femme maigre qui tricotait. Je lui demandai ce que l'on pouvait gagner. Elle dit : *rien !* et lorsque je lui demandai si l'on pouvait perdre quelque chose, elle dit : *non !* — Ce jeu me paraissait très important (février 1799).

Cahiers d'Aphorismes,
traduction d'Albert Béguin.

Charles Fourier

1772-1837

Ses *commentateurs les mieux disposés et jusqu'aux adeptes les plus enthousiastes de son système économique et social se sont accordés à déplorer chez Fourier le vagabondage de l'imagination, n'ont su que faire pour dissimuler les « extravagances » auxquelles il s'est complu, ont glissé sur l'aspect « fantasque et divagant » de sa pensée, si magnifiquement gouvernée le plus souvent. Comment expliquer la coexistence en un seul esprit des dons rationnels les plus éminents et du goût de la vaticination porté à ses extrêmes limites ? Marx et Engels, si durs pour leurs précurseurs, ont rendu hommage au génie dont Fourier a fait preuve en matière sociologique, le premier en faisant observer, à propos des « séries passionnelles » qui constituent la pierre angulaire de son œuvre, que « de telles constructions, absolument comme la méthode hégélienne, ne peuvent être critiquées qu'en montrant comment il faut les faire et en prouvant ainsi qu'on les domine*[1] *», le second en le présentant comme « un des plus grands satiriques qui aient jamais existé », doublé d'un dialecticien hors pair*[2]*. Comment Fourier a-t-il pu satisfaire à la fois à de telles exigences et déconcerter presque tous ceux qui se sont approchés de lui par ses ascensions vertigineuses en pleine zone de l'incontrôlable et du merveilleux ? Son histoire naturelle — qui veut que la cerise soit le produit de la copulation de la terre avec elle-même et le raisin le produit de la copulation de la terre avec le soleil — a été tenue pour nettement aberrante et l'on a pu dire que ne vaut guère mieux sa cosmologie — où la terre n'occupe que la place insignifiante d'une abeille dans une ruche formée de quelque cent mille univers sidéraux dont l'ensemble constitue un* binivers, *ces* binivers *eux-mêmes groupés par milliers en* trinivers *et ainsi de suite, où la création procède par étapes et tâtonnements successifs, où notre existence individuelle est astreinte à 1 260 avatars remplissant 54 000 ans dans l'autre monde et 27 000 dans celui-ci, etc.*

*Toutefois la cosmologie de Fourier, à quoi l'on peut imputer ses digressions les plus troublantes, n'est pas au XIX*e *siècle sans retentir sur l'esprit des poètes et de Victor Hugo en particulier. Ce dernier s'en imprègne au contact de Victor Hennequin et sans doute à la lecture des ouvrages d'Eliphas Lévy (l'ex-abbé Constant) «qui, sur le trajet du séminaire à la magie, rencontre la librairie phalanstérienne et met sous le patronage de Rabelais la théorie des séries et celle des attractions proportionnelles aux destinées*[3] *». Cette cos-*

1. Karl Marx : *Œuvres philosophiques,* t. IX, p. 219.

2. Friedrich Engels : *Socialisme utopique et Socialisme scientifique.*

3. Auguste Viatte : *Victor Hugo et les Illuminés de son temps,* p. 73.

mologie, aussi bien que les autres thèses insolites qu'a professées Fourier, il serait grand temps d'établir avec précision ce qu'elles doivent et ne doivent pas à la philosophie hermétique, si l'on songe que la Théorie des quatre mouvements *passe pour réunir les « minutes » de conférences que son auteur a tenues dans les loges maçonniques sous le Consulat. Toujours est-il que leur constante interférence avec les plans de transformation sociale les plus hardis et dont la justesse et la viabilité se sont en grande partie démontrées, leur prête un relief extraordinaire. Vouloir les défalquer de son message pour le rendre plus recevable, c'est le trahir en faisant mine d'oublier qu'en 1818, Fourier a proclamé l'absolue nécessité « de refaire l'entendement humain et d'oublier tout ce qu'on a appris[1] » (ce qui exige qu'on s'en prenne d'abord au consentement universel et qu'on en finisse avec le prétendu « bon sens »).*

Baudelaire s'est montré, à deux reprises, fort étroit dans sa manière de considérer Fourier sans vouloir lui rendre les honneurs auxquels il a droit. « Fourier, écrit-il dans L'Art romantique, *est venu un jour, trop pompeusement, nous révéler les mystères de l'*analogie. *Je ne nie pas la valeur de quelques-unes de ses minutieuses découvertes, bien que je croie que son cerveau était trop épris d'exactitude matérielle pour ne pas commettre d'erreurs et pour atteindre d'emblée la certitude morale de l'intuition... D'ailleurs Swedenborg, qui possédait une âme bien plus grande (?) nous avait déjà enseigné que* le ciel est un très-grand homme ; *que tout, forme, mouvement, nombre, parfum, dans le* spirituel *comme dans le* naturel, *est significatif, réciproque, converse,* correspondant. » *(Tout le contexte est à relire.) Dans sa lettre du 21 janvier 1856 à Alphonse*

1. *Publication des Manuscrits de Fourier,* t. IV, p. 327.

Toussenel, son parti pris va jusqu'à lui faire contester, contre toute évidence, que le délicieux auteur du Monde des oiseaux *doive quelque chose à Fourier : « Sans Fourier, vous eussiez été ce que vous êtes.* L'homme raisonnable *n'a pas attendu que Fourier vînt sur la terre pour comprendre que la nature est un* verbe, *une allégorie, un moule, un* repoussé, *si vous voulez. Nous savons cela, et ce n'est pas par Fourier que nous le savons, — nous le savons par nous-mêmes, et par les poètes. » (Swedenborg et Claude de Saint-Martin aujourd'hui encore un peu plus communément oubliés que de son temps, le grief d'usurpation de leurs idées maîtresses, à supposer qu'ils n'en aient pas hérité eux-mêmes, pourrait aussi faussement se retourner contre Baudelaire.)*

Certes, les formes de réception et les modes d'irradiation de ces idées, chez Fourier d'une part, chez Nerval et Baudelaire de l'autre, ont été très différents. Ce qui, chez ceux-ci, affecte et renforce la conception immuable qu'ils se font du sacré va, dans l'esprit foncièrement profane de celui-là, déchaîner un principe de turbulence qui ne se reconnaîtra d'autre fin que la conquête du bonheur. Le contraste *— dans le système de Fourier première condition « sérielle » assurant la satisfaction de la « papillonne » — est la Minerve tout armée qui s'élance de cette tête où l'hyperlucidité et l'extrême rigueur sur le plan de la critique sociale s'allient, sur le plan transcendantal, à la toute-licence de conjecturation. « Peut-être une bonne thèse, a-t-on suggéré, reste-t-elle à écrire sur Fourier humoriste et mystificateur ». Il est certain qu'un humour de très haute tension, ponctué des étincelles qu'échangeraient les deux Rousseau (Jean-Jacques et le Douanier) nimbe ce phare, l'un des plus éclairants que je sache, dont la base défie le temps et dont la cime s'accroche aux nuées.*

Bibliographie : *Théorie des quatre Mouvements,* 1806. — *Traité de l'Association domestique-agricole,* 1822. — *Le Nouveau Monde industriel et sociétaire,* 1829. — *Pièges et Charlatanisme des deux sectes de Saint-Simon et d'Owen,* 1831. — *La fausse Industrie morcelée,* 1835-1836. — *Publication des Manuscrits de Fourier* [1] dans « La Phalange », etc.

---

1. « De l'examen des manuscrits déjà imprimés, il ressort que tout ce qui a trait aux relations des sexes en Harmonie ou en d'autres périodes a été fortement expurgé. Les cahiers 50 à 54 de la cote 9 de l'inventaire dressé à la mort de Fourier sont inédits ou presque complètement inédits. » (Maurice Lansac : *Les conceptions méthodologiques et sociales de Charles Fourier*). Aux dernières nouvelles, ces cahiers auraient disparu lors de la récente guerre, au cours du transfert clandestin de la Bibliothèque de l'Ecole Normale Supérieure, répondant à l'intention de mettre en sécurité les documents les plus précieux qu'elle abritait.

Couronne boréale

.. ..

LORSQUE le genre humain aura exploité le globe jusqu'au-delà des soixante degrés nord, la température de la planète sera considérablement adoucie et régularisée : le rut acquerra plus d'activité ; l'aurore boréale devenant très fréquente, se fixera sur le pôle et s'évasera en forme d'anneau ou couronne. Le fluide, qui n'est aujourd'hui que lumineux, acquerra une nouvelle propriété, celle de distribuer la chaleur avec la lumière.

La couronne sera de telle dimension qu'elle puisse toujours être par quelque point en contact avec le soleil, dont les rayons seront nécessaires pour embrasser le pourtour de l'anneau : elle devra lui présenter un arc, même dans les plus grandes inclinaisons de l'axe de la terre.

L'influence de la couronne boréale se fera fortement sentir jusqu'au tiers de son hémisphère ;

elle sera visible à Pétersbourg, Ochotsk et dans toutes les régions du soixantième degré.

Depuis le soixantième degré jusqu'au pôle, la chaleur ira en augmentant ; de sorte que le point polaire jouira à peu près de la température d'Andalousie et de Sicile.

A cette époque, le globe entier sera mis en culture, ce qui causera un adoucissement de cinq à six degrés, et même douze, dans les latitudes encore incultes comme la Sibérie et le haut Canada.

.. ..

En attendant la démonstration de ce futur événement, observons divers indices qui l'annoncent : d'abord, le contraste de forme entre les terres voisines du pôle austral, et celles voisines du pôle boréal : les trois continents méridionaux sont aiguisés en pointe, et de manière à éloigner les relations des latitudes polaires. On remarque une forme toute opposée dans les continents septentrionaux ; ils sont évasés en s'approchant du pôle, ils sont groupés autour de lui, pour recueillir les rayons de l'anneau qui doit le couronner un jour ; ils versent leurs grands fleuves dans cette direction, et comme pour attirer les relations sur la mer glaciale. Or, si Dieu n'avait pas projeté de donner la couronne fécondante au pôle boréal, il s'ensuivrait que la disposition des continents qui entourent ce pôle serait un phénomène d'ineptie ; et Dieu serait d'autant plus ridicule dans un tel œuvre, qu'il a agi avec une extrême sagesse sur le point opposé, sur les continents méridionaux ; car il leur a donné des dimensions parfaitement convenables autour d'un pôle qui n'aura jamais de couronne fécondante.

On pourrait seulement se plaindre que Dieu ait poussé trop loin la pointe magellanique, ce qui cause une entrave momentanée ; mais son intention est que cette route soit abandonnée, et qu'on fasse aux isthmes de Suez et de Panama des canaux navigables aux grands vaisseaux. Ces travaux et tant d'autres, dont l'idée épouvante les civilisés, ne seront que des jeux d'enfants pour les armées industrielles de la hiérarchie sphérique.

Un autre pronostic de la couronne, c'est la position défectueuse de l'axe du globe. Si l'on suppose que la couronne ne doive jamais naître, l'axe devrait, pour le bien des deux continents, être renversé d'un vingt-quatrième ou sept degrés et demi, sur le méridien de Sandwick et Constantinople ; de manière que cette capitale se trouvât au trente-deuxième degré boréal : il en résulterait que la longitude 225 de l'île de Fer, et par suite le détroit du Nord, et les deux pointes d'Asie et d'Amérique, s'enfonceraient d'autant dans les glaces du pôle boréal : ce serait sacrifier le point le plus inutile du globe pour faire valoir les autres points.

.. ..

Cette observation sur l'inconvenance de l'axe n'a point été faite, parce que l'esprit philosophique nous éloigne de toute critique raisonnée sur les œuvres de Dieu, et nous jette dans les partis extrêmes, dans le doute de la providence ou dans l'admiration aveugle et stupide ; comme celle de quelques savants qui admirent jusqu'à l'araignée, jusqu'au crapaud et autres ordures, dans lesquelles on ne peut voir qu'un titre de honte pour le créateur, jusqu'à ce que nous connaissions les motifs de cette malfaisance. Il en est de même de l'axe du globe dont la position vicieuse devait nous induire à désapprouver Dieu, et deviner la naissance de la couronne qui justifiera cette apparente bévue du créateur. Mais nos exagérations philosophiques, notre manie d'athéisme ou d'admiration nous ayant détournés de tout jugement impartial sur les œuvres de Dieu, nous n'avons su ni déterminer les correctifs nécessaires à son ouvrage, ni pressentir les révolutions matérielles et politiques par lesquelles il effectuera ces corrections.

Théorie des Quatre Mouvements.

Méthode d'union des sexes en septième période [et non pas en huitième]

.. ..

On peut distinguer dans le monde cornu neuf degrés de Cocuage, soit parmi les hommes, soit parmi les femmes, car les femmes sont bien plus cocues que les hommes ; et si le mari en porte d'aussi hautes que les bois du cerf, on peut dire que celles de la femme s'élèvent à la hauteur des branches d'arbre.

Je me bornerai à citer les trois classes les plus distinctes, savoir : le *Cocu*, le *Cornette* et le *Cornard* [1].

1. [Le tableau complet en contient 64 espèces progressivement distribuées en classes, ordres et genres, depuis le *cocu en herbe* jusqu'au *cocu posthume ;* je n'en ai décrit ici que trois espèces, voulant sur ce sujet, comme sur tant d'autres, sonder quels développements il conviendrait de donner au Traité.]

1° Le *Cocu* proprement dit est un jaloux honorable qui ignore sa disgrâce et se croit seul possesseur de sa femme. Tant que le public entretient son illusion par une louable discrétion, l'on n'est pas fondé à le persifler : peut-il s'irriter d'une offense dont il n'a pas connaissance ? Le ridicule est tout au suborneur qui le cajole et fléchit devant celui avec qui il partage sciemment la belle.

2° Le *Cornette* est un mari rassasié des amours du ménage et qui, voulant prendre ailleurs ses ébats, ferme les yeux sur la conduite de sa femme et l'abandonne franchement aux amateurs, sous la réserve de n'admettre d'elle aucun enfant. Un tel époux ne prête point à la raillerie ; il a, au contraire, le droit de gloser sur les cornes d'autrui aussi hardiment que s'il n'en portait pas lui-même.

3° Le *Cornard* est un jaloux ridicule, inconvenant à l'épouse, et bien informé de son infidélité ; c'est un furibond qui veut se rebiffer contre l'arrêt du destin, mais qui, résistant avec gaucherie, devient un objet de risée par ses précautions inutiles, sa colère et ses éclats. En fait de cornards, le George Dandin de Molière est un modèle accompli.

.. ..

Théorie des Quatre Mouvements.

Charles Fourier

Détail d'une création de clavier hypo-majeur

.. ..

Ce serait pour nous une connaissance bien vaine que celle du système de la nature, si elle ne nous donnait pas les moyens de corriger le mal existant, et remplacer les produits scissionnaires, les êtres nuisibles à l'homme, par des contre-moulés ou serviteurs utiles. Que nous importerait de savoir en quel ordre chaque astre est intervenu dans la création ; de savoir que le cheval et l'âne furent créés par Saturne en telle modulation ; le zèbre et le quagga, par Protée (étoile non découverte et bien existante, puisqu'on voit ses ouvrages en tous genres) ; que dans cette modulation Jupiter donna le bœuf et le bison ; et Mars le chameau et le dromadaire ? Après ces notions spéciales, il nous resterait la fâcheuse certitude que ces astres, qualifiés de promeneurs oisifs, ont au contraire fait sur notre globe sept fois trop d'ouvrages, en nous donnant un mobilier dont les 7/8 sont malfaisants.

Ce qui nous sera précieux, ce sera l'art de les ramener en scène de création par un travail contre-moulé, par lequel celui qui nous a donné le lion, nous donnera en contre-moule un superbe et docile quadrupède, un porteur élastique, l'ANTI-LION, avec des relais duquel un cavalier, partant le matin de Calais ou Bruxelles, ira déjeuner à Paris, dîner à Lyon et souper à Marseille, moins fatigué de cette journée qu'un de nos courriers à franc étrier ; car le cheval est un porteur rude et simple (solipède), qui sera à l'anti-lion ce qu'est la voiture sans soupente à la voiture suspendue. Le cheval sera laissé pour attelages et parades, quand on possédera la famille des porteurs élastiques, anti-lion, anti-tigre, anti-léopard, qui seront de dimension triple des moules actuels. Ainsi un anti-lion franchira aisément à chaque pas 4 toises par bond rasant, et le cavalier, sur le dos de ce coureur, sera aussi mollement que dans une berline suspendue. Il y aura plaisir à habiter ce monde, quand on y jouira de pareils serviteurs.

Les nouvelles créations qu'on peut voir commencer sous 5 ans donneront à profusion de telles richesses *en tous règnes,* dans les mers comme sur les terres. Au lieu de créer baleines et requins, hippopotames et crocodiles, en aurait-il plus coûté de créer des serviteurs précieux :

Anti-baleines traînant le vaisseau dans les calmes ;

Anti-requins aidant à traquer le poisson ;

Anti-hippopotames traînant nos bateaux en rivière ;

Anti-crocodiles ou coopérateurs de rivière ;

Anti-phoques ou montures de mer ?

Tous ces brillants produits seront les effets nécessaires d'une création en arômes contre-moulés, qui débutera par un bain aromal sphérique purgeant les mers de leurs bitumes.

Glissons sur le tableau de ces merveilles prochaines : la perspective, loin de satisfaire les lecteurs, fatigue une génération élevée à l'impiété, au doute de la Providence, et qui, dans ses travers d'esprit, s'imagine que Dieu n'a pas, pour faire le bien, autant de pouvoir qu'il en a eu pour faire le mal, dont il a dû organiser majorité septuple en créations subversives, comme il devra organiser majorité septuple de bien en créations harmoniques.

.. ..

Traité de l'Association domestique-agricole.

Charles Fourier

Démonstrations familières de la cataracte

En harmonie, l'une des premières opérations sera de rassembler un congrès de grammairiens et naturalistes pour composer une langue unitaire, dont le système sera réglé sur l'analogie, avec les cris des animaux et autres documents naturels. Ce travail sera à peine fini au bout d'un siècle ; et pour l'achever, on aura *une boussole certaine qu'il n'est pas encore temps de faire connaître.*

.. ..

Ponctuation

Outre l'alphabet des lettres, il faudra créer celui de la ponctuation, qui doit contenir même nombre de signes ; il est inconnu à tel point que les Français n'ont que sept signes ponctuants, savoir , ; : . ! ?). Le crochet n'est plus en usage, c'était le huitième ; quant aux accents é è ê ë, ils sont signes de voyelles différentes, et non de ponctuation. Il en est de même de l'apostrophe, qui exigerait un signe spécial et non une virgule exhaussée. Notre langue est si pauvre en ce genre, qu'on est obligé d'employer, ou le point, ou les deux points ; ce qui cause une confusion.

J'avais commencé un travail sur la gamme de ponctuation, je l'avais poussé à vingt-cinq signes, appuyés d'exemples dénotant l'ambiguïté de nos signes actuels : j'ai perdu ce travail avant qu'il fût achevé et je ne l'ai pas recommencé depuis. Observons à ce propos que le premier de nos signes, le plus bas, nommé *virgule,* doit être différencié au moins en quadruple forme, pour faire apprécier les différentes portées de la virgule, ses acceptions qui, variant à l'infini, sont exprimées confusément par un seul signe : c'est le comble du désordre. Il en est de même des autres signes, ils cumulent trois ou quatre sens : la ponctuation civilisée est un vrai chaos, comme l'orthographe, qui varie dans chacune des imprimeries de Paris. L'Académie, avec son principe obscurant de ne permettre aucune correction des vices les plus saillants, a révolté les esprits à tel point qu'il en est résulté une rébellion générale, une anarchie universelle en grammaire.

.. ..

Le Nouveau Monde industriel et sociétaire.

L'éléphant, le chien...

.. ..

DÉFINISSONS d'abord une vertu réelle et une vertu fausse, par comparaison de l'éléphant et du chien dont l'un est emblème de l'amitié noble et l'autre de l'amitié fausse.

1° L'amitié. — Elle est noble chez l'éléphant ; elle se concilie toujours avec l'honneur. Il n'a point la bassesse du chien, qui, battu quelquefois sans motif, n'en garde aucun souvenir. L'éléphant endure les corrections justes, mais ne se laisse pas maltraiter sans motif ; il ne pardonne pas des offenses ; du reste son amitié est aussi inaltérable, aussi dévouée que celle du chien. Cette amitié noble est celle qui conduit à des liens collectifs et corporatifs, mais l'amitié servile du chien n'est favorable qu'au despotisme, au régime civilisé et barbare qui n'est point celui où régneraient les passions nobles, telles qu'on les voit chez l'éléphant. Les despotes aiment l'amitié du chien qui, maltraité injustement et avili, sert et aime encore celui qui l'a offensé.

2° L'amour. — Il est décent et fidèle chez l'éléphant ; il est scandaleux et criminel chez le chien qui est en amour le plus ignoble des quadrupèdes, alliant tous les vices à cette passion, comme les civilisés dans les amours de qui dominent l'astuce, la fraude, l'oppression.

3° La paternité. — Elle est judicieuse et honorable chez l'éléphant. Il ne veut pas créer des enfants qui seraient dans le malheur, et il s'abstient de procréation dès qu'il est esclave. C'est une leçon qu'il donne aux civilisés, assassins de leurs enfants par la quantité qu'ils en procréent, sans être sûrs de leur assurer le bien-être. La morale ou théorie de fausse vertu les stimule à fabriquer de la chair à canon, des fourmilières de conscrits obligés de se vendre par misère. Cette paternité imprévoyante est fausse vertu, égoïsme du plaisir. Aussi la nature a-t-elle préservé de ce vice l'éléphant qui est le type des quatre passions affectives prises en sens vraiment social et convenable aux liens généraux. Le chien, emblème des fausses vertus, est doué de cette fausse paternité qui engendre des fourmilières, des portées de onze (premier des nombres anti-harmoniques), des amas dont les trois quarts doivent périr par le fer, la dent ou la famine.

4° L'honneur. — Est la quatrième vertu moulée chez l'éléphant ; mais ce n'est pas l'honneur moral qui prêche le mépris des richesses et veut qu'on boive dans le creux de la main, comme Diogène. L'éléphant veut non seulement bonne nourriture (80 livres de riz par jour) ; il aime encore le grand luxe en vêtements, en comestibles, en vaisselle, en boisson ; il se trouve humilié par un changement de vaisselle d'argent en vaisselle de terre.

Si l'éléphant est modèle des quatre vertus sociales, il faut, pour la fidélité du tableau, qu'il nous représente le sort de la vertu bafouée en Civilisation. Aussi la nature l'a-t-elle couvert de boue. Il aime lui-même à se couvrir de poussière, par image de l'homme vertueux qui se plaît à s'engager dans les voies de la pauvreté plutôt que de rechercher une fortune où il n'arriverait que par la pratique de tous les vices, rapines, bassesses, vénalités, injustices, trafics, agiotages, accaparements, usure. La nature aurait pu donner à ce noble animal un riche manteau comme celui du tigre ; mais c'eût été un contresens, un faux portrait, car dans nos sociétés la vertu réelle et vraiment honorable ne conduit qu'à la pauvreté ; je dis la vertu réelle et non pas les vertus philosophiques, sagesse du caméléon qui se prête à toutes les infamies conduisant à la fortune.

.. ..

La nature a donné à l'éléphant des défenses d'ivoire, armes très riches, par analogie à notre état social qui affecte le luxe à la force, à la classe improductive et dominatrice. Aussi, la trompe qui est arme et machine à la fois est-elle pauvrement vêtue parce qu'elle est productive et que l'éléphant doit représenter l'état de l'industrie et de la vertu victimes de l'injustice et de la raillerie. Pour emblème du sort de la vertu, il est risible à *l'arrière* par le contraste de sa croupe et de sa queue chétive et sans grâce.

.. ..

L'extrême petitesse de ses yeux forme un contraste choquant avec l'énorme dimension de son corps. C'est un tableau des vues rétrécies de l'homme vertueux... Ses oreilles sont l'opposé des yeux. Leur immense volume et leur forme écrasée figurent la souffrance de l'homme de bien qui n'entend qu'un langage d'hypocrisie ou de perversité dans nos sociétés où les uns louent la vertu sans la pratiquer, les autres louent effrontément le vice heureux. L'homme juste est accablé, froissé par ce double langage de dépravation ; son oreille est écrasée de n'entendre que fausserie : ce mal être est dépeint dans l'oreille de l'éléphant.

.. ..

Dernières Analogies.

Thomas De Quincey

1784-1859

« De Quincey, dit Baudelaire, est essentiellement digressif ; l'expression humourist *peut lui être appliquée plus convenablement qu'à tout autre ; il compare, en un endroit, sa pensée à un thyrse, simple bâton qui tire toute sa physionomie et tout son charme du feuillage compliqué qui l'enveloppe. » Dans ses deux célèbres mémoires (1827 et 1839) réunis sous le titre :* De l'assassinat considéré comme un des beaux-arts, *il s'applique à saisir le crime non plus comme il dit « par son anse morale » mais d'une manière extrasensible, tout intellectuelle, et à le considérer uniquement en fonction des dons plus ou moins remarquables qu'il met en œuvre. Abstraction faite de l'horreur par trop conventionnelle qu'il inspire, l'assassinat demande, selon lui, à être traité* esthétiquement *et apprécié d'un point de vue qualitatif à la façon d'une œuvre plastique ou d'un cas médical. Objet qu'il devient ainsi de spéculation*

pure, il vaut avant tout dans la mesure où il comble certaines exigences : mystère, indéterminabilité des mobiles, difficulté vaincue, ampleur et éclat de la réussite. Le fait de remplir brillamment une seule de ces conditions peut d'ailleurs être tenu pour suffisant : « Il y a... de Thurtell un projet inachevé pour l'assassinat d'un homme au moyen d'une paire d'haltères, que j'admire fort. » L'un des héros du livre, Crapaud-dans-son-trou, personnage convulsif des plus inquiétants, s'identifie au «Vieux de la Montagne, précurseur et maître du genre », « éclatante lumière » qui éblouira plus tard Alfred Jarry[1]. *L'auteur, dans un post-scriptum de 1854 à son livre consacré à la relation de trois assassinats exemplaires, justifie l'extravagance volontaire de ses développements par le souci de ne pas rompre, en matière aussi scabreuse, avec toute gaieté et invoque longuement le précédent de Swift.*

« Le lecteur, dit d'ailleurs De Quincey, croira peut-être que je veux rire, mais c'est chez moi une vieille habitude de plaisanter dans la douleur[2]. » *Peu d'existences furent aussi pathétiques que la sienne, peu d'histoires aussi cruelles et aussi merveilleuses. Il n'a pas encore dix-sept ans qu'il fuit l'école de province où veulent le maintenir ses tuteurs. Vite à bout de ressources, il erre dans le Pays de Galles, ne se nourrissant guère que de mûres ou de baies d'églantier, parvient cependant à Londres où il trouve asile dans une vaste maison abandonnée qui abrite pour ses repas un homme d'affaires à tête de fouine et, jour et nuit, une craintive petite fille de dix ans qui tient lieu à cet être énigmatique de servante. Son hôte lui abandonne au déjeuner ses croûtes de pain, la petite fille se pelotonne contre lui pour dormir à même le*

---

1. Cf. *Les Jours et les Nuits,* Mercure de France, 1897.
2. *Confessions d'un mangeur d'opium.*

plancher. Au hasard de ses pérégrinations dans Londres, le jeune Quincey, qui se fait un principe philosophique de converser familièrement avec tous les êtres humains, hommes, femmes et enfants, qu'il peut rencontrer, s'éprend platoniquement d'une prostituée de seize ans, Anne, créature adorable de tendresse et d'innocence. Baudelaire a rêvé de dérober « une plume à l'aile d'un ange » pour exprimer tout ce qui les lie à la fois d'amour et de détresse. « La pauvre Anne, conte Marcel Schwob, accourut vers Thomas De Quincey... défaillant dans la large rue d'Oxford sous les grosses lampes allumées. Les yeux humides, elle lui porta aux lèvres un verre de vin doux, l'embrassa et le câlina. Puis elle rentra dans la nuit. Peut-être qu'elle mourut bientôt. Elle toussait, dit De Quincey, la dernière fois que je l'ai vue. Peut-être qu'elle errait encore dans les rues ; mais, malgré la passion de la recherche, quoiqu'il bravât les rires des gens auxquels il s'adressait, Anne fut perdue pour toujours. Quand il eut plus tard une maison chaude, il songea souvent avec des larmes que la pauvre Anne aurait dû vivre là, près de lui, au lieu qu'il se la représentait malade, ou mourante, ou désolée, dans la noirceur centrale d'un b... de Londres et elle avait emporté tout l'amour pitoyable de son cœur[1]. »

Perdue pour toujours ? Non, car du moins elle revint dix-sept ans plus tard hanter ses rêves de mangeur d'opium (c'est seulement en 1812 qu'il avait commencé à user de la drogue pour vaincre les souffrances qui lui venaient de sa trop longue expérience ancienne de la faim.) Son apparition lumineuse calme encore une fois les affres de la perdition totale qui sont, chez De Quincey, le terrible revers de « la plus étonnante, la plus compliquée et la plus splendide vision ».

1. ***Le Livre de Monelle.***

Thomas De Quincey

Nul plus que De Quincey n'a montré de compassion profonde à la misère humaine. Son sens de la fraternité universelle veut qu'en 1819, il s'enthousiasme à la lecture des Principes d'économie politique *de Ricardo et s'efforce de contribuer au développement de la science nouvelle* (Prolégomènes pour tous les systèmes futurs d'économie politique). *Du fait de cette compassion même, il ne fut jamais de plus grand contempteur des réputations établies : «Généralement, les rares individus qui ont excité mon dégoût en ce monde étaient des gens florissants et de bonne renommée. Quant aux coquins que j'ai connus, et ils ne sont pas en petit nombre, je pense à eux, à tous sans exception, avec plaisir et bienveillance.»*

Bibliographie (en français) : *Confessions d'un mangeur d'opium*, 1890. — *De l'assassinat considéré comme un des beaux-arts*, 1901, etc.

De l'assassinat considéré comme un des beaux-arts

.. ..

Il serait temps à présent que je dise quelques mots des principes de l'assassinat en vue de diriger non votre pratique, mais votre jugement. Pour les vieilles femmes et la tourbe des lecteurs de journaux, ils se satisfont de n'importe quoi, pourvu que ce soit assez sanglant. Mais un esprit sensible exige quelque chose de plus. Premièrement, donc, parlons de l'espèce de personnes qui s'adaptent le mieux au dessein de l'assassin ; deuxièmement, du lieu ; troisièmement, du temps et de quelques autres menues circonstances.

Quant à la personne, je tiens pour évident que ce doit être un homme de bien, parce que, si ce ne l'était pas, elle pourrait elle-même, n'est-ce pas, projeter un assassinat au même moment, et ces luttes « où le diamant taille le diamant », bien qu'assez satisfaisantes si rien de mieux n'émeut, ne sont pas en vérité ce qu'un critique peut se permettre d'appeler des assassinats. Je pourrais mentionner des gens (je ne cite aucun nom) qui ont été tués par d'autres gens, dans une allée obscure, et jusque-là tout paraîtrait correct ; mais, à y regarder de plus près, le public s'est avisé que la partie tuée, au même moment, méditait de voler son assassin, tout au moins, et peut-être de le tuer si elle s'était trouvée assez forte. Toutes les fois que tel est le cas, ou que l'on peut penser que tel est le cas, adieu les effets originaux de l'art. Le but final de l'assassinat considéré comme un art est en effet précisément le même que celui de la tragédie selon Aristote, c'est-à-dire « de purifier le cœur au moyen de la pitié ou de la terreur ». Or, s'il peut y avoir terreur, comment pourrait-il y avoir aucune pitié devant un tigre détruit par un autre tigre ?

Il est évident, aussi, que la personne choisie ne doit pas être un personnage public. Par exemple, aucun artiste judicieux n'aurait tenté d'assassiner Abraham Newland[1]. Tout le monde a lu tant d'Abraham Newland et si peu de gens l'ont jamais vu, qu'à la croyance générale il était une pure idée abstraite. Je me souviens qu'une fois je me risquai à dire que j'avais dîné dans un café avec Abraham Newland, tout le monde me regarda avec dédain, comme si j'eusse prétendu avoir joué au billard

---

1. Abraham Newland (caissier en chef de la Banque d'Angleterre, mort en 1807) est tout à fait oublié maintenant. Mais quand ceci fut écrit (1827), son nom n'avait pas cessé de résonner aux oreilles britanniques, comme le plus familier et le plus significatif, qui peut-être ait jamais existé. Ce nom apparaissait sur le côté face de tous les billets, grands ou petits, de la Banque d'Angleterre, et il avait été pendant plus d'un quart de siècle (spécialement pendant toute la durée de la Révolution française) l'expression sténographique signifiant papier-monnaie dans sa forme la plus sûre (*Note de Quincey*).

avec le prêtre Jean, ou avoir eu une affaire d'honneur avec le pape. Et, en passant, le pape serait un personnage très impropre à tuer, car il a une telle ubiquité virtuelle en tant que le père de la Chrétienté, et, pareil au coucou, il est si souvent entendu sans être jamais vu, que bien des gens, je le soupçonne, le regardent lui aussi comme une idée abstraite. Ce n'est que si un homme public a l'habitude de donner des dîners, avec toutes les délicatesses de la saison, que le cas est très différent : chacun se trouve fort satisfait que ce ne soit pas une idée abstraite ; par conséquent, il n'y a plus aucune impropriété à le tuer, sauf que cet assassinat tombera dans la classe des assassinats politiques, dont je n'ai pas encore traité.

Troisièmement, le sujet choisi doit être en bonne santé ; il serait absolument barbare de tuer une personne malade, et généralement incapable de le supporter. Par ce principe, il ne faut pas qu'on choisisse un tailleur qui ait plus de vingt-cinq ans, car, passé cet âge, sûrement il doit être dyspeptique. Ou, du moins, si un homme veut chasser dans cette garenne, il pensera à coup sûr de son devoir, d'après une vieille équation établie, de tuer quelque multiple de 9 — soit le 18, le 27 ou le 36. Ici, dans cette bienveillante sollicitude pour le confort des personnes malades, vous remarquerez l'effet ordinaire de l'art qui est d'adoucir et de raffiner les sentiments. Le monde en général, messieurs, est très épris de sang ; tout ce qu'il désire dans un meurtre c'est une effusion copieuse de sang, un étalage éclatant en cela lui suffit. Mais le connaisseur éclairé a le goût plus raffiné ; de notre art, comme de tous les autres arts libéraux, quand on les possède à fond, le résultat est d'humaniser le cœur, tant il est vrai que :

« *Ingenuas didicisse fideliter artes*
Emollit mores, nec sinit esse feros. »

Un ami, un philosophe, bien connu pour sa philanthropie et pour sa bonté générale, me suggère que le sujet choisi doit encore avoir une famille de jeunes enfants entièrement dans la dépendance de ses actions, en vue d'approfondir le pathétique. Sans nul doute, c'est là un judicieux avis. Pourtant je n'insisterai pas trop vivement sur cette condition. Un bon goût sévère sans conteste la suggère ; mais néanmoins, si l'homme était d'autre part irréprochable au point de vue des mœurs et de la santé, je ne tiendrais pas avec une jalousie trop exacte à une restriction qui aurait pour effet de rétrécir la sphère de l'artiste.

.. ..

Traduction d'André Fontainas.

Pierre-François Lacenaire

1800-1836

« J'ARRIVE à la mort, dit Lacenaire, par une mauvaise route, j'y monte par un escalier. »

Déserteur et faussaire en France, assassin en Italie, puis voleur et assassin à Paris et sans cesse, comme il a dit lui-même, « méditant de sinistres projets contre la société », Lacenaire consacre les quelques mois qui précèdent son exécution à la rédaction de ses Mémoires, Révélations et Poésies *et apporte tous ses soins à renforcer l'attrait spectaculaire de son procès. Les ombres de ses victimes, du Suisse de Vérone, d'un de ses anciens codétenus Chardon et de la mère de ce dernier, non plus que l'image du garçon de recettes qu'il tenta de tuer pour le voler, ne le détournent un instant de l'attitude mi-distraite mi-amusée qu'il garde jusqu'à la fin des débats. Sans chercher le moins du monde à sauver sa tête, il se fait un dernier jeu cruel d'accabler ses complices qui se défendent, se bornant pour lui-même à tenter de fournir une justification matérialiste de ses crimes. Au point de vue moral, il semble bien n'y avoir jamais eu de conscience plus* tranquille *que celle de ce bandit.*

A la veille de sa mort, il plaisante les prêtres qui l'importunent, les phrénologues, les anatomistes qui le guettent, il avoue éprouver de « petits accès de mélancolie » qui le « divertissent » ; la nuit, à travers la grille, il est « sur le point de faire coucou *au soldat ».*

Un critique, célébrant récemment le centenaire d'un ouvrage célèbre de Balzac, pouvait écrire : « En 1836, quand le livre sort, froidement accueilli par la presse et même dénigré par elle, le monde qui vient de s'engouer follement pour Lacenaire, l'élégant assassin en redingote bleue, poète d'assises et théoricien du « droit au crime », ne semble pas goûter immédiatement tout le charme du Lys dans la Vallée. »

Bibliographie : *Mémoires, Révélations et Poésies de Lacenaire,* 1836.

Rêves d'un condamné à mort

QUE l'on est heureux quand on rêve !...
Sans dormir, rêver c'est charmant.
En moins d'une heure, ainsi j'achève
Le plus agréable roman.
Je me crée un monde à ma guise,
Tous les meilleurs lots sont pour moi,
Aussi jamais je ne m'avise
De me choisir celui de roi.

Dans ma retraite solitaire,
Peu soucieux de l'avenir,
Je me repais de ma chimère
En y mêlant un souvenir ;
Rêves si frais de ma jeunesse,
Que le malheur n'a pu flétrir,
Venez égayer ma vieillesse :
On est vieux quand on va mourir.

Pierre-François Lacenaire

Parfois, dans un palais superbe,
Je rassemble mille beautés ;
Plus souvent étendu dans l'herbe,
Je n'ai que Lise à mes côtés ;
La gaze que son sein soulève
Malgré moi m'invite à rêver.
C'est grand dommage pour ce rêve
Que l'on soit seul à l'achever.

Tantôt, dans une humble chaumière,
Heureux père et sensible époux,
J'ai près de moi ma bonne mère,
Et mes enfants sur mes genoux ;
A l'ombre d'un épais feuillage,
Je lis et j'écris tour à tour ;
Mais, hélas ! survient un orage,
Pourquoi ce rêve est-il si court ?
.. ..

Christian Dietrich Grabbe

1801-1836

Le *détestable renom qui s'est attaché à la vie de Grabbe n'épargne pas même son enfance. Nul auteur n'a été plus vertement tancé par ses biographes, nul n'a offert plus de prise à la critique sous la forme la moins scientifique et la plus vaine, la forme moralisatrice. On nous apprend qu'il grandit sous les plus mauvaises influences : son père dirigeait une maison de correction, il hérita du penchant de sa mère à l'ivrognerie. Etudiant en droit à Berlin, il compose à dix-huit ans son premier drame,* Le duc de Gothland, *porte un moment les espoirs de l'école romantique, mais déçoit peu après l'attente du public qu'il ne résiste pas au besoin de choquer, voire de scandaliser. Heine et Tieck, liés avec lui d'amitié, ne peuvent eux-mêmes supporter longtemps son caractère insociable et le dérèglement extrême de ses mœurs. Après avoir tenté de devenir comédien, il retourne à ses études de droit, exerce quelque temps la profession d'avocat, puis d'auditeur militaire dans sa ville natale. Il se marie à cette époque, mais ne tarde pas à abandonner sa femme et est destitué de ses fonctions. Employé par le directeur de théâtre Immermann à copier des rôles, il s'adapte aussi mal que possible à son nouveau mode d'existence et, totalement épuisé par l'alcoolisme, vient mourir auprès de sa femme, le seul être sans doute qui soit resté disposé à l'accueillir.*

Dans la production dramatique de Grabbe, la pièce traduite par Alfred Jarry sous le titre Les Silènes *et qui, dans la version allemande, s'intitule* Raillerie, satire, ironie et signification profonde, *occupe une place tout à fait à part*[1]. *Une analyse sommaire ne saurait que faire pressentir les mérites d'une œuvre dont la géniale bouffonnerie n'a jamais été surpassée, qui détonne au plus haut point dans son temps et est douée plus que toute autre de prolongements innombrables jusqu'à nous.*

Bibliographie : *Don Juan et Faust,* 1829. — *Frédéric Barberousse,* 1829. — *Henri VI,* 1830. — *Napoléon ou les Cent-Jours,* 1831. — *Annibal,* 1835.

---

1. Depuis qu'a été rédigée cette notice, M. Robert Valançay a montré que les plus expresses réserves devaient être faites sur l'attribution à Jarry de l'ensemble du texte français des *Silènes.* « Le poème liminaire et les passages érotiques dont cette œuvre est émaillée, ne figurent dans aucune édition allemande de Grabbe. Sont-ils de Jarry ? Nous inclinons plutôt à croire qu'ils sont à l'éditeur, habile pasticheur, qui les a ajoutés pour les besoins de la cause. » On ne peut mieux faire que renvoyer à la très fidèle traduction de M. Valançay : *Raillerie, satire, ironie, etc.* (*Collection* l'Age d'or, Fontaine, 1945).

Les Silènes

I

Clair et chaud jour d'été. Le Diable est assis sur un tertre et gèle.

LE DIABLE. Fait froid, froid — en enfer il fait plus chaud ! — Ma satirique grand-mère m'a, à la vérité — sept étant le nombre le plus fréquent de la Bible — mis sept petites chemises de fourrure, sept petits manteaux de fourrure et sept petites casquettes de fourrure. — Mais il fait froid, froid, froid ! Dieu m'emporte, il fait très froid ! Si je pouvais seulement voler du bois ou allumer une forêt — allumer une forêt ! — Tous les anges ! Serait tout de même drôle, si le diable devait périr gelé ! Voler du bois — allumer forêt — allumer — voler.

Il gèle.

2

Un botaniste entre, botanisant.

LE NATURALISTE. Vraiment, il se trouve dans cette contrée de rares végétaux ; Linné, Jussieu... Seigneur Christ, qui est couché ici sur la terre ? Un homme mort, et comme on le voit clairement, gelé ! Eh bien, c'est tout de même étonnant ! Un miracle, s'il y avait ce qu'on peut appeler des miracles ! Nous sommes aujourd'hui le 2 août, le soleil est flambant au ciel, c'est le jour le plus chaud que j'aie vécu, et cet homme ose, a le toupet, contre toutes les règles et observations des hommes sages, de geler ! — Non, c'est impossible, absolument impossible ! Je vais mettre mes lunettes !

Il met ses lunettes.

Etonnant, étonnant ! J'ai mis mes lunettes et le gaillard n'en est pas moins gelé ! Au plus haut point étonnant ! Je vais le porter à mes collègues !

Il empoigne le Diable au collet et l'entraîne avec soi.

3

Salle dans le château. Le Diable est étendu sur la table et les quatre naturalistes debout autour de lui.

PREMIER NATURALISTE. Vous m'accordez, Messieurs, que l'affaire de ce cadavre est un cas entortillé ?

DEUXIÈME NATURALISTE. Si l'on veut ! Il est seulement fâcheux que ses vêtements de fourrure soient si labyrinthiquement noués, que même Cook, qui a fait le tour du monde, ne pourrait les délacer.

TROISIÈME NATURALISTE. Certainement ! Il a cinq doigts et pas de queue.

QUATRIÈME NATURALISTE. Voici seulement la question à résoudre, quelle espèce d'homme c'est ?

PREMIER NATURALISTE. Parfaitement ! Mais comme on ne peut se mettre à la besogne avec trop de précautions, quoiqu'il soit encore grand jour, je propose qu'on allume en outre une lumière !

TROISIÈME NATURALISTE. Très juste, Monsieur mon collègue !

Ils allument une lumière et la placent près du Diable, sur la table.

PREMIER NATURALISTE. *Après que tous quatre ont considéré le Diable avec l'attention la plus soutenue.* Messieurs, je pense maintenant, au sujet de ce cadavre énigmatique, y voir clair, et j'espère que je ne me trompe pas. Regardez ce nez à l'envers, cette gueule large et lippue — remarquez, dis-je, cet inimitable trait de grossièreté divine moulée sur toute la face, et vous ne douterez plus que vous ne voyez étendu devant vous un de nos actuels critiques, et à coup sûr un authentique.

DEUXIÈME NATURALISTE. Cher collègue, je ne puis si pleinement partager votre avis, au reste extraordinairement sagace. A ne point mentionner que nos critiques d'aujourd'hui, surtout les critiques de théâtre, sont plus naïfs que grossiers, de plus je ne flaire dans cette figure morte pas un des caractères que vous nous avez fait la grâce d'énumérer. Je garantis au contraire totalement qu'il y a quelque chose d'une joliesse de jeune fille làdedans ! les sourcils touffus, surplombants, indiquent cette délicate pudeur féminine, qui s'efforce de cacher même ses regards, et le nez, que vous appelez *à l'envers,* semble bien plutôt s'être détourné par courtoisie, pour laisser au languissant amant une plus grande place au baiser... C'en est assez : si tout ne me trompe pas, cet être humain gelé est la fille d'un pasteur.

TROISIÈME NATURALISTE. Je dois vous avouer, Monsieur, qu'il y a quelque chose de hasardé dans votre hypothèse. Pour fille de pasteur qu'elle soit, une fille de pasteur n'en possède pas moins cette tournure qu'ont en général ces divines créatures que nous appelons femmes, le mouvement nonchalant de la nuque, l'ondulation musicale des vertèbres, le renflement distingué des cuisses (du latin *coxa*) et je cogite qu'au lieu où sont d'ordinaire les lèvres (du grec *nymphê*) le sujet que voici doit s'orner d'un appendice à forme de trident. Aussi présumé-je que c'est le Diable.

PREMIER ET DEUXIÈME NATURALISTE. C'est *ab initio* impossible, car le Diable ne s'adapte point à notre système.

QUATRIÈME NATURALISTE. Ne vous disputez point, mes estimables collègues ! A présent je vais vous dire MON avis, et je parie que vous serez aussitôt du même. Considérez l'énorme laideur, qui nous fait criailler l'un contre l'autre sur chaque mine de cette figure, et vous êtes à coup sûr contraints de me concéder qu'une telle caricature ne saurait du tout exister s'il n'y avait point de femmes de lettres.

LES TROIS AUTRES NATURALISTES. Oui, c'est une femme de lettres ; nous cédons à la force de vos arguments.

QUATRIÈME NATURALISTE. Je vous remercie, mes collègues ! Mais qu'est-ce là ? Voyez-vous comme la morte, depuis que nous lui avons placé la lumière devant le nez, commence à se mouvoir ? Maintenant elle tressaille des doigts — maintenant elle hoche la tête — elle ouvre les yeux, — elle est vivante !

LE DIABLE, *se dressant sur la table.* Où suis-je ? Hou ! je gèle toujours. *Aux naturalistes.* Je vous prie, Messieurs, fermez donc là-bas les deux fenêtres, je ne puis supporter le courant d'air !

PREMIER NATURALISTE, *fermant la fenêtre.* Nous avons un poumon assurément faible.

LE DIABLE, *descendant de la table.* Pas toujours ! Si je suis assis dans un poêle bien bourré de feu, non !

DEUXIÈME NATURALISTE. Comment ! Vous vous asseyez dans un poêle bien bourré de feu ?

LE DIABLE. Oui, j'ai l'habitude de m'asseoir quelquefois là-dedans.

TROISIÈME NATURALISTE. Remarquable habitude !

Il le note.

QUATRIÈME NATURALISTE. Pas vrai, Madame, vous êtes une femme de lettres ?

LE DIABLE. Femme de lettres ? Qu'est-ce que cela veut dire ? De telles femmes le Diable les tourmente, mais Dieu préserve le Diable qu'elles soient le Diable lui-même !

TOUS LES NATURALISTES. Quoi ? Mais alors c'est le Diable ? le Diable ?

Ils veulent s'enfuir.

LE DIABLE, *à part.* Ah ! à présent je peux pour un coup mentir à cœur joie ! *Haut.* Messieurs, où courez-vous ? Calmez-vous. Vous n'allez pas prendre la fuite devant un badinage que je fais avec mon nom.

Les naturalistes reviennent.

Je m'appelle Diable, mais je ne le suis *véritablement* pas.

PREMIER NATURALISTE. A qui avons-nous l'honneur de parler ?

LE DIABLE. A Théophile-Chrétien Diable, chanoine

du petit service ducal de ***, membre honoraire d'une société pour l'encouragement du Christianisme sous les Juifs, et chevalier de l'ordre pontifical du mérite civil, qui m'a récemment, au moyen âge, été conféré par le pape, pour avoir maintenu la populace dans une crainte durable.

QUATRIÈME NATURALISTE. Alors, vous devez déjà avoir atteint un âge important ?

LE DIABLE. Vous vous trompez. Je n'ai que onze ans.

PREMIER NATURALISTE, *au deuxième.* C'est le plus grand sac à mensonges que j'aie jamais vu !

DEUXIÈME NATURALISTE, *au troisième.* Alors il plaira beaucoup aux dames.

Le Diable s'est toujours rapproché davantage de la lumière et a involontairement plongé le doigt dans la flamme.

PREMIER NATURALISTE. Seigneur Dieu ! Que faites-vous, Monsieur le Chanoine ? Vous mettez votre doigt dans la lumière ?

LE DIABLE, *déconcerté, retirant son doigt.* Je... J'aime à mettre mon doigt dans la lumière !

TROISIÈME NATURALISTE. Etrange passion !

Il le note.

Le Diable propose au Margrave Tual, chez qui on vient de le transporter gelé en plein mois d'août, de lui procurer la jeune baronne Liddy à deux conditions : d'abord que Tual fasse étudier à son fils aîné la philosophie, ensuite qu'il fasse mettre à mort treize compagnons tailleurs.

LE MARGRAVE. Pourquoi précisément des compagnons tailleurs ?

LE DIABLE. Parce que ce sont les plus innocents.

Ils marchandent sur le nombre de compagnons tailleurs et se mettent d'accord sur douze, étant convenu que le treizième ne sera pas mis à mort mais aura tout de même les côtes cassées.

Le Diable achète la jeune femme à son fiancé du Val pour 19 999 écus, 18 sous, 2 liards, produit d'une juste estimation de ses facultés physiques et morales (c'est ainsi qu'une réduction est obtenue en raison du fait qu'elle est intelligente). Il est convenu qu'on persuadera le poète Mort-aux-Rats d'entraîner la jeune fille dans la petite maison de Schallbrünn.

On trouve le poète Mort-aux-Rats occupé à chercher autour de lui des sujets d'inspiration. Voici un jeune homme qui s'isole pour satisfaire un besoin naturel, cela ne peut convenir. Mais voici par contre un vieillard qui mord une croûte de pain et Mort-aux-Rats écrit, dans l'enthousiasme, ces trois vers :

J'étais assis à ma table et mâchais ma plume
Ainsi que le lion, quand l'aube blanchit d'effroi
Mâche le cheval sa plume rapide...

Entre le Diable.

LE DIABLE. Ne vous effrayez pas, j'ai lu vos œuvres.

Rien d'extraordinaire à cela, car, lui confie-t-il, une des grandes consolations des damnés est de se délecter de la pire littérature qui soit : la littérature allemande.

MORT-AUX-RATS. Eh ! si la littérature allemande est votre principal sujet d'occupation, que les occupations de détail doivent être étranges !

LE DIABLE. Voici, pendant nos moments perdus, nous faisons des carreaux de fenêtre ou des verres de lunettes en nous servant des esprits qui sont invisibles et, par là même, l'autre jour la singulière fantaisie de pénétrer l'essence de la vertu se mit sur le nez les deux philosophes Kant et Aristote ; mais comme grâce à eux elle voyait de moins en moins clair, elle se fit pour la remplacer, une lorgnette avec deux paysans poméraniens, ce qui lui permit de voir aussi nettement qu'elle pouvait désirer.

Pourquoi le Diable est venu sur terre ? « C'est parce qu'on est en train de faire le ménage à fond en Enfer. » Tous les personnages irréprochables, héroïques ou géniaux dont s'enquiert Mort-aux-Rats sont en Enfer, le marquis Posa, le peintre Spinarosa, comme le Wallenstein de Schiller, le Hugo de Miller, ainsi que Shakespeare, Dante, Horace — ce dernier a épousé Marie Stuart — Schiller, Arioste — Arioste vient de s'acheter un nouveau parapluie — Calderon, etc.

☆

A la cantonade un fabuleux maître d'école à la Groucho Marx, règne, de toute sa vertigineuse faconde, sur quelques individus falots, véritables « palotins » avant la lettre :

LE MAITRE D'ÉCOLE *à Monroc.* Monsieur Monroc ! Vous me voyez ravi de cette surprise. Comment vous plut l'Italie, ce pays où les pierres parlent ? Aucun signe de vieillesse n'est-il encore visible sur la Vénus de Médicis ? J'espère que le pape n'avait pas marché dans de la saleté quand vous lui baisâtes le pied ? Je...

LE MAITRE D'ÉCOLE. Avez-vous appris, Monsieur Tobies, qu'un dentiste est descendu à l'auberge, il y a une heure, et qu'il arrache les dents pour rien ?

TOBIES. Ça m'est égal ! J'ai, voyez-vous, deux rangées de dents si saines que je pourrais aiguiser sur elles mes fourches à foin.

LE MAITRE D'ÉCOLE. Qu'est-ce que cela fait ? On vous les arrachera *pour rien.* Il faut profiter d'une pareille occasion.

TOBIES. Oui, c'est juste. Il ne faut dédaigner aucun petit profit. Je vais me rendre là-bas et me faire arracher toutes les molaires.

Il sort.

A dessein de se saisir du Diable, le maître d'école prend congé de ses interlocuteurs et se dirige en titubant vers la forêt. Après avoir placé quelques ouvrages érotiques dans une immense cage qu'il a apportée sur son dos il va se poster dans un coin. Le Diable entre en reniflant.

LE MAITRE D'ÉCOLE. Le voici déjà. Comme cela le picote dans le nez !

LE DIABLE. Je flaire deux sortes de choses ici. A gauche quelque chose d'impudique... ; à droite quelque chose de saoul, qui s'occupe des enfants.

LE MAITRE D'ÉCOLE. Pourvu que cette allusion ne me vise pas !

Le Diable n'en est pas moins victime du stratagème. Enfermé dans la cage, il n'est délivré que sur l'intervention de sa grand-mère — une florissante jeune femme en tenue d'hiver russe — qu'ont accompagnée Néron

et Tibère (Néron se tient auprès du grand escalier et est en train de nettoyer les bottes du cheval, le « camarade Tibère » est à la blanchisserie et fait sécher son linge).
Tous les ivrognes de la pièce, en compagnie de la jeune baronne Liddy, se retrouvent dans la maisonnette de Schallbrünn.

MORT-AUX-RATS, *à la fenêtre.* Mais qui vient là-bas, avec une lanterne, par la forêt ! Il semble qu'il se dirige par ici.

LE MAITRE D'ÉCOLE, *assis à la fenêtre.* Le Diable l'emporte. Le drôle nous arrive si tard dans la nuit pour nous aider à avaler le punch. C'est le maudit auteur, ou, comme on devrait proprement le nommer, le minuscule auteur, l'auteur de la pièce. Il est bête comme un sabot de vache, bave sur tous les écrivains et n'est bon lui-même à rien, a une jambe de travers, des yeux louches et une insipide face de singe. Fermez-lui la porte au nez, Monsieur le Baron, fermez-lui la porte.

L'AUTEUR, *dehors derrière la porte.* O ! Maudit Maître d'école ! Immesurable sac à mensonges !

LE MAITRE D'ÉCOLE. Fermez-lui la porte, Monsieur le Baron, fermez-lui la porte au nez.

LIDDY. Maître d'école, comme vous êtes amer à l'égard d'un homme qui vous a inventé. *On frappe.* Entrez.

L'auteur entre, avec une lanterne allumée.

Pétrus Borel

1809-1859

« Yo *soy que soy* » (*Je suis ce que je suis*), *cette phrase qui fut la devise de Borel est aussi la dernière qu'ait prononcée Swift, trois ans avant de mourir, comme il venait de se regarder avec pitié dans une glace et qu'on se hâtait d'enlever le couteau situé à portée de sa main. Et Pétrus Borel, dans le portrait qui a paru en frontispice à son volume de vers :* Rhapsodies, *tient un poignard dirigé contre sa poitrine. Son* Champavert, contes immoraux, « *livre sans équivalent, mystification lugubre, plaisanterie d'une terrible imagination* », *où triomphe le « mot sinistre, semi-bouffon, semi-répugnant » (Jules Claretie), son admirable* Madame Putiphar, *ouvrage traversé d'un des plus grands souffles révolutionnaires qui furent jamais (Jules Janin, très hostile, le compare dans* Les Débats *aux œuvres du marquis de Sade) abondent en situations qui incitent à la fois au rire et aux larmes, en traits dans lesquels la sincérité la plus douloureuse s'allie à un sens aigu de la provocation, à un besoin irrésistible de défi. « Je viens vous demander un service, dit l'un des héros de Borel, Passereau l'écolier, au bourreau. Je venais vous prier humblement, je serais très sensible à cette condescendance, de vouloir bien me faire l'honneur et l'amitié de me guillotiner ?... — Qu'est cela ? — Je désirerais ardemment que vous me guillotinassiez ! » Le style de l'écrivain, auquel s'applique comme à aucun autre l'épithète « frénétique » et son orthographe attentivement baroque semblent bien tendre à provoquer chez le lecteur une résistance relative à l'égard de l'émotion même qu'on veut lui faire éprouver, résistance basée sur l'extrême singularisation de la forme et faute de laquelle le message par trop alarmant de l'auteur cesserait humainement d'être reçu.*

Une lithographie de Célestin Nanteuil, d'après Louis Boulanger, nous garde l'expression de ces « grands yeux brillants et tristes » dont parle Théophile Gautier qui ajoute : « On sent qu'il n'est pas contemporain, que rien en lui ne rappelle l'homme moderne, mais qu'il doit venir du fond du passé. » Une certaine ambiguïté naît en effet du contraste de cette expression avec l'allure spectrale du personnage debout, la main posée sur la tête de son chien, de ce chien qui devait mourir d'avoir trop longtemps partagé sa misère. Cette misère fut si grande qu'après la publication de Champavert, *Borel dut s'astreindre pour subsister à rédiger en série des discours de distribution de prix. En 1846, usé par les travaux mercenaires, physiquement vieilli et au moral presque méconnaissable, il laisse Gautier solliciter pour lui la place, alors vacante, d'inspecteur de la colonisation de Mostaganem. Destitué peu après son arrivée, puis rétabli dans son poste à Constantine, il est à nouveau destitué et, totalement désespéré, doit se mettre à labourer la terre. Jusqu'au bout, cet homme, si peu épargné par la vie, reste sans défiance envers les forces de la nature. Sous le soleil cuisant, « je ne me couvrirai pas la tête, dit-il ; la nature fait bien ce qu'elle fait et ce n'est pas à nous de la corriger. Si mes cheveux tombent, c'est que mon front est fait à présent pour rester nu ». Il est enlevé en quelques jours par une insolation.*

Bibliographie : *Rhapsodies,* 1831. — *Champavert,* contes immoraux, 1833. — *Madame Putiphar,* 1839, etc.

Rhapsodies [1]

. . . .

CEUX qui me jugeront par ce livre, et qui désespéreront de moi, se tromperont ; ceux qui m'ajourneront un haut talent se tromperont aussi. Je ne fais pas de la modestie, car pour ceux qui m'accuseront de métagraboliser, j'ai ma conviction de poète, j'en rirai.

Je n'ai plus rien à dire, sinon que j'aurais bien pu faire pour préliminaire un paranymphe, ou mon éthopée, ou bien encore, sur l'art, un long traité *ex professo ;* mais il me répugne de vendre de la préface ; et puis, ne serait-il pas ridicule de dire tant à propos de si peu ? Pourtant j'y songe ; j'ai quelques pièces entachées de politique : ne va-t-on pas m'anathématiser, et japer au républicain ? — Pour prévenir tout interrogatoire, je dirai donc franchement : oui, je suis républicain ! Qu'on

1. Introduction.

demande au duc d'Orléans, le père, s'il se souvient, lorsqu'il allait s'assermenter le 9 août à l'ex-Chambre, de la voix qui le poursuivait, lui jetant à la face les cris Liberté et République, au milieu des acclamations d'une populace pipée ? Oui ! je suis républicain, mais ce n'est pas le soleil de juillet qui a fait éclore en moi cette haute pensée, je le suis d'enfance, mais non pas républicain à jarretière rouge ou bleue à ma carmagnole, pérorateur de hangar et planteur de peupliers ; je suis républicain comme l'entendrait un loup-cervier : mon républicanisme, c'est la lycanthropie ! — Si je parle de République, c'est parce que ce mot me représente la plus large indépendance que puisse laisser l'association et la civilisation. Je suis républicain parce que je ne puis pas être Caraïbe ; j'ai besoin d'une somme énorme de liberté : la République me la donnera-t-elle ? Je n'ai pas l'expérience pour moi. Mais quand cet espoir sera déçu comme tant d'autres illusions, il me restera le Missouri !... Quand on est ici-bas partagé comme moi, quand on est aigri par tant de maux, rêvât-on l'égalité, appelât-on la loi agraire, qu'on ne mériterait encore qu'applaudissements.

Ceux qui diront : Ce tome est l'œuvre d'un fou, d'un de ces bouquetins romantiques qui ont remis l'âme et le bon Dieu à la mode, qui d'après les figarotiers mangent des enfants et font du grog dans des crânes. Pour ceux-là je puis les éviter, j'ai leur signalement.

Front déprimé ou étranglé comme par des forceps, cheveux filasseux, de chaque côté des joues une lanière de couenne poilue, un col de chemise ensevelissant la tête et formant un double triangle de toile blanche, chapeau en tuyau de poêle, habit en sifflet et parapluie.

Pour ceux qui diront : c'est l'œuvre d'un saint-simoniaque !... pour ceux qui diront : c'est l'œuvre d'un républicain, d'un basiléophage : il faut le tuer !... Pour ceux-là ce seront des boutiquiers sans chalandise : les regratiers sans chalands sont des tigres !... des notaires qui perdraient tout à une réforme : le notaire est philippiste comme un passementier !... Ce seront de bonnes gens, voyant la République dans la guillotine et les assignats. La République pour eux n'est qu'un étêtement. Ils n'ont rien compris à la haute mission de Saint-Just : ils lui reprochent quelques nécessités, et puis ils admirent les carnages de Buonaparte, — Buonaparte ! — et ses huit millions d'hommes tués !

A ceux qui diront : Ce livre a quelque chose de suburbain qui répugne, on répondra qu'effectivement l'auteur ne fait pas le lit du roi.

D'ailleurs, n'est-il pas à la hauteur d'une époque où l'on a pour gouvernants de stupides escompteurs, marchands de fusils, et pour monarque, un homme ayant pour légende et exergue : « Dieu soit loué, et mes boutiques aussi ! »

Heureusement que pour se consoler de tout cela, il nous reste l'adultère ! le tabac de Maryland ! et du papel español por cigaritos.

Marchand et voleur est synonyme

.. ..

Un pauvre qui dérobe par nécessité le moindre objet est envoyé au bagne ; mais les marchands, avec privilège, ouvrent des boutiques sur le bord des chemins pour détrousser les passants qui s'y fourvoient. Ces voleurs-là n'ont ni fausses clefs, ni pinces, mais ils ont des balances, des registres, des merceries, et nul ne peut en sortir sans se dire je viens d'être dépouillé. Ces voleurs à petit peu s'enrichissent à la longue et deviennent propriétaires, comme ils s'intitulent propriétaires insolents.

Au moindre mouvement politique, ils s'assemblent, et s'arment, hurlant qu'on veut le pillage, et s'en vont massacrer tout cœur généreux qui s'insurge contre la tyrannie.

Stupides brocanteurs ! c'est bien à vous de parler de propriété, et de frapper comme pillards des braves appauvris à vos comptoirs !... défendez donc vos propriétés ! mauvais rustres ! qui, désertant les campagnes, êtes venus vous abattre sur la ville, comme des hordes de corbeaux et de loups affamés, pour en sucer la charogne ; défendez donc vos propriétés !... Sales maquignons, en auriez-vous sans vos barbares pilleries ? en auriez vous ?... si vous ne vendiez du laiton pour de l'or, de la teinture pour du vin ? empoisonneurs !

☆

Je ne crois pas qu'on puisse devenir riche à moins d'être féroce, un homme sensible n'amassera jamais.

Pour s'enrichir, il faut avoir une seule idée, une pensée fixe, dure, immuable, le désir de faire un gros tas d'or ; et pour arriver à grossir ce tas d'or, il faut être usurier, escroc, inexorable, extorqueur et meurtrier ! maltraiter surtout les faibles et les petits !

Et, quand cette montagne d'or est faite, on peut monter dessus, et du haut du sommet, le sourire à la bouche, contempler la vallée de misérables qu'on a faits.

☆

Le haut commerce détrousse le négociant, le négociant détrousse le marchand, le marchand détrousse le chambrelan, le chambrelan détrousse l'ouvrier, et l'ouvrier meurt de faim.

Ce ne sont pas les travailleurs de leurs mains qui parviennent, ce sont les exploiteurs d'hommes.

☆

Je ne dirai rien de la peine de mort, assez de voix éloquentes depuis Beccaria l'ont flétrie : mais je m'élèverai, mais j'appellerai l'infamie sur le témoin à charge, je le couvrirai de honte ! Conçoit-on être témoin à charge ?... quelle horreur ! il n'y a que l'humanité qui donne de pareils exemples de monstruosité ! Est-il une barbarie plus raffinée, plus civilisée, que le témoignage à charge ?...

☆

Dans Paris, il y a deux cavernes, l'une de voleurs, l'autre de meurtriers ; celle de voleurs c'est la Bourse, celle de meurtriers c'est le Palais de Justice.

Champavert.

Le croque-mort

.. ..

« Vous êtes à fumer gaiement avec des amis, et vous attendez quelques rafraîchissements — pan ! pan ! on cogne à votre porte : « Qui est là ? — C'est moi, Monsieur, qui vous apporte la bière. — Est-elle blanche ? — Oui, Monsieur. — Bien : déposez-la dans l'antichambre, et revenez chercher les bouteilles demain. » L'homme obéit et se retire. Mais quelle est votre surprise quand, accourant sur ses pas, vous vous trouvez nez à nez avec une horrible boîte !

...Toute plaisanterie, toute antithèse à part, si l'ancienne gaieté française avec sa grosse bedaine et ses petits mirlitons fleurit vraiment encore dans quelque coin du globe, croyez-le bien, je vous le dis en vérité, c'est aux pompes funèbres assurément. C'est là que les tréteaux de Tabarin sont encore en fourrière. — Il n'y a plus que là que Momus agite ses grelots. — Ainsi, Messieurs les fermiers de l'entreprise (car, depuis le décret de l'an XII, les morts ont été mis en ferme comme les tabacs), que vous vous représentiez noyés dans la tristesse et bourrés d'épitaphes, sur Dieu et l'Honneur ! sont au contraire de bons et joyeux drilles, de francs lurons, prenant tout au monde par le bon bout et menant crânement la vie ! Ce sont tous plus ou moins d'aimables chansonniers, ce sont tous ou à peu près d'adorables vaudevillistes ! ayant ainsi tout à la fois le monopole du boulevard, du Palais-Royal, de la foire et des catacombes. — Et quand, le soir, ils nous ont fait mourir de rire, le lendemain, ils nous font enterrer.

Le jour des Morts, c'est la fête des Pompes, c'est le carnaval du croque-mort ! Qu'il semblait court ce lendemain de la Toussaint, mais qu'il était brillant !... Dès le matin toute la corporation se réunissait en habit neuf, et tandis que MM. les fermiers, dans le deuil le plus galant, avec leur crispin jeté négligemment sur l'épaule, répandaient leur libéralité, les verres et les brocs circulaient, on vidait sur le pouce une feuillette. Puis, un héraut ayant sonné le boute-selle, on se précipitait dans les équipages, on partait ventre à terre, au triple galop, et l'on gagnait bientôt le FEU D'ENFER, guinguette en grande renommée dans le bon temps. Là, dans un jardin solitaire, sous un magnifique catafalque, une table immense se trouvait dressée (la nappe était noire et semée de larmes d'argent et d'ossements brodés en sautoir), et chacun aussitôt prenait place. — On servait la soupe dans un cénotaphe, — la salade dans un sarcophage, — les anchois dans des cercueils ! — On se couchait sur des tombes, — on s'asseyait sur des cyprès ; — les coupes étaient des urnes ; — on buvait des bières de toutes sortes ; — on mangeait des crêpes ; et, sous le nom de gélatines moulées sur nature, d'embryons à la béchamelle, de capilotades d'orphelins, de civets de vieillards, de suprêmes de cuirassiers, on avalait les mets les plus délicats et les plus somptueux. — Tout était à profusion et en diffusion ! — Tout était servi par montagnes ! — Au prix de cela les noces de Gamache ne furent que du carême, et la kermesse de Rubens n'est qu'une scène désolée. — Les esprits s'animant et s'exaltant de plus en plus, et du choc jaillissant mille étincelles, les plaisanteries débordaient enfin de toutes parts, — les bons mots pleuvaient à verse, — les vaudevilles s'enfantaient par ventrée. — On chantait, on criait, on portait des santés aux défunts, des toasts à la Mort, et bientôt se déchaînait l'orgie la plus ébouriffante, l'orgie la plus échevelée. Tout était culbuté ! Tout était saccagé ! Tout était ravagé ! Tout était pêle-mêle. On eût dit une fosse commune réveillée en sursaut par les trompettes du jugement dernier. — Puis, lorsque ce premier tumulte était un peu calmé, on allumait le punch ; et à sa lueur infernale quelques croque-morts ayant tendu des cordes à boyau sur des cercueils vides, ayant fait des archets avec des chevelures, et avec des tibias des flûtes tibicines, un effroyable orchestre s'improvisait, et la multitude se disciplinant, une immense ronde s'organisait et tournait sans cesse sur elle-même en jetant des clameurs terribles comme une ronde de damnés.

Extrait de la revue L'Artiste.

Edgar Poe

1809-1849

QUELLE *qu'ait été, d'après sa « Philosophie de la composition », la prétention majeure d'Edgar Poe : faire dépendre l'accomplissement de l'œuvre d'art d'une préalable organisation méthodique de ses éléments en vue de l'effet à produire, force est d'admettre qu'il s'est departi souvent de cette rigueur pour laisser, dans son œuvre, libre cours à la fantaisie. Quoi qu'on ait dit, son goût de l'artificiel et de l'extraordinaire devait l'emporter dans bien des cas sur sa volonté d'analyse : on s'expliquerait mal que cet amant du Hasard n'eût pas aimé compter avec les hasards de l'expression. Nous nous souvenons de la distinction spécieuse que, dans la conversation, il y a une vingtaine d'années, M. Paul Valéry tentait d'établir entre ce qu'il appelait les « étranges » et les « bizarres ». Seuls les premiers trouvaient grâce à ses yeux, Poe étant naturellement inclus dans cette catégorie. Il reprochait aux autres, tels que Jarry, leur souci de se singulariser extérieurement. Mais, dans celui que Mallarmé a décrit physiquement, comme le « démon en pied ! sa tragique coquetterie noire, inquiète et discrète », il n'est pas interdit de reconnaître à ses heures, comme l'a fait pour sa part Apollinaire, « le merveilleux ivrogne de Baltimore » : « Rancunes littéraires, vertiges de l'infini, douleurs de ménage, insultes de la misère, Poe, conte Baudelaire, fuyait tout dans le noir de l'ivresse, comme dans le noir de la tombe ; car il ne buvait pas en gourmand, mais en barbare... A New York, le matin même où la Revue Whig publiait* Le Corbeau, *pendant que le nom de Poe était dans toutes les bouches, et que tout le monde se disputait son poème, il traversait Broadway en battant les maisons et en trébuchant. » Une telle contradiction suffirait, à elle seule, à être génératrice d'humour, soit que celui-ci éclate nerveusement du conflit entre les facultés logiques exceptionnelles, la haute tenue intellectuelle et les brouillards de l'ivresse* (L'Ange du Bizarre), *soit que, sous sa forme la plus ténébreuse, il rôde autour des inconséquences humaines que révèlent certains états morbides* (Le Démon de la Perversité).

L'Ange du Bizarre

C'ÉTAIT une froide après-midi de novembre. Je venais justement d'expédier un dîner plus solide qu'à l'ordinaire, dont la truffe dyspeptique ne faisait pas l'article le moins important, et j'étais seul, assis dans la salle à manger, les pieds sur le garde-feu, et mon coude sur une petite table que j'avais roulée devant le feu, avec quelques bouteilles de vins de diverses sortes et de liqueurs spiritueuses.

Dans la matinée, j'avais lu le *Léonidas,* de Glovers ; l'*Epigoniade,* de Wilkie ; *Le Pèlerinage,* de Lamartine ; la *Colombiade,* de Barlow ; la *Sicile,* de Tuckermann, et *Les Curiosités,* de Griswold ; aussi, l'avouerai-je volontiers, je me sentais légèrement stupide. Je m'efforçai de me réveiller avec force verres de laffitte, et, n'y pouvant réussir, de désespoir, j'eus recours à un numéro de journal égaré près de moi. Ayant soigneusement lu la colonne des *maisons à louer,* et puis la colonne des chiens perdus, et puis les deux colonnes des *femmes et apprenties en fuite,* j'attaquai avec une vigoureuse résolution la partie éditoriale, et, l'ayant lue depuis le commencement jusqu'à la fin sans en comprendre une syllabe, il me vint à l'idée qu'elle pouvait bien être écrite en chinois, et je la relus alors depuis la fin jusqu'au commencement, mais sans obtenir un résultat plus satisfaisant. De dégoût, j'étais au moment de jeter

Cet in-folio de quatre pages, heureux ouvrage
Que la critique elle-même ne critique pas,

quand je sentis mon attention tant soit peu éveillée par le paragraphe suivant :

« Les routes qui conduisent à la mort sont nombreuses et étranges. Un journal de Londres mentionne le décès d'un homme dû à une cause singulière. Il jouait au jeu de *puff the dart,* qui se joue avec une longue aiguille, emmaillotée de laine, qu'on souffle contre une cible à travers un tube d'étain. Il plaça l'aiguille du mauvais côté du tube et, ramassant fortement toute sa respiration pour chasser l'aiguille avec plus de vigueur, il l'attira dans son gosier. Celle-ci pénétra dans les poumons et tua l'imprudent en peu de jours. »

En voyant cela, j'entrai dans une immense rage, sans savoir exactement pourquoi.

Cet article, m'écriai-je, est une méprisable fausseté, un pauvre canard ; c'est la lie de l'imagination de quelque pitoyable barbouilleur à un sou la ligne, de quelque misérable fabricant d'aventures au pays de Cocagne. Ces gaillards-là, connaissant la prodigieuse jobarderie du siècle, emploient tout leur esprit à imaginer des possibilités improbables, des *accidents bizarres,* comme ils les appellent, mais, pour un esprit réfléchi (comme le mien, ajoutai-je en manière de parenthèse, appuyant, sans m'en apercevoir, mon index sur le côté de mon nez), pour une intelligence contemplative semblable à celle que je possède, il est évident, à première vue, que la merveilleuse et récente multiplication de ces accidents bizarres est de beaucoup le plus bizarre de tous. Pour ma part, je suis décidé à ne rien croire désormais de tout ce qui aura en soi quelque chose de singulier !

« Mein Gott ! vaut-il hêtre pette bur zela ! » — répondit une des plus remarquables voix que j'eusse jamais entendues.

D'abord, je la pris pour un bourdonnement dans mes oreilles, comme il en arrive quelquefois à un homme qui devient très ivre ; mais, en y réfléchissant, je considérai le bruit comme ressemblant plutôt à celui qui sort d'un baril vide quand on le frappe avec un gros bâton, et, en vérité, je m'en serais tenu à cette conclusion, si ce n'eût été l'articulation des syllabes et des mots. Par tempérament je ne suis nullement nerveux, et les quelques verres de laffitte que j'avais sirotés ne servaient pas peu à me donner du courage, de sorte que je n'éprouvai aucune trépidation, mais je levai simplement les yeux à loisir, et je regardai soigneusement tout autour de la chambre pour découvrir l'intrus. Cependant, je ne vis absolument personne.

« Humph ! — reprit la voix, comme je continuais mon examen, — il vaut gué phus zoyez zou gomme ein borgue, bur ne bas me phoir gand chez zuis azis à godé te phus. »

A ce coup, je m'avisai de regarder directement devant mon nez ; et, là, effectivement, m'affrontant presque, était installé près de la table un personnage, non encore décrit, quoique non absolument indescriptible. Son corps était une pipe de vin, ou une pièce de rhum, ou quelque chose analogue, et avait une apparence véritablement falstaffienne. A son extrémité inférieure étaient ajustées deux caques qui semblaient remplir l'office de jambes. Au lieu de bras pendillaient de la partie supérieure de la carcasse deux bouteilles passablement longues, dont les goulots figuraient les mains.

En fait de tête, tout ce que le monstre possédait était une de ces cantines de Hesse, qui ressemblent à de vastes tabatières, avec un trou dans le milieu du couvercle. Cette cantine (surmontée d'un entonnoir à son sommet, comme d'un chapeau de cavalier rabattu sur les yeux) était posée de champ sur le tonneau, le trou étant tourné de mon côté ; et, par ce trou qui semblait grimaçant et ridé comme la bouche d'une vieille fille très cérémonieuse, la créature émettait de certains bruits sourds et grondants qu'elle donnait évidemment pour un langage intelligible.

« Che tis, — disait-elle, — gu'y vaut gue phus zoyez zou gomme ein borgue, bur hêtre azis là, et ne bas me phoir gand che zuis azis isi, et che tis ozi gu'il vaut gue phus zoyez ein pette blis grosse gu'ine hoie bur ne bas groire se gui hait imbrimé tans l'imbrimé. C'est la phéridé, la phéridé, mot bur mot.

— Qui êtes-vous, je vous prie ? — dis-je avec beaucoup de dignité quoique un peu démonté ; — comment êtes-vous entré ici ? et qu'est-ce que vous débitez là ?

— Gomment che zuis handré, — répliqua le monstre, — za ne phus recarte bas ; et gand à ze gue che tépide, che tépide ze gue che drouffe pon te tépider ; et gand à ze que che zuis, ché zuis chistement phenu bur gue phus le phoyiez par phus-memme.

— Vous êtes un misérable ivrogne, — dis-je, — je vais sonner et ordonner à mon valet de chambre de vous jeter à coups de pied dans la rue.

— Hi ! hi ! hi ! — répondit le drôle, — hu ! hu ! hu ! bur za, phus ne le buphez bas !

— Je ne puis pas ! dis-je ; — que voulez-vous dire ? Je ne puis pas quoi ?

— Zauner la glauje, » — répliqua-t-il en essayant une grimace avec sa hideuse petite bouche.

Là-dessus, je fis un effort pour me lever, dans le but de mettre ma menace à exécution ; mais le brigand se pencha à travers la table et, m'ajustant un coup sur le front avec le goulot d'une de ses longues bouteilles, me renvoya dans le fond du fauteuil, d'où je m'étais à moitié soulevé. J'étais absolument étourdi, et pendant un moment je ne sus quel parti prendre. Lui, cependant, continuait son discours.

« Phus phoyez, — dit-il, gue le mié hait de phus dénir dranguile ; et maintenant phus zaurez gui che zuis. Recartez-moâ ! che zuis l'*Ange ti Pizarre.*

— Assez bizarre, en effet, — me hasardai-je à répliquer ; — mais je m'étais toujours figuré qu'un ange devait avoir des ailes.

— Tes elles ! — s'écriait-il grandement courroucé — Gu'ai-che avaire t'elles ? Me brenez-phus bur ein boulet ? »

. . . .

Traduction de Charles Baudelaire.

Xavier Forneret

1809-1884

XAVIER FORNERET, *ou* L'Homme noir, *ou* L'Inconnu du Romantisme. « *Pour les Annales littéraires de la partie présente du* XIXe *siècle, dit-il en 1840, il y aura un livre rempli d'une infinité de noms (excepté le mien) dont vous connaissez les principaux. N'oublions pas la couverture ; on y verra et* moitié de l'Académie *et* Scribe. *Vous savez que la couverture d'un livre qu'on relie, ne se conserve pas.* » *On ignorerait, en effet, tout de cette personnalité passionnante à plus d'un titre sans l'article que, dans* Le Figaro, *lui a consacré naguère Charles Monselet et dont des extraits ont été recueillis dans le catalogue de vente de ce dernier* (Catalogue détaillé, raisonné et anecdotique d'un Homme de lettres bien connu). *Cet article est, d'ailleurs, de nature à exciter notre curiosité plutôt qu'à l'assouvir. Nous n'hésitons pas à soutenir qu'il y a un* cas *Forneret dont l'énigme persistante justifierait aujourd'hui des recherches patientes et systéma-*

tiques : d'où vient que l'auteur d'une vingtaine d'ouvrages aussi singuliers soit passé presque complètement inaperçu ; comment s'explique l'extrême inégalité de sa production, où la trouvaille la plus authentique voisine avec la pire redite, où le sublime le dispute au niais, l'originalité constante de l'expression ne laissant pas de découvrir fréquemment l'indigence de la pensée ; qui fut cet homme dont tout le comportement extérieur semble avoir eu pour objet d'attirer l'attention de la foule, que sa manière d'écrire ne pouvait manquer de lui aliéner, cet homme assez orgueilleux pour faire passer dans les journaux cette annonce d'un de ses livres : « Le nouvel ouvrage de M. Xavier Forneret n'est livré qu'aux personnes qui envoient leur nom à l'imprimeur, M. Duverger, rue de Verneuil, et après examen de leur demande par l'auteur » et assez humble pour, à la fin de plusieurs de ses ouvrages, s'excuser de son incapacité et solliciter l'indulgence du public ? A divers égards, cette attitude n'est pas sans présenter des analogies frappantes avec celle qu'adoptera plus tard Raymond Roussel. Le style de Forneret est, par ailleurs, de ceux qui font pressentir Lautréamont comme son répertoire d'images audacieuses et toutes neuves annonce déjà Saint-Pol-Roux. Un poème comme « Jeux de mère et d'enfant », dans Vapeurs ni vers ni prose, *anticipe avec une naïveté déconcertante sur l'illustration clinique des théories psychanalytiques d'aujourd'hui.*

« Dijon, écrivait Monselet, se souvient encore de la première représentation de L'Homme noir, *drame en cinq actes et en prose. C'était en 1834 ou 1835. L'auteur était un Bourguignon, jeune homme riche, mais dont les habitudes en dehors de la vie bourgeoise et provinciale avaient le privilège d'exciter la défiance de ses compatriotes. D'abord, il ne s'habillait pas comme eux, premier grief. — Il aimait le velours, les manteaux, il portait un*

chapeau d'une forme particulière et une canne blanche et noire. On racontait de lui des choses étranges : qu'il habitait une tour gothique où il jouait du violon toute la nuit. Pour ces causes et pour d'autres les Dijonnais se tenaient sur leur garde vis-à-vis de M. Xavier Forneret ; aussi leur curiosité fut-elle vivement mise en éveil par l'annonce de L'Homme noir. *M. Xavier Forneret avait fait de la dépense ; la veille de la représentation, des hallebardiers, des hérauts en costume du moyen âge se promenèrent par les rues, agitant des bannières où s'étalait le titre de la pièce. On pouvait donc compter, sinon sur un succès, du moins sur une recette.*

« La salle de spectacle fut comble, en effet, mais L'Homme noir *ne réussit point ; nous croyons même qu'on n'alla pas jusqu'au dénouement ; il y eut brouhaha, cabale. M. Xavier Forneret fit imprimer son drame sous une couverture symbolique : des lettres blanches sur fond noir. Il fit mieux, il adopta le surnom de* l'Homme noir, *et il signa ainsi plusieurs volumes. En même temps, il se réfugiait plus que jamais dans une existence exceptionnelle. Cette personnalité tranchée, quoique sans angles blessants, a agacé pendant près de vingt ans les habitants de Dijon et ceux de Beaune. Les gazettes locales ne purent résister à l'envie de s'égayer sur son compte, il devint l'original de la contrée, on essaya d'interpréter son isolement ; il y eut maintes fois procès et scandales. M. Xavier Forneret tint bon continuellement. »*

Mention faite des excentricités diverses par lesquelles se signale la présentation de ses ouvrages (impression en très gros caractères, usage immodéré du blanc : deux ou trois lignes à la page, ou le texte seulement au recto, le mot « fin » n'interrompant pas nécessairement le cours du livre, qui peut se poursuivre par une « après-fin », insertion, parmi d'autres, d'un poème exceptionnellement tiré en rouge, intitulation très spéciale — au demeurant presque toujours des plus heureuses), Monselet note finement : « On est certain, de la sorte, de tomber sur un écrivain humoriste » et il ajoute : « mais là est le danger plutôt que l'appât. La France n'a jamais manqué d'écrivains humoristes mais ils y sont moins appréciés que partout ailleurs... On a beaucoup parlé des hardiesses de Pétrus Borel, le lycanthrope, et des divagations de Lassailly ; elles sont toutes dépassées par M. Xavier Forneret. » Monselet, plus courageux en cela que toute la critique de ces cent dernières années, ne craint pas d'admirer chez Forneret ce qui est admirable : « Temps perdu ! » — nous-même souscrivons formellement à cette opinion — renferme un chef-d'œuvre ; c'est « Le Diamant de l'Herbe », un récit qui n'a pas plus de vingt pages. L'étrange, le mystérieux, le doux, le terrible ne se sont jamais mariés sous une plume avec une telle intensité ». Son auteur sous-estime donc ses moyens quand il déclare : « Tout est senti chez moi, sans jamais bien en sortir. » Tout porte à croire que Monselet a vu juste et que la postérité s'associera à son jugement : « M. Xavier Forneret s'exagère sa faiblesse ; il vaut mieux, dans ses efforts et dans ses aspirations enfiévrées, que cent écrivains dans leur stupide et sereine abondance. Il y a une nature en lui. Sous la pioche du critique qui le frappe, ce terrain inexploré laisse parfois briller un filon de pur métal. »

Observons qu'on tenterait en vain de desservir l'auteur de Sans titre en alléguant qu'il était plus ou moins inconscient ou irresponsable des échos qu'il éveille à la lecture impartiale et attentive, lui qui a placé son livre sous l'invocation de cette phrase de Paracelse : « Souvent il n'y a rien dessus, tout est dessous, cherchez. »

Xavier Forneret

Bibliographie : *L'Homme noir,* blanc de visage, 1834 ou 1835. — *Deux Destinées,* 1834. — *Vingt-trois, trente-cinq,* 1835. — *Et la lune donnait, et la rosée tombait.* — *Rien,* au profit des pauvres, 1836. — *Vapeurs ni vers ni prose,* 1838. — *Sans titre,* par un homme noir, blanc de visage, 1838. — *Encore un an de Sans titre,* par un homme noir, blanc de visage, 1839. — *Pièce de pièces, temps perdu,* 1840. — *A mon fils naturel,* 1847. — *Rêves.* — *Lettre à M. Victor Hugo,* 1851. — *Voyage d'agrément de Beaune à Autun,* fait pour la première fois le 8 septembre 1850. — *Quarante-sept phrases à propos de 1852.* — *Lignes rimées,* 1853. — *Mère et fille,* 1855. — *Caressa,* 1856. — *Ombres de poésie,* 1860. — *Mon mot aussi,* 1861. — *Lettre à Dieu.* — *Broussailles de la pensée,* de la famille de Sans titre, 1870. — *Mort de Monseigneur l'Archevêque de Paris* (3 janvier 1857) : Un crime de l'Enfer.

Un pauvre honteux

Il l'a tirée
De sa poche percée,
L'a mise sous ses yeux ;
Et l'a bien regardée
En disant : « Malheureux ! »

Il l'a soufflée
De sa bouche humectée ;
Il avait presque peur
D'une horrible pensée
Qui vint le prendre au cœur.

Il l'a mouillée
D'une larme gelée
Qui fondit par hasard ;
Sa chambre était trouée
Encor plus qu'un bazar.

Il l'a frottée,
Ne l'a pas réchauffée,
A peine il la sentait ;
Car, par le froid pincée,
Elle se retirait.

Un pauvre honteux

Il l'a pesée
Comme on pèse une idée,
En l'appuyant sur l'air.
Puis il l'a mesurée
Avec du fil de fer.

Il l'a touchée
De sa lèvre ridée. —
D'un frénétique effroi
Elle s'est récriée :
Adieu, embrasse-moi !

Il l'a baisée,
Et après l'a croisée
Sur l'horloge du corps,
Qui rendait, mal montée,
De mats et lourds accords.

Il l'a palpée
D'une main décidée
A la faire mourir.
— Oui, c'est une bouchée
Dont on peut se nourrir.

Il l'a pliée,
Il l'a cassée,
Il l'a placée,
Il l'a coupée,
Il l'a lavée,
Il l'a portée,
Il l'a grillée,
Il l'a mangée.

Quand il n'était pas grand, on lui avait dit :
— Si tu as faim, mange une de tes mains.

Vapeurs ni vers ni prose.

Sans titre et encore un an de Sans titre

ON peut marcher sans tête. —

☆

Il y a des cœurs qui ressemblent assez à une bouteille remplie qu'on enveloppe d'un linge mouillé et qu'on expose en plein soleil. — Le linge devient brûlant, l'intérieur de la bouteille est glacé. —

☆

La promesse et la vérité sont comme des boules que les hommes se jettent entre eux et qui restent en l'air. —

(*Sans titre*,
par un homme noir, blanc de visage.)

☆

Le sapin, dont on fait les cercueils, est un arbre toujours vert. —

☆

Oh ! que c'est malheureux que la femme mange, — même des fraises dans du lait. —

☆

Il n'est pas d'1 plus vrai qu'un 2 qui fait un 3. —

☆

J'aime trop la femme pour ne pas lui avouer une vérité : — C'est qu'elle est parfois scélérate. — Qu'elle me pardonne ce mot ; — c'est un os souriant sorti de mon cimetière. —

☆

Une petite ville est un gros trou, — et ses grandes idées, un petit rat. —

☆

J'ai vu une boîte aux lettres sur un cimetière. —

☆

Je rirais, si tout ce qu'on prend allait s'attacher aux mains comme des verrues, parce qu'alors il n'y aurait plus au Monde que des marchands de pierre infernale. —

☆

Aux expositions du Louvre et des magasins, — que de grands portraits EN PETIT, que de statuettes EN PLATRE, — auxquels il manque un nom, comme il manque le jambage d'un M pour réunir deux mots, précédents, et faire celui — selon l'Académie — qui indique la chose qu'employait Figaro, sur des yeux perdus. —

☆

TOUT OU RIEN. — Ces trois mots sont une paire de lunettes à envoyer à la femme qui dit ne pouvoir bien LIRE que dans notre cœur. TOUT et RIEN seront les deux verres, et OU — ce qui lui tiendra sur le nez. —

☆

Les minutes d'hôtel sont les ailes sans l'oiseau. —

☆

Comme les belles mains sont effrayantes avec leurs grands ongles[1]. —

☆

JOURNAL : Quel grand papier que la terre ; — quels caractères que le Jour ; — quelle encre que la Nuit ! — Tout le monde imprime, tout le monde lit ; personne ne comprend. —

☆

Ce n'est pas qu'on soit bon ; on est content. —

☆

Pour penser amèrement, il n'est besoin d'autre chose que de voir une serrure touchée par une main vivante, — et un cimetière où les mains mortes ne sont pas PRISES. —

Encore un an de Sans titre,
par un homme noir, blanc de visage.

---

1. Ces mots se trouvent ici avoir changé de mois, et ils auraient vieilli si les belles mains d'abord, et leurs grands ongles, ensuite, n'étaient pas de tout temps. —

Charles Baudelaire

1821-1867

L'HUMOUR *chez Baudelaire fait partie intégrante de sa conception du* dandysme. *On sait que, pour lui, « le mot dandy implique une quintessence de caractère et une intelligence subtile de tout le mécanisme moral de ce monde ». L'humour, nul plus que lui n'a pris soin de le définir par opposition à la gaieté triviale ou au sarcasme grimaçant dans lesquels se plaît à se reconnaître l'« esprit français ». Il place Molière en tête des « religions modernes ridicules » ; Voltaire, c'est « l'antipoète, le roi des badauds, le prince des superficiels, l'antiartiste, le prédicateur des concierges, le père Gigogne des rédacteurs du* Siècle ». *Le dandy est partagé entre le souci narcissique de ses attitudes et de ses actes (« Il doit aspirer à être sublime sans interruption. Il doit vivre et mourir devant son miroir ») et le désir de provoquer sur son passage une longue rumeur désapprobatrice (« Ce qu'il y a d'enivrant dans le mauvais goût, c'est le plaisir aristocratique de déplaire »). Chez Baudelaire, les recherches de toilette témoigneraient à elles seules de ce parti pris qui triomphera de toutes les vicissitudes de la fortune, des gants rose pâle de sa jeunesse fastueuse, par la perruque verte exhibée au café Riche, jusqu'au boa de chenille écarlate, parure suprême des mauvais jours. Ses apostrophes, ses confidences fantaisistes en public sont commandées par un besoin d'interloquer, de révolter, de stupéfier (à brûle-pourpoint à Nadar : « N'apprécierais-tu pas avec moi que la cervelle des petits enfants, ça doit avoir comme un goût de noisette ? » ; à un passant qui vient de lui refuser du feu pour ne pas faire tomber la cendre de son cigare : « Pardon, Monsieur, auriez-vous l'extrême obligeance de bien vouloir me dire votre nom ? — Je voudrais garder le nom de l'homme qui tient à conserver sa cendre » ; à un bourgeois qui lui vantait les mérites de ses deux filles : « Et laquelle de ces deux jeunes personnes destinez-vous à la prostitution ? » ; à une jeune femme dans une brasserie : « Mademoiselle, vous que les épis d'or couronnent et qui m'écoutez* avec de si jolies dents, *je voudrais mordre dans vous... Je voudrais vous lier les mains et vous pendre par les poignets au plafond de ma chambre ; alors, je me mettrais à genoux et je baiserais vos pieds nus. ») De sa vie, il s'applique à ce que le commun des hommes emporte une image de cauchemar : « Ses amours, peut-on lire dans* Le Gaulois *du* 30 *septembre* 1886, *ont eu pour objet des femmes phénomènes. Il passait de la naine à la géante, et reprochait à la Providence de refuser souvent la santé à ces êtres privilégiés. Il avait perdu quelques géantes de la phtisie et deux naines de la gastrite. Il soupirait, en le racontant, tombait dans de profonds silences et terminait par : « Une de ces naines avait soixante-douze centimètres seulement. On ne peut tout avoir en ce monde », murmurait-il philosophi-*

quement. Bon gré, mal gré, il faut convenir que Baudelaire a soigné tout particulièrement ce côté de son personnage, qui plus est — ce côté semble avoir miraculeusement échappé au naufrage final — qu'il s'est même en quelque sorte sublimé au cours des années d'affaiblissement intellectuel qui précèdent sa mort : « Quand il se regarda dans la glace, il ne se reconnut pas et salua » ; ses dernières paroles, interrompant un silence de plusieurs mois, furent pour demander à table, le plus aisément du monde, qu'on lui passât la moutarde. L'humour noir, chez Baudelaire, révèle par là son appartenance au fond organique de l'être. C'est ne rien comprendre à son génie que d'affecter de ne pas tenir compte de cette disposition élective ou de la lui passer avec indulgence. Elle corrobore toute la conception esthétique sur laquelle repose son œuvre, et c'est en liaison étroite avec elle que se développe, sur le plan poétique, la série des préceptes dont toute la sensibilité ultérieure va se trouver bouleversée. « Raconter pompeusement des choses comiques. — L'irrégularité, c'est-à-dire l'inattendu, la surprise, l'étonnement sont une partie essentielle et la caractéristique de la beauté. — Deux qualités littéraires fondamentales : surnaturalisme et ironie. — Le mélange du grotesque et du tragique est agréable à l'esprit, comme les discordances aux oreilles blasées. — Concevoir un canevas pour une bouffonnerie lyrique et féerique, pour une pantomime, et traduire cela en un roman sérieux. Noyer le tout dans une atmosphère anormale et songeuse, dans l'atmosphère des grands jours... *Région de la poésie pure.* » (Fusées.)

Le mauvais vitrier

Il y a des natures purement contemplatives et tout à fait impropres à l'action, qui cependant, sous une impulsion mystérieuse et inconnue, agissent quelquefois avec une rapidité dont elles se seraient crues elles-mêmes incapables.

Tel qui, craignant de trouver chez son concierge une nouvelle chagrinante, rôde lâchement une heure devant sa porte sans oser rentrer, tel qui garde quinze jours une lettre sans la décacheter, ou ne se résigne qu'au bout de six mois à opérer une démarche nécessaire depuis un an, se sentent quelquefois brusquement précipités vers l'action par une force irrésistible, comme la flèche d'un arc. Le moraliste et le médecin, qui prétendent tout savoir, ne peuvent pas expliquer d'où vient si subitement une si folle énergie à ces âmes paresseuses et voluptueuses, et comment, incapables d'accomplir les choses les plus simples et les plus nécessaires, elles trouvent à une certaine minute un courage de luxe pour exécuter les actes les plus absurdes et souvent même les plus dangereux.

Le mauvais vitrier

Un de mes amis, le plus inoffensif rêveur qui ait existé, a mis une fois le feu à une forêt pour voir, disait-il, si le feu prenait avec autant de facilité qu'on l'affirme généralement. Dix fois de suite, l'expérience manqua ; mais, à la onzième, elle réussit beaucoup trop bien.

Un autre allumera un cigare à côté d'un tonneau de poudre, *pour voir, pour savoir, pour tenter la destinée,* pour se contraindre lui-même à faire preuve d'énergie, pour faire le joueur, pour connaître les plaisirs de l'anxiété, pour rien, par caprice, par désœuvrement.

C'est une espèce d'énergie qui jaillit de l'ennui et de la rêverie ; et ceux en qui elle se manifeste si opinément sont, en général, comme je l'ai dit, les plus indolents et les plus rêveurs des êtres.

Un autre, timide à ce point qu'il baisse les yeux même devant les regards des hommes, à ce point qu'il lui faut rassembler toute sa pauvre volonté pour entrer dans un café ou passer devant le bureau d'un théâtre, où les contrôleurs lui paraissent investis de la majesté de Minos, d'Eaque et de Rhadamante, sautera brusquement au cou d'un vieillard qui passe à côté de lui et l'embrassera avec enthousiasme devant la foule étonnée.

Pourquoi ? Parce que... parce que cette physionomie lui était irrésistiblement sympathique ? Peut-être ; mais il est plus légitime de supposer que, lui-même, il ne sait pas pourquoi.

J'ai été plus d'une fois victime de ces crises et de ces élans, qui nous autorisent à croire que des Démons malicieux se glissent en nous et nous font accomplir, à notre insu, leurs plus absurdes volontés.

Un matin, je m'étais levé, maussade, triste, fatigué d'oisiveté, et poussé, me semblait-il, à faire quelque chose de grand, une action d'éclat ; et j'ouvris la fenêtre, hélas !

(Observez, je vous prie, que l'esprit de mystification qui, chez quelques personnes, n'est pas le résultat d'un travail ou d'une combinaison, mais d'une inspiration fortuite, participe beaucoup, ne fût-ce que par l'ardeur du désir, de cette humeur, hystérique selon les médecins, satanique selon ceux qui pensent un peu mieux que les médecins, qui nous pousse sans résistance vers une foule d'actions dangereuses ou inconvenantes.)

La première personne que j'aperçus dans la rue, ce fut un vitrier dont le cri perçant, discordant, monta jusqu'à moi à travers la lourde et sale atmosphère parisienne. Il me serait d'ailleurs impossible de dire pourquoi je fus pris à l'égard de ce pauvre homme d'une haine aussi soudaine que despotique.

« — Hé ! hé ! » et je lui criai de monter. Cependant, je réfléchissais, non sans quelque gaieté, que, la chambre étant au sixième étage et l'escalier fort étroit, l'homme devait éprouver quelque peine à opérer son ascension et accrocher en maint endroit les angles de sa fragile marchandise.

Enfin il parut : j'examinai curieusement toutes ses vitres, et je lui dis : « Comment ? vous n'avez pas de verres de couleur ? des verres roses, rouges, bleus, des vitres magiques, des vitres de paradis ? Impudent que vous êtes ! vous osez vous promener dans des quartiers pauvres, et vous n'avez pas même de vitres qui fassent voir la vie en beau ! » Et je le poussai vivement vers l'escalier, où il trébucha en grognant.

Je m'approchai du balcon et je me saisis d'un petit pot de fleurs, et quand l'homme reparut au débouché de la porte, je laissai tomber perpendiculairement mon engin de guerre sur le rebord postérieur de ses crochets ; et le choc le renversant, il acheva de briser sous son dos toute sa pauvre fortune ambulatoire qui rendit le bruit éclatant d'un palais de cristal crevé par la foudre.

Et, ivre de ma folie, je lui criai furieusement : « La vie en beau ! la vie en beau ! »

Ces plaisanteries nerveuses ne sont pas sans péril, et on peut souvent les payer cher. Mais qu'importe l'éternité de la damnation à qui a trouvé dans une seconde l'infini de la jouissance ?

Le Spleen de Paris.

Lewis Carroll

1832-1898

QU'UN *pasteur anglican se trouve être par surcroît distingué professeur de mathématiques et logicien spécialisé, il n'en faut pas davantage pour que le* non-sens *fasse son apparition dans la littérature ou tout au moins y marque une réapparition éclatante (les plus surprenants poèmes de Lewis Carroll ne laissent pas de présenter un rapport de filiation, qui s'ignore sans doute, avec certains poèmes « incohérents » du* XIIIe *siècle français, connus sous le nom de « fatrasies » et auxquels ne s'est attaché d'autre nom que celui de Philippe de Beaumanoir). Le « non-sens » chez Lewis Carroll tire son importance du fait qu'il constitue pour lui la solution vitale d'une contradiction profonde entre l'acceptation de la foi et l'exercice de la raison d'une part ; d'autre part, entre la conscience poétique aiguë et les rigoureux devoirs professionnels. Le propre de cette solution subjective est de se doubler d'une solution objective, d'ordre poétique précisément :*

*l'esprit, mis en présence de toute espèce de difficulté, peut trouver une issue idéale dans l'*absurde. *La complaisance envers l'absurde rouvre à l'homme le royaume mystérieux qu'habitent les enfants. Le* jeu *de l'enfance, comme moyen perdu de conciliation entre l'action et la rêverie en vue de la satisfaction organique, à commencer par le simple « jeu de mots », se trouve de la sorte réhabilité et dignifié. Les puissances présidant au « réalisme », à l'animisme et à l'artificialisme enfantins et militant pour une morale sans contrainte, qui s'endorment entre cinq et douze ans, ne sont pas à l'abri d'une récupération systématique qui menace le monde sévère et inerte où il nous est prescrit de vivre. La main droite comme sur la poignée de la porte de sortie (de rentrée), en réalité fermée sur une orange, se tient une petite fille que le poète Lewis Carroll — en réalité le digne M. Dodgson qui se cache sous ce pseudonyme — vient de mener devant une glace et qui, pour expliquer qu'elle se voit tenir le fruit de la main gauche, tout en se sentant le tenir toujours de la main droite, se suppose le tenir de la main droite « de l'autre côté du miroir ». (Ce thème de la traversée du miroir sera repris en tragique par Jacques Rigaud dans* Lord Patchogue.) *A coup sûr, il y a là préconception d'un « à rebours » des plus authentiques. On ne peut nier que dans l'œil d'Alice un monde d'inadvertance, d'inconséquence et, pour tout dire, d'inconvenance gravite vertigineusement au centre du vrai.*

Humour rose ? Humour noir ? sans doute est-il bien difficile de préciser : « La Chasse au Snark, *a noté M. Aragon, paraît à la même date que les* Chants de Maldoror *et* Une Saison en Enfer. *Dans les chaînes honteuses de ces jours de massacres en Irlande, d'oppression sans nom dans les manufactures où s'établissait l'ironique comptabilité du plaisir et de la douleur préconisée par Bentham, alors que de Manchester se levait comme un défi la théorie du* libre-*échange, qu'était devenue la liberté humaine ? Elle résidait tout entière dans les frêles mains d'Alice où l'avait placée ce curieux homme. » Il n'en semble pas moins étrangement abusif de présenter Lewis Carroll comme un réfractaire « politique » et de prêter à son œuvre des intentions satiriques immédiates. C'est pure et simple supercherie d'insinuer que la substitution d'un régime à un autre pourrait mettre fin à un tel ordre de revendication. Il y va de la résistance foncière que l'enfant opposera toujours à ceux qui tendent à le modeler, par suite à le réduire, en limitant plus ou moins arbitrairement son magnifique champ d'expérience. Tous ceux qui gardent le sens de la révolte reconnaîtront en Lewis Carroll leur premier maître d'école buissonnière.*

Bibliographie (en français) : *Alice au pays des merveilles. — La Traversée du miroir. — La Chasse au Snark,* 1929, etc.

Le quadrille des homards

La Tortue soupira profondément et passa sur ses yeux le revers de sa patte. Elle regarda Alice et voulut parler, mais, pendant une minute ou deux, les sanglots étouffèrent sa voix.

« Exactement comme si elle avait un os dans la gorge », dit le Griffon, et il se mit en devoir de la secouer et de lui taper dans le dos.

A la fin, la Tortue se calma, et, tandis que de grosses larmes lui coulaient le long des joues, elle continua :

« Vous n'avez pas dû habiter au fond de la mer...

— Certainement non, dit Alice.

— Et peut-être vous n'avez jamais été présentée à un Homard ?

— J'en ai goûté... » commença Alice, mais elle s'interrompit brusquement et dit : « Non, jamais !

— Vous ne pouvez donc pas savoir quel spectacle charmant est un quadrille de Homards.

— Non, vraiment, dit Alice. Quelle sorte de danse est-ce ?

— Eh bien ! dit le Griffon, vous formez d'abord une ligne le long de la mer...

— Deux lignes, cria la Tortue, formées de soles, de tortues, de saumons, etc. Puis, quand vous avez déblayé le terrain de toutes les méduses qui l'encombrent...

— Ce qui prend un certain temps... interrompit le Griffon.

— Vous faites deux pas en avant...

— Chacun a un Homard pour danseur ? cria le Griffon.

— Naturellement, dit la Tortue... Deux pas en avant, salut à son cavalier...

— Echange de Homard et deux pas en arrière...

— Puis, continua la Tortue, vous jetez les...

— Les Homards, cria le Griffon en bondissant en l'air...

— ... Aussi loin dans la mer que vous pouvez...

— Vous nagez derrière eux, hurla le Griffon.

— Vous faites un saut périlleux dans la mer, beugla la Tortue, et elle fit une cabriole.

— Vous changez encore une fois de Homard, rugit le Griffon...

— Vous revenez à terre... et c'est tout pour la première figure », dit la Tortue d'une voix tout à fait calme.

Et les deux étranges créatures qui venaient de gambader comme des petites folles s'assirent tranquillement et regardèrent Alice.

« Cette danse doit être très jolie, dit timidement la petite fille.

— Aimeriez-vous la voir danser ? proposa la Tortue.

— Cela me ferait grand plaisir, dit Alice.

— Allons, essayons la première figure, dit la Tortue au Griffon... Nous pouvons nous passer de Homards, vous savez... Qui va chanter ?

— Oh ! Vous ! dit le Griffon. J'ai oublié les paroles. »

Ils commencèrent à danser lourdement autour

d'Alice, lui marchand sur les pieds toutes les fois qu'ils passaient près d'elle.

Tous les deux battaient la mesure avec leurs pattes de devant et la Tortue se mit à chanter d'une voix lamentable :

— Voulez-vous avancer un peu plus vite ? disait un Rouget à un Bigorneau.

— Il y a derrière moi un Brochet qui me marche sur la queue.

— Regardez comme les Homards et les Tortues avancent vite.

— Ils attendent sur la plage. Voulez-vous entrer dans la danse ?

— Voulez-vous, ne voulez-vous pas, voulez-vous, ne voulez-vous pas entrer dans la danse ?

— Vous ne pouvez pas vous imaginer combien ce sera délicieux.

— Quand ils nous prendront pour nous jeter à la mer avec les Homards.

— Mais le Bigorneau répondit : trop loin, trop loin, et le regarda de travers.

— Il remercia aimablement le Rouget, mais ne voulut pas entrer dans la danse.

— Voulez-vous, ne voulez-vous pas, voulez-vous, ne voulez-vous pas entrer dans la danse ?

— Peu importe que ce soit loin, dit son écailleux ami.

— Il y a un autre rivage de l'autre côté, vous savez ;

— Plus on s'éloigne d'Angleterre, plus l'on se rapproche de France.

— Allons, ne pâlissez pas, mon cher Bigorneau, venez et entrez dans la danse.

— Voulez-vous, ne voulez-vous pas, voulez-vous, ne voulez-vous pas entrer dans la danse ?

« Merci, c'est une très jolie danse, dit Alice, ravie que ce soit fini, et cette chanson du Rouget est vraiment curieuse.

— Oh ! Quant aux Rougets, dit la Tortue... Vous en avez vu, bien entendu.

— Oui, dit Alice, j'en ai souvent vu à dîn... elle s'arrêta brusquement.

— Je ne sais pas où se trouve Dîn... dit la Tortue, mais si vous en avez vu souvent, vous savez comment ils sont faits.

— Je le crois, dit Alice, ils ont la queue dans la bouche et sont couverts de mie de pain...

— La mie de pain est une erreur, dit la Tortue, elle serait enlevée par la mer. Mais ils ont bien la queue dans la bouche et voici pourquoi... »

Ici, la Tortue bâilla et ferma les yeux.

« Expliquez-lui pourquoi et tout le reste, dit-elle au Griffon.

— Voici la raison, dit le Griffon. Ils dansèrent avec les Homards. Ils furent donc jetés à la mer. Pendant le trajet ils tinrent leur queue très serrée dans leur bouche, si serrée qu'ils furent incapables de l'en retirer. C'est tout !

— Merci, dit Alice. C'est très intéressant. Je n'avait jamais tant entendu parler des Rougets.

— Je pourrais encore vous dire bien des choses, poursuivit le Griffon. Savez-vous pourquoi on les appelle Rougets ?

— Je n'y ai jamais pensé, dit Alice.

— Parce qu'ils cirent les souliers », répliqua gravement le Griffon.

Alice fut abasourdie.

« Ils cirent les souliers ? répéta-t-elle d'une voix étonnée.

— Eh bien ! avec quoi sont cirés vos souliers ? dit le Griffon... Qu'est-ce qui les rend si brillants ? »

Alice considéra ses chaussures avant de répondre :

« Je crois que c'est avec du cirage noir.

— Les souliers dans la mer sont entretenus avec du cirage rouge, vous comprenez. La moindre Crevette aurait trouvé ça.

— Si j'avais été le Rouget, dit Alice qui pensait toujours à la chanson, j'aurais dit au Brochet : allez-vous-en, s'il vous plaît, je n'ai pas besoin de vous.

— Ils ne peuvent pas s'en passer, dit la Tortue. Aucun poisson de bon sens ne voudrait sortir sans un Brochet.

— Est-ce possible ? dit Alice au comble de l'étonnement.

— Naturellement, dit la Tortue. Je vous assure que, si un poisson vient me trouver pour m'annoncer qu'il part en voyage, je lui dis toujours : Avec quel Brochet ?

— Vous voulez dire, projet ? dit Alice.

— Je veux dire ce que je dis », répliqua la Tortue d'un ton froissé.

Et le Griffon ajouta :

« Allons, racontez-nous vos aventures.

— Je vous raconterai mes aventures à partir de ce matin, dit Alice timidement. Je ne vous parlerai pas d'hier parce que je n'étais pas la même personne.

— Expliquez-nous ça, dit la Tortue.

— Non, non, les aventures d'abord, cria le Griffon impatienté. Les explications prennent toujours un temps effroyable. »

Alice commença donc le récit de ses aventures depuis l'apparition du Lapin Blanc. Elle était un peu inquiète, au début, de se voir encadrée de ces deux énormes bêtes qui ouvraient de si grands yeux et une si grande bouche. Elle se rassura cependant ; ses auditeurs restèrent parfaitement tranquilles jusqu'au moment où elle leur expliqua qu'en récitant à la Chenille : « Vous êtes vieux, père Guillaume », elle avait dit les mots tout de travers.

La Tortue poussa un long soupir et dit :

« C'est très curieux.

— C'est aussi curieux que possible, dit le Griffon.

— Les mots venaient tout de travers, répéta pensivement la Tortue. Je voudrais bien qu'elle nous récitât quelque chose maintenant. Demandez-le-lui. »

Elle regardait le Griffon comme si elle lui supposait une autorité quelconque sur Alice.

« Levez-vous et récitez : C'est la voix du paresseux, dit le Griffon.

— Comme tous ces gens-là aiment donner des ordres et faire réciter des leçons, pensa Alice. C'est à se croire à l'école. »

Elle se leva et commença la fable demandée, mais elle avait la tête si remplie du Quadrille des Homards qu'elle ne savait plus ce qu'elle disait. Voici l'étrange fable qu'elle récita :

« C'est la voix du Homard ; je l'entends déclarer :

« Vous m'avez trop cuit : je dois sucrer mes cheveux pour qu'ils soient moins rouges.

« Comme un Canard avec ses palmes, lui c'est avec son nez.

« Qu'il boutonne sa ceinture et met ses pieds en dehors.

« Quand la plage est à découvert, il est aussi gai qu'une Alouette

« Et parle au Requin d'un ton méprisant.

« Mais quand la mer monte et que les Requins sont en vue,

« Sa voix devient timide et tremblante. »

« Cela ne ressemble pas du tout à ce que je récitais quand j'étais enfant, dit le Griffon.

— Je n'avais pas encore entendu cette fable, dit la Tortue, mais elle est complètement idiote. »

Alice ne disait rien. La tête dans les mains, elle se demandait si les choses reprendraient jamais leur cours normal.

« Il faut nous expliquer cela, dit la Tortue.

— Elle est incapable de l'expliquer, se hâta de

dire le Griffon. Passons à la seconde strophe.

— Mais au sujet de ses pieds, insista la Tortue. Comment peut-il les mettre en dehors avec son nez ?

— Pour la danse, c'est la première position, dit Alice. Mais elle était très embarrassée et aurait bien voulu changer de sujet.

— Allons, la seconde strophe, répéta le Griffon... Elle commence par : « Je passais près de son jardin. »

Alice n'osa pas désobéir. Cependant, elle était sûre de se tromper encore.

Elle commença donc d'une voix mal assurée :

« Je passais près de son jardin et j'aperçus
« Le Hibou et la Panthère qui se partageaient un pâté.
« La Panthère prit la croûte, la sauce et la viande,
« Tandis que le Hibou avait le plat pour sa part.
« Quand le pâté fut achevé, le Hibou en récompense
« Eut la permission d'empocher la cuiller.
« Tandis que la Panthère, avec un grognement, prit le couteau et la fourchette.
« Et il termina par... »

« A quoi bon réciter ces absurdités si vous ne les expliquez pas ? interrompit la Tortue. Je n'ai rien entendu de si compliqué.

— Vous feriez mieux de vous en aller », dit le Griffon.

Alice fut ravie de cette permission.

« Voulez-vous que nous dansions une autre figure du Quadrille des Homards ? continua le Griffon ; ou préférez-vous que la Tortue vous chante quelque chose ?

— Oh ! je préfère un chant, si la Tortue veut

bien, dit Alice, si vivement que le Griffon poursuivit d'un ton assez vexé :

— Hum ! Des goûts et des couleurs, on ne discute pas. Chantez-lui : La Soupe à la Tortue, ma vieille. »

La Tortue soupira profondément et commença d'une voix entrecoupée de sanglots :

Belle soupe si épaisse et si verte,
Attendant dans une soupière chaude,
Qui ne voudrait pas d'un mets si délicieux ?
Soupe du soir... Belle Soupe
Soupe du soir... Belle Soupe
Be...elle Sou...oupe...
Be...elle Sou...oupe...
Sou...oupe du So...ir
Belle, belle Soupe !

Belle Soupe... Qui désirerait du poisson ;
Du gibier ou un autre plat ?
Qui ne donnerait pas tout, pour quatre
Sous seulement de toi, belle soupe
Quatre sous seulement de toi, belle soupe.
Be...lle Soupe
Bel...le Sou...oupe
Sou...oupe du So...oir
Belle, be...elle Soupe !

« Bis, bis », cria le Griffon.

Et la Tortue recommençait quand une voix cria au loin :

« Le jugement commence !

— Venez ! » cria le Griffon.

Et il prit Alice par la main et tous deux partirent en courant sans attendre la fin du chant.

« Quel jugement ? » demanda Alice tout en courant.

Mais le Griffon répondit seulement :

« Venez ! » en courant de plus en plus vite.

Et dans le lointain on entendait, apportée par la brise, une voix de plus en plus faible qui chantait plaintivement :

Sou...oupe du So...ô...oir
Belle, belle Soupe !

Alice au pays des merveilles,
Traduction de M.-M. Fayet.

Villiers de l'Isle-Adam

1840-1889

DES *pans de murs s'écroulent sourdement. L'écureuil de la foudre bondit de cime en cime dans les bois. Un doute fondamental assiège le principe de réalité, tendant à faire perdre aux formes présentes de la vie le caractère despotique qu'elles revêtent en général, de manière que l'existence humaine soit saisie dans son devenir continu: Cette attitude strictement hégélienne de la part de Villiers ne peut manquer d'entraîner chez lui une certaine désaffection à l'égard de son temps, de rompre l'équilibre philosophique au profit de l'inactuel. Le passé et le futur accaparent toutes les facultés sensibles et intellectuelles du poète, détaché du spectacle immédiat. Ce sont deux philtres de toute transparence, à partir de l'instant où l'on cesse de se laisser hypnotiser par le précipité trouble que constitue le monde d'*aujourd'hui. *La possibilité est conçue ici comme « aussi terrible » que la réalité et, pour l'idéaliste absolu qu'est Villiers,* *il va sans dire qu'il n'y a pas identité entre la bûche qu'on va jeter au feu et cette même bûche qui brûle : « où est la substance ? — entre vos deux sourcils ! » Aussi, la plupart de ses héros ouvrent-ils sur l'extérieur des yeux de nuages, quand, ces yeux qui cessent de voir, ils ne les dérobent pas, comme la belle Claire Lenoir, derrière d'énormes « besicles d'azur ». Cette clairvoyance voulue à tout prix (au prix de la cécité même) chez Maeterlinck qui a pu déclarer : « Tout ce que j'ai fait, c'est à Villiers que je le dois », ne s'est jamais découvert de pire ennemi que le sens commun dont le personnage de Tribulat Bonhomet, « archétype de son siècle », est la caricature tragique et vengeresse.*

Ce sens commun, Villiers de l'Isle-Adam ne perdit pas une occasion de le défier au long de ce que Mallarmé nomme « le simulacre de sa vie ». C'est, peut-on penser, d'une même démarche qu'il entreprit de faire valoir ses droits au trône de Grèce et qu'il épousa in extremis *sa pauvre servante illettrée. « Dans le tempérament de Villiers, dit Huysmans, existait un coin de plaisanterie noire et de raillerie féroce ; ce n'étaient plus les paradoxales mystifications d'Edgar Poe, c'était un bafouage d'un comique lugubre, tel qu'en ragea Swift. »*

Le tueur de cygnes

A FORCE de compulser des tomes d'Histoire naturelle, notre illustre ami, le docteur Tribulat Bonhomet avait fini par apprendre que « *le cygne chante bien avant de mourir* ». — En effet (nous avouait-il récemment encore), cette musique seule, depuis qu'il l'avait entendue, l'aidait à supporter les déceptions de la vie et toute autre ne lui semblait plus que du charivari, du « Wagner ».

— Comment s'était-il procuré cette joie d'amateur ? — Voici :

Aux environs de la très ancienne ville fortifiée qu'il habite, le pratique vieillard ayant, un beau jour, découvert dans un parc séculaire à l'abandon, sous des ombrages de grands arbres, un vieil étang sacré — sur le sombre miroir duquel glissaient douze ou quinze des calmes oiseaux, — en avait étudié soigneusement les abords, médité les distances, remarquant surtout le cygne noir, leur veilleur, qui dormait, perdu en un rayon de soleil.

Celui-là, toutes les nuits, se tenait les yeux grands ouverts, une pierre polie en son long bec rose, et, la moindre alerte lui décelant un danger pour ceux qu'il gardait, il eût, d'un mouvement de son col, jeté brusquement dans l'onde, au milieu du blanc cercle de ses endormis, la pierre d'éveil : — et la troupe, à ce signal, guidée encore par lui, se fût envolée à travers l'obscurité sous les allées profondes, vers quelques lointains gazons ou telle fontaine reflétant de grises statues, ou tel autre asile bien connu de leur mémoire. — Et Bonhomet les avait considérés longtemps, en silence, — leur souriant même. N'était-ce pas de leur dernier chant dont, en parfait dilettante, il rêvait de se repaître bientôt les oreilles ?

Parfois donc, — sur le minuit sonnant de quelque automnale nuit sans lune, — Bonhomet, travaillé par une insomnie, se levait tout à coup, et, pour le concert qu'il avait besoin de réentendre, s'habillait spécialement. L'osseux et gigantal docteur, ayant enfoui ses jambes en de démesurées bottes de caoutchouc ferré, que continuait, sans suture, une ample redingote imperméable, dûment fourrée aussi, se glissait les mains en une paire de gantelets d'acier armorié, provenue de quelque armure du moyen âge (gantelets dont il s'était rendu l'heureux acquéreur au prix de trente-huit sols — une folie ! — chez un marchand de passé). Cela fait, il ceignait son vaste chapeau moderne, soufflait la lampe, descendait, et, la clef de sa demeure une fois en poche, s'acheminait, à la bourgeoise, vers la lisière du parc abandonné.

Bientôt voici qu'il s'aventurait par les sentiers sombres, vers la retraite de ses chanteurs préférés — vers l'étang dont l'eau peu profonde, et bien sondée en tous endroits, ne lui dépassait pas la ceinture. Et, sous les voûtes de feuillée qui en avoisinaient les atterrages, il assourdissait son pas, au tâter des branches mortes.

Arrivé tout au bord de l'étang, c'était lentement, bien lentement — et sans nul bruit ! — qu'il y risquait une botte, puis l'autre, — et qu'il s'avançait, à travers les eaux, avec des précautions inouïes, tellement inouïes qu'à peine osait-il respirer. Tel un mélomane à l'imminence de la cavatine attendue. En sorte que, pour accomplir les vingt pas qui le séparaient de ses chers virtuoses, il mettait généralement de deux heures à deux heures et demie, tant il redoutait d'alarmer la subtile vigilance du veilleur noir.

Le souffle des cieux sans étoiles agitait plaintivement les hauts branchages dans les ténèbres autour de l'étang : — mais Bonhomet, sans se laisser distraire par le mystérieux murmure, avançait toujours insensiblement, et si bien que, vers les trois heures du matin, il se trouvait, invisible, à un demi-pas du cygne noir, sans que celui-ci eût ressenti le moindre indice de cette présence.

Alors, le bon docteur, en souriant dans l'ombre, grattait doucement, bien doucement, effleurait à peine, du bout de son index moyen âge, la surface abolie de l'eau, devant le veilleur !... Et il grattait avec une douceur telle que celui-ci, bien qu'étonné, ne pouvait juger cette vague alarme comme d'une importance digne que la pierre fût jetée. Il écoutait. A la longue, son instinct, se pénétrant obscurément de l'*idée* du danger, son cœur, oh ! son pauvre cœur ingénu se mettait à battre affreusement : — ce qui remplissait de jubilation Bonhomet.

Et voici que les beaux cygnes, l'un après l'autre, troublés par ce bruit, au profond de leurs sommeils, se détiraient onduleusement la tête de dessous leurs pâles ailes d'argent — et, sous le poids de l'ombre de Bonhomet, entraient peu à peu dans une angoisse, ayant on ne sait quelle confuse conscience du mortel péril qui les menaçait. Mais, en leur délicatesse infinie, ils souffraient en silence, comme le veilleur, — ne pouvant s'enfuir, *puisque la pierre n'était pas jetée !* Et tous les cœurs de ces blancs exilés se mettaient à battre des coups de sourde agonie, — *intelligibles* et distincts pour l'oreille ravie de l'excellent docteur qui, — sachant bien, lui, ce que leur causait, moralement, sa seule proximité, — se délectait en des prurits incomparables de la terrifique sensation que son immobilité leur faisait subir.

— Qu'il est doux d'encourager les artistes ! se disait-il tout bas.

Trois quarts d'heure, environ, durait cette extase, qu'il n'eût pas troquée contre un royaume. Soudain, le rayon de l'Etoile-du-matin, glissant à travers les branches, illuminait, à l'improviste, Bonhomet, les eaux noires et les cygnes aux yeux pleins de rêves ! le veilleur, affolé d'épouvante à cette vue, jetait la pierre... — Trop tard !... Bonhomet, avec un grand cri horrible, où semblait se démasquer son sirupeux sourire, se précipitait, griffes levées, bras étendus, à travers les rangs des oiseaux sacrés ! — Et rapides étaient les étreintes des doigts de fer de ce preux moderne : et les purs cols de neige de deux ou trois chanteurs étaient traversés ou brisés avant l'envolée radieuse des autres oiseaux-poètes.

Alors, l'âme des cygnes expirants s'exhalait, oublieuse du bon docteur, en un chant d'immortel espoir, de délivrance et d'amour, vers des Cieux inconnus.

Le rationnel docteur souriait de cette sentimentalité, dont il ne daignait savourer, en connaisseur sérieux, qu'une chose, — LE TIMBRE. — Il ne prisait, musicalement, que la douceur singulière *du timbre* de ces symboliques voix, qui vocalisaient la Mort comme une mélodie.

Bonhomet, les yeux fermés, en aspirait, en son cœur, les vibrations harmonieuses : puis, chancelant, comme en un spasme, il s'en allait échouer à la rive, s'y allongeait sur l'herbe, s'y couchait sur le dos, en ses vêtements bien chauds et imperméables.

Et là, ce Mécène de notre ère, perdu en une torpeur voluptueuse, ressavourait, au tréfonds de lui-même, le souvenir du chant délicieux — bien qu'enchanté d'une sublimité selon lui démodée — de ses chers artistes.

Et, résorbant sa comateuse extase, il en ruminait ainsi, à la bourgeoise, l'exquise impression jusqu'au lever du soleil.

Charles Cros

1842-1888

Je sais faire les vers perpétuels. Les hommes
Sont ravis à ma voix qui dit la vérité.
La suprême raison dont j'ai, fier, hérité
Ne se payerait pas avec toutes les sommes.

J'ai tout touché : le feu, les femmes et les pommes ;
J'ai tout senti : l'hiver, le printemps et l'été ;
J'ai tout trouvé, nul mur ne m'ayant arrêté.
Mais, Chance, dis-moi donc de quel nom tu te nommes ?

Celui qui, sans nulle exagération, a pu se présenter ainsi — celui dont l'œuvre poétique ouvre un « paradis matinal » et dont le cœur continue à ne faire qu'un bouquet des lilas du mont Valérien — s'il est loin encore d'être mis à son rang, sans doute le doit-il à son génie qui le fait tomber, comme aucun autre, dans le jeu de clartés et d'ombres de plusieurs sphères. Les doigts de Charles Cros comme, nous verrons, ceux de Marcel Duchamp, sont aiguillés par des papillons couleur de la vie, qui se nourrissent aussi du suc des fleurs mais que n'attirent d'autres sources lumineuses que celles de l'avenir. Ces doigts sont ceux d'un inventeur perpétuel. Toujours frémissants entre l'objet et le projet, ils voltigent de la page où s'échafaudent les plans en même temps que s'ordonnent les vers aux humbles matériaux de l'agencement plus ou moins imprévu desquels peut résulter une conquête pour tous les hommes. Charles Cros a vu dans les mots eux-mêmes des « procédés », procédés qu'il a chéris au même titre que ceux dont la découverte, puis l'application, marquent les étapes du progrès scientifique. L'unité de sa vocation, en tant que poète et que savant, tient à ce que, pour lui, il s'est toujours agi d'arracher à la nature une partie de ses secrets. De là, par exemple, la surprenante orchestration de certains de ses poèmes en prose (« Sur trois aquatintes de Henri Cros ») qui préparent les Illuminations, *de là la prouesse qu'il a réalisée de faire tourner le moulin poétique à vide dans le « Hareng Saur ». La fraîcheur de son intelligence est telle que rien de ce qui est objet de désir ne lui semble utopique* a priori, *qu'il sent moins que quiconque, en fonction de ce qui est, peser un interdit sur ce qui* n'est pas (*à ses yeux qui* n'est pas encore). *Le premier, il a réalisé la synthèse artificielle du rubis ; il a « imaginé, décrit, précisé toutes les conditions du radiomètre avec lequel Sir William Crookes jauge le vide et mesure l'impondérable, et aussi du « photophone » dont Graham Bell avait rêvé de se servir pour faire parler la lumière et recueillir les échos du soleil. Il a posé le principe de la photographie des couleurs et, huit mois et demi avant la découverte du phonographe par Edison, il est établi qu'il avait déposé à l'Académie des Sciences un pli cacheté dans lequel il décrivait un appareil presque en tous points semblable. Emile Gautier, qui s'est appliqué tout particulièrement à lui faire rendre justice sur ce point, rappelle en outre « les études de Charles Cros sur l'électricité, dont il déplorait si drôlement les « agaçantes lenteurs » et la « constitution sirupeuse », son sténographe musical réalisé depuis par d'autres sous le nom de « mélotrope », son télégraphe automatique, son chronomètre, son vertigineux projet de télégraphie optique interplanétaire, etc. »*

La prodigieuse aventure mentale de Charles Cros eut pour contrepartie les conditions de vie dérisoires dans lesquelles il eut à se débattre. De sa mansarde au « Chat-Noir », où il devait créer le genre du « monologue », il ne lui fut donné d'échanger chaque jour la pauvreté que contre le bohème. C'est dire que l'humour intervient chez lui comme sous-produit de cette « philosophie amère et profonde » que lui prête Verlaine et sans laquelle il n'eût pu socialement se résigner. Le pur enjouement de certaines parties toutes fantaisistes de son œuvre ne doit pas faire oublier qu'au centre de quelques-uns des plus beaux poèmes de Cros un revolver est braqué.

Bibliographie : *Le Coffret de Santal,* 1874. — *Le Collier de griffes,* 1908, etc.

Le hareng saur

Il était un grand mur blanc — nu, nu, nu,
Contre le mur une échelle — haute, haute, haute,
Et, par terre un hareng saur — sec, sec, sec.

Il vient, tenant dans ses mains — sales, sales, sales,
Un marteau lourd, un grand clou — pointu, pointu, pointu,
Un peloton de ficelle — gros, gros, gros.

Alors il monte à l'échelle — haute, haute, haute,
Et plante le clou pointu — toc, toc, toc,
Tout en haut du grand mur blanc — nu, nu, nu.

Il laisse aller le marteau — qui tombe, qui tombe, qui tombe,
Attache au clou la ficelle — longue, longue, longue,
Et, au bout, le hareng saur — sec, sec, sec.
Il redescend de l'échelle — haute, haute, haute,
L'emporte avec le marteau — lourd, lourd, lourd,
Et puis, il s'en va ailleurs — loin, loin, loin.

Et, depuis, le hareng saur — sec, sec, sec,
Au bout de cette ficelle — longue, longue, longue,
Très lentement se balance — toujours, toujours, toujours.

J'ai composé cette histoire — simple, simple, simple,
Pour mettre en fureur les gens — graves, graves, graves,
Et amuser les enfants — petits, petits, petits.

Le Coffret de Santal.

La science de l'amour

TRÈS jeune, j'eus une belle fortune et le goût de la science. Non de cette science en l'air qui, prétentieuse, croit pouvoir créer le monde de toutes pièces et voltige dans l'atmosphère bleue de l'imagination. J'ai pensé toujours, d'accord avec la cohorte serrée des savants modernes, que l'homme n'est qu'un sténographe des faits brutaux, qu'un secrétaire de la nature palpable ; que la vérité conçue non dans quelques vaines universalités, mais dans un volume immense et confus, n'est abordable partiellement qu'aux gratteurs, rogneurs, fureteurs, commissionnaires et emmagasineurs de faits réels, constatables, indéniables ; en un mot qu'il faut être fourmi, qu'il faut être ciron, rotifère, vibrion, qu'il faut n'être rien ! pour apporter son atome dans l'infinité des atomes qui composent la majestueuse pyramide des vérités scientifiques. Observer, observer, surtout ne jamais penser, rêver, imaginer : voilà les splendeurs de la méthode actuelle.

C'est avec ces saines doctrines que je suis entré dans la vie ; et, dès mes premiers pas, un projet merveilleux, une vraie aubaine scientifique m'est venue à l'esprit.

Quand j'apprenais la physique, je me suis dit :

On a étudié la pesanteur, la chaleur, l'électricité, le magnétisme, la lumière. L'équivalent mécanique de ces forces est ou sera sans conteste déterminé d'une façon rigoureuse. Mais tous ceux qui travaillent à l'expression de ces éléments du savoir futur n'ont, dans le monde, qu'un piètre rôle.

Il est d'autres forces que l'observation sagace et patiente doit soumettre à l'esprit du savant. Je ne ferai pas de classifications générales, parce que je les considère comme funestes à l'étude et que je n'y entends rien. Bref, j'ai été amené (comment et pourquoi, je ne sais pas) à entreprendre l'étude scientifique de l'amour.

Je n'ai pas un physique absolument désagréable, je ne suis ni trop grand ni petit, et personne n'a jamais affirmé que je fusse brun ou blond. J'ai seulement les yeux un peu petits, pas assez brillants, ce qui me donne un aspect d'hébétude utile dans les sociétés savantes, mais nuisible dans le monde.

De ce monde, d'ailleurs, malgré tant d'efforts méthodiques, je n'ai pas une connaissance bien nette, et c'est un vrai chef-d'œuvre de sang-froid que d'y avoir pu, sans attirer l'attention, poursuivre mon but austère.

Je m'étais dit : je veux étudier l'amour, non comme les Don Juan, qui s'amusent sans écrire, non comme les littérateurs qui sentimentalisent nuageusement, mais comme les savants sérieux. Pour constater l'effet de la chaleur sur le zinc, on prend une barre de zinc, on la chauffe dans l'eau à une température rigoureusement déterminée au moyen du meilleur thermomètre possible ; on mesure avec précision la longueur de la barre, sa ténacité, sa sonorité, sa capacité calorique, et on en fait autant à une autre température non moins rigoureusement déterminée.

C'est par des procédés aussi exacts que je me proposai (projet remarquable à un âge si tendre — vingt-cinq ans à peine) d'*étudier* l'amour. Difficile entreprise.

.. ..

Nous échangeâmes nos portraits. Le mien était photographié sur émail, encadré d'or, avec une chaînette minuscule, pour être porté sous les vêtements.

Ce portrait contenait, caché entre une plaque d'ivoire et l'émail, deux thermomètres à *maxima* et à *minima,* deux chefs-d'œuvre de précision sous des dimensions si petites.

Ainsi, je pouvais vérifier les modifications à la température normale d'un organisme affecté d'amour.

Sous des prétextes souvent difficiles à inventer, je me faisais rendre pour quelques heures le portrait, je prenais note des nombres à leur date et j'amorçais de nouveau les thermomètres.

Un soir que j'avais dansé deux fois avec une petite dame brune, je me rappelle avoir constaté un abaissement de température de quatre dixièmes, suivi ou précédé (rien ne m'a fait connaître l'ordre des phénomènes) d'une élévation de sept dixièmes. Voilà des faits.

Quoi qu'il en soit, tout étant préparé, je pris les mesures suivantes : je dis à M. D*** : « La propriété, c'est le vol. » (ce n'est pas de moi, ce n'est pas neuf, mais ça porte toujours) ; à Mme D*** qui avait fait une fausse couche dont elle parlait trop souvent : « La femme, au point de vue économique et social, peut et doit être considérée comme une usine à fœtus » ; et je fredonnai, sur l'air *« Près d'un berceau »*, quelques vers d'une chanson de W***, intitulée : *Près d'un bocal.*

...Je le voyais en blanc faux col
Frais substitut aux dignes poses...
S'il n'était pas dans l'alcool,
Comme il eût fait de grandes choses !

Puis j'insinuai dans la main de Virginie ce billet :

« Je vous expliquerai tout, après. Brouille absolue entre vos parents et moi. L'idéal, le rêve, le prisme de l'impossible, voilà ce qui nous attend. Pour vivre il faut aimer... Il y a une berline en bas : viens, ou je me tue et tu es damnée. »

C'est ainsi que je l'enlevai.

Les facilités que j'avais trouvées dans cette entreprise me stupéfiaient, lorsqu'en chemin de fer je regardai cette jeune fille, élevée tranquillement, destinée peut-être à quelque employé médiocre, et qui me suivait à la faveur d'une série de formules sentimentales, que je n'avais pas inventées, du reste, et que vraiment j'expliquerais insuffisamment.

Nous allions quelque part, on le suppose.

J'avais en effet depuis longtemps préparé, avec ma sagacité personnelle, une délicieuse et méthodique installation dont le but apparaîtra ci-dessous.

Il y avait trois heures de chemin de fer, beaucoup de temps pour l'effarement, les sanglots, les palpitations. Heureusement que nous n'étions pas seuls dans le compartiment.

J'avais préalablement étudié, autant qu'il se peut, la situation dans les romans :

« Tu... Vous me sacrifiez tout... Comment reconnaître... » Puis après un silence : « Je t'aime, je vous aime... oh ! les voyages avec la bien-aimée ! L'horizon rougit le soir, ou le matin s'emperle à l'aurore, et l'on est tous deux face à face, après la distraction ou le sommeil, dans des pays à parfums nouveaux. »

Je m'étais fait faire la phrase par mon ami, le poète W***.

Nous arrivons, elle comme un oiseau mouillé, moi, ravi du succès initial de mes recherches. Car, sans me laisser entraîner à la vanité romanesque de cet *enlèvement*, j'avais, durant tout le voyage, en rassurant la pauvre jeune fille effarouchée, adroitement appliqué entre sa dixième et sa onzième côte un cardiographe à fonctionnement prolongé, si exact que M. le docteur Marey, à qui j'en dois la description idéale, se l'était refusé par économie.

Puis, une voiture nous prit à la gare. Terreur, embarras, ivresse inquiète de la demoiselle. Faiblement repoussés, mes embrassements permettaient au cardiographe d'enregistrer les expressions viscérales de la situation.

Et dans le délicieux boudoir où, mettant ses mains sur ses yeux, elle se reprochait sa rupture définitive avec les exigences de la morale et de l'opinion, je pus heureusement procéder à la détermination exacte (le moment était d'absolue importance) du poids de son corps. Voici comment :

Elle s'était laissée aller sur un sofa, perdue en ses pensées. M'arrêtant, ému, ravi de la contempler, je pressai du talon un bouton de sonnerie électrique ménagé sous le tapis, et, à côté, dans un cabinet secret, au bout du levier de bascule dont le sofa occupait l'autre bout, Jean (domestique dévoué et prévenu) put constater le poids de la demoiselle habillée.

Je me jetai à côté d'elle et je lui prodiguai toutes les consolations possibles, caresses, baisers, massage, hypnotisme, etc., consolations pourtant non définitives, vu mon plan de recherches.

Je passe sur les transitions qui m'amenèrent à faire tomber ses derniers vêtements, toujours sur le sofa, et à l'emporter dans l'alcôve où elle oublia famille, opinion, société.

Pendant ce temps-là, Jean pesait les habits laissés, bas et bottines compris, sur ledit sofa, de manière à obtenir, par soustraction, le poids net du corps de la femme.

D'ailleurs, dans la chambre où, ivre d'amour, elle s'abandonnait à mes transports fictifs (car je n'avais pas à perdre mon temps), nous étions comme dans une cornue. Les murs doublés de cuivre empêchaient tout rapport avec l'atmosphère ; et l'air, à son entrée d'abord, à sa sortie ensuite, était analysé d'une manière rigoureuse. Les solutions de potasse des appareils à boule révélaient, heure par heure, à d'habiles chimistes la présence quantitative de l'acide carbonique. Je me souviens de nombres curieux à ce sujet, mais ils manquent de la précision justement exigée dans les tables, puisque ma respiration à moi, non amoureux, était mêlée à la respiration de Virginie, vraie amoureuse. Qu'il me suffise de mentionner en gros l'excès carbonique lors des nuits tumultueuses où la passion atteignait ses *maxima* d'intensité et d'expression numérique.

Des bandes de papier de tournesol habilement distribuées dans les doublures de ses vêtements m'ont révélé la réaction constamment très acide de la sueur. Puis les jours suivants, puis les nuits suivantes, que de nombres à enregistrer sur l'équivalent mécanique des contractions nerveuses, sur la quantité de larmes sécrétées, sur la composition de la salive, sur l'hygroscopie variable des cheveux, sur la tension des sanglots inquiets et des soupirs de volupté !

Les résultats du *compteur pour baisers* sont particulièrement curieux. L'instrument, qui est de mon invention, n'est pas plus gros que ces appareils que les bateleurs se mettent dans la bouche pour faire parler Polichinelle, et qu'on désigne sous le nom de *pratique*. Dès que le dialogue devenait tendre et que la situation s'annonçait comme opportune, je mettais en cachette, bien entendu, l'appareil monté entre mes dents.

J'avais eu jusque-là assez de dédain pour ces expressions de « mille baisers » qu'on met à la fin des billets amoureux. Ce sont, me disais-je, des hyperboles passées dans la langue vulgaire, d'après certains poètes de mauvais goût, comme Jean Second, par exemple. Eh bien, je suis heureux d'apporter une vérification expérimentale à ces formules instinctives que bien des savants avaient, avant moi, considérées comme absolument chimériques. Dans l'espace d'une heure et demie à peu près, mon compteur avait enregistré *neuf cent quarante-quatre baisers*.

L'instrument placé dans ma bouche me gênait ; j'étais préoccupé de mes recherches, et d'ailleurs les activités feintes n'égalent jamais les réelles. Si l'on tient compte de tout cela, on verra que ce nombre de neuf cent quarante-quatre peut être souvent dépassé par les gens violemment amoureux.

. . . .

Le Collier de griffes.

Frédéric Nietzsche

1844-1900

IL *est frappant que Nietzsche se soit recommandé à la vigilance des psychiatres en signant l'admirable lettre du 6 janvier 1889, dans laquelle on peut être tenté de voir la plus haute explosion lyrique de son œuvre. L'humour n'a jamais atteint une telle intensité, aussi ne s'est-il jamais heurté à de pires bornes. Toute l'entreprise de Nietzsche tend en effet à fortifier le « surmoi » en accroissement et en élargissement du moi (le pessimisme présenté comme source de bonne volonté ; la mort comme forme de la liberté, l'amour sexuel comme réalisation idéale de l'unité des contradictoires : « s'anéantir pour redevenir »). Il ne s'agit que de rendre à l'homme toute la puissance qu'il a été capable de mettre sur le nom de* Dieu. *Il se peut que le moi se dissolve à cette température (« Je est un autre », dira Rimbaud, et l'on ne voit pas pourquoi il ne serait pas pour Nietzsche une suite « d'autres », choisis au caprice de l'heure et dési-*

gnés nommément.) Il est vrai que l'euphorie fait ici son apparition : elle éclate en étoile noire dans l'énigmatique « Astu » qui fait pendant au « Baou ! » du poème « Dévotion » de Rimbaud et témoigne que les ponts de communication sont coupés. Mais les ponts de communication avec qui *si l'on est tous, tous en un seul, du même côté ? « Toutes les morales, nous dit Nietzsche, ont été utiles en ce sens qu'elles ont donné d'abord à l'espèce une stabilité absolue : dès que cette stabilité est atteinte, le but peut être placé plus haut. L'un des mouvements est inconditionné : le nivellement de l'humanité, les grandes fourmilières humaines, etc. L'autre mouvement, mon mouvement, est, au contraire, l'accentuation de tous les contrastes et de tous les abîmes, la suppression de l'égalité, la création d'êtres tout-puissants. » On ne délire que pour les autres et Nietzsche n'a jamais présenté que pour de petits hommes des idées délirantes de grandeur.*

Lettre à un professeur

Turin, le 6 janvier 1889.

Cher Monsieur le Professeur,

Certes, j'aimerais bien mieux être professeur à Bâle que d'être Dieu ; mais je n'ai pas osé pousser mon égoïsme privé au point d'abandonner la création du monde. Vous dites que l'on doit faire des sacrifices, en quelque lieu et de quelque manière que l'on vive. — Mais je me suis réservé une petite chambre d'étudiant qui est située en face du Palais Carignan (dans lequel je suis né sous le nom de Victor-Emmanuel), et qui me permet en outre d'entendre de ma table de travail la magnifique musique que l'on joue au-dessous de moi, dans la Galerie Subalpine. Je paie vingt-cinq francs, service compris, prépare mon thé et fais tous mes achats moi-même, souffre d'avoir mes souliers déchirés et remercie le *ciel* à chaque instant du *vieux* monde, à l'égard duquel les hommes ne se sont pas montrés assez simples et assez tranquilles.

Comme je suis condamné à distraire la prochaine éternité avec des plaisanteries saugrenues, j'ai une nouvelle façon d'écrire, qui certes ne laisse rien à désirer et qui est très jolie et pas du tout fatigante. La poste est à cinq pas d'ici ; j'y porte moi-même les lettres que j'adresse aux grands chroniqueurs mondains. J'entretiens naturellement les rapports les plus étroits avec le *Figaro*, et pour que vous puissiez vous rendre compte dans quelle paix je puis vivre, écoutez les deux premières de mes plaisanteries saugrenues :

Ne prenez pas l'affaire Prado trop au sérieux. (C'est moi qui suis Prado, je suis aussi le père de Prado, j'ose ajouter que je suis aussi Lesseps...) Je voudrais apporter à mes Parisiens, que j'aime, une nouvelle notion, — celle de l'honnête criminel. Je suis aussi Chambige, — également un honnête criminel.

Seconde plaisanterie : Je salue l'Immortel Monsieur Daudet, qui fait partie des Quarante. Astu.

Une chose désagréable et qui offusque ma modestie, c'est qu'au fond je *suis* tous les grands noms de l'histoire ; quant aux enfants qui me doivent le jour, je me demande avec une certaine méfiance si tous ceux qui entrent *dans* le royaume de Dieu ne viennent pas aussi *de* Dieu. Cet automne, j'ai sans aucun étonnement assisté à deux reprises à mon propre enterrement, la première fois sous le nom du comte Robilant (non, c'est mon fils, dans la mesure où, infidèle à ma nature, je suis Charles-Albert), la seconde j'étais moi-même Antonelli. Cher Monsieur, vous devriez voir ce monument d'architecture ; comme je suis absolument sans expérience dans mes propres créations, toutes les critiques que vous pourrez formuler vous vaudront ma reconnaissance sans que je puisse toutefois vous promettre de les mettre à profit. Nous autres artistes, nous sommes inéducables. J'ai assisté aujourd'hui à une opérette (quirinal-mauresque), et, à cette occasion, j'ai constaté avec plaisir que maintenant Moscou, tout autant que Rome, sont des choses grandioses. Voyez-vous, jusque dans les paysages, il faut qu'on me reconnaisse un certain talent. — Si vous y consentez, nous n'aurons ensemble que de riches, riches causeries ; Turin n'est pas loin, de très sérieux devoirs professionnels vous attendent ici et un verre de vin de Valteline fera l'affaire. Le négligé vestimentaire est de rigueur.

De tout cœur votre

Nietzsche.

Demain arrivent mon fils Humbert et la charmante Marguerite, que je recevrai pourtant comme vous en bras de chemise. Paix à Madame Cosima... Ariane... de temps à autre était évoquée...

Je vais partout en robe de travail, frappe sur l'épaule des passants et leur dis : Siamo contenti ? Son Dio ho fatto questa caricatura...

Vous pouvez faire de cette lettre l'usage qu'il vous plaira pourvu qu'il ne me fasse pas baisser dans l'estime des Bâlois.

Isidore Ducasse
comte de
Lautréamont

1846-1870

Il *faut trouver les couleurs dont Lewis s'est servi dans* Le Moine *pour peindre l'apparition de l'esprit infernal sous les traits d'un admirable jeune homme nu aux ailes cramoisies, les membres pris dans l'orbe des diamants sous un souffle antique de roses, l'étoile au front et le regard empreint d'une mélancolie farouche, et celles à l'aide desquelles Swinburne est parvenu à cerner le véritable aspect du marquis de Sade : « Au milieu de toute cette bruyante épopée impériale, on voit en flamboyant cette tête foudroyée, cette vaste poitrine sillonnée d'éclairs, l'homme-phallus, profil auguste et cynique, grimace de titan épouvantable et sublime ; on sent circuler dans ces pages maudites comme un frisson d'infini, vibrer sur ces lèvres brûlées comme un souffle d'idéal orageux.*

Approchez et vous entendrez palpiter dans cette charogne boueuse et sanglante les artères de l'âme universelle, des veines gonflées de sang divin. Ce cloaque est tout pétri d'azur... » Il faut, disons-nous, retrouver d'abord ces couleurs pour situer dans l'atmosphère extra-littéraire, et c'est trop peu dire, qui lui convient la figure éblouissante de lumière noire du comte de Lautréamont. Aux yeux de certains poètes d'aujourd'hui, Les Chants de Maldoror *et* Poésies *brillent d'un éclat incomparable ; ils sont l'expression d'une révélation totale qui semble excéder les possibilités humaines. C'est toute la vie moderne, en ce qu'elle a de spécifique, qui se trouve d'un coup sublimée. Son décor glisse sur les portants des anciens soleils qui font voir le parquet de saphir, la lampe au bec d'argent, ailée et souriante, qui s'avance sur la Seine, les membranes vertes de l'espace et les magasins de la rue Vivienne, en proie au rayonnement cristallin du centre de la terre. Un œil absolument vierge se tient à l'affût du perfectionnement scientifique du monde, passe outre au caractère consciemment utilitaire de ce perfectionnement, le situe avec tout lc reste dans la lumière même de l'apocalypse.* Apocalypse définitive *que cette œuvre dans laquelle se perdent et s'exaltent les grandes pulsions instinctives au contact d'une cage d'amiante qui enferme un cœur chauffé à blanc. Tout ce qui, durant des siècles, se pensera et s'entreprendra de plus audacieux a trouvé ici à se formuler par avance dans sa loi magique. Le verbe, non plus le style, subit avec Lautréamont une crise fondamentale, il marque un* recommencement. *C'en est fait des limites dans lesquelles les mots pouvaient entrer en rapport avec les mots, les choses avec les choses. Un principe de mutation perpétuelle s'est emparé des objets comme des idées, tendant à leur délivrance totale qui implique celle de l'homme. A cet égard, le langage de Lautréamont est à la fois un dissolvant et un plasma germinatif sans équivalents.*

Les mots de folie, de preuve par l'absurde, de machine infernale qui ont été employés, voire repris, à propos d'une telle œuvre montrent bien que la critique ne s'est jamais approchée d'elle sans avoir à signer tôt ou tard son désistement. C'est que, ramenée à l'échelle humaine, cette œuvre, qui est le lieu même de toutes les interférences mentales, inflige un climat tropical à la sensibilité. Léon Pierre-Quint, dans son très lucide ouvrage : Le Comte de Lautréamont et Dieu, *a cependant dégagé quelques-uns des traits les plus impérieux de ce message qui ne peut être reçu qu'avec des gants de feu :* 1°) *le « mal », pour Lautréamont (comme pour Hegel), étant la forme sous laquelle se présente la force motrice du développement historique, il importe de le fortifier dans sa raison d'être, ce qu'on ne peut mieux faire qu'en le fondant sur les désirs prohibés, inhérents à l'activité sexuelle primitive tels que les manifeste en particulier le sadisme ;* 2°) *l'inspiration poétique, chez Lautréamont, se donne pour le produit de la rupture entre le bon sens et l'imagination, rupture consommée le plus souvent en faveur de cette dernière et obtenue d'une accélération volontaire, vertigineuse du débit verbal (Lautréamont parle du « développement extrêmement rapide » de ses phrases. On sait que de la systématisation de ce moyen d'expression part le surréalisme) ;* 3°) *la révolte de Maldoror ne serait pas à tout jamais la Révolte si elle devait épargner indéfiniment une forme de pensée aux dépens d'une autre ; il est donc nécessaire qu'avec* Poésies *elle s'abîme dans son propre jeu dialectique.*

Le contraste flagrant qu'offrent, au point de vue moral, ces deux ouvrages se passe de toute autre explication. Mais, que l'on cherche au-delà ce qui peut constituer leur unité, leur identité au point de vue psychologique, et l'on découvrira que celle-ci repose avant tout sur l'humour : les diverses opérations que sont ici la démission de la pensée logique, de la pensée morale, puis des deux nouvelles pensées définies par opposition à ces dernières, ne se reconnaissent en définitive d'autre facteur commun : surenchère sur l'évidence, appel à la cohue des comparaisons les plus hardies, torpillage du solennel, remontage à l'envers, ou de travers, des « pensées » ou maximes célèbres, etc. : tout ce que l'analyse révèle à cet égard des procédés en jeu le cède en intérêt à la représentation infaillible que Lautréamont nous a amenés à nous faire de l'humour tel qu'il l'envisage, de l'humour parvenu avec lui à sa suprême puissance et qui nous soumet physiquement, de la manière la plus totale, à sa loi.

Bibliographie : *Les Chants de Maldoror*, 1869. — *Poésies*, 1870.

Les chants de Maldoror

DEUX piliers, qu'il n'était pas difficile et encore moins possible de prendre pour des baobabs, s'apercevaient dans la vallée, plus grands que deux épingles. En effet, c'étaient deux tours énormes. Et, quoique deux baobabs, au premier coup d'œil, ne ressemblent pas à deux épingles, ni même à deux tours, cependant, en employant habilement les ficelles de la prudence, on peut affirmer sans crainte d'avoir tort (car, si cette affirmation était accompagnée d'une seule parcelle de crainte, ce ne serait plus une affirmation ; quoiqu'un même nom exprime ces deux phénomènes de l'âme qui présentent des caractères assez tranchés pour ne pas être confondus légèrement) qu'un baobab ne diffère pas tellement d'un pilier, que la comparaison soit défendue entre ces formes architecturales... ou géométriques... ou l'une et l'autre... ou ni l'une ni l'autre... ou plutôt formes élevées et massives. Je viens de trouver, je n'ai pas la prétention de dire le contraire, les épithètes propres aux substantifs pilier et baobab : que l'on sache bien que ce n'est pas, sans une joie mêlée d'orgueil, que j'en fais la remarque à ceux qui, après avoir relevé leurs paupières, ont pris la très louable résolution de parcourir ces pages, pendant que la bougie brûle, si c'est la nuit, pendant que le soleil éclaire, si c'est le jour. Et encore, quand même une puissance supérieure nous ordonnerait, dans les termes le plus clairement précis, de rejeter, dans les abîmes du chaos, la comparaison judicieuse que chacun a certainement pu savourer avec impunité, même alors, et surtout alors, que l'on ne perde pas de vue cet axiome principal, les habitudes contractées par les ans, les livres, le contact de ses semblables, et le caractère inhérent à chacun, qui se développe dans une efflorescence rapide, imposeraient, à l'esprit humain, l'irréparable stigmate de la récidive, dans l'emploi criminel (criminel, en se plaçant momentanément et spontanément au point de vue de la puissance supérieure) d'une figure de rhétorique que plusieurs méprisent, mais que beaucoup encensent. Si le lecteur trouve cette phrase trop longue, qu'il accepte mes excuses ; mais qu'il ne s'attende pas de ma part à des bassesses. Je puis avouer mes fautes ; mais non les rendre plus graves par ma lâcheté. Mes raisonnements se choqueront quelquefois contre les grelots de la folie et l'apparence sérieuse de ce qui n'est en somme que grotesque (quoique, d'après certains philosophes, il soit assez difficile de distinguer le bouffon du mélancolique, la vie elle-même étant un drame comique ou une comédie dramatique) ; cependant, il est permis à chacun de tuer des mouches et même des rhinocéros, afin de se reposer de temps en temps d'un travail trop escarpé. Pour tuer des mouches, voici la manière la plus expéditive, quoique ce ne soit pas la meilleure : on les écrase entre les deux premiers doigts de la main. La plupart des écrivains qui ont traité ce sujet à fond ont calculé, avec beaucoup de vraisemblance, qu'il est préférable, dans plusieurs cas, de leur couper la tête. Si quelqu'un me reproche de parler d'épingles, comme d'un sujet radicalement frivole, qu'il remarque sans parti pris que les plus grands effets ont été souvent produits par les plus petites causes. Et pour ne pas m'éloigner davantage du cadre de cette feuille de papier, ne voit-on pas que le laborieux morceau de littérature que je suis à composer, depuis le commencement de cette strophe, serait peut-être moins goûté, s'il prenait son point d'appui dans une question épineuse de chimie ou de pathologie interne ? Au reste, tous les goûts sont dans la nature ; et, quand, au commencement, j'ai comparé les piliers aux épingles avec tant de justesse (certes, je ne croyais pas qu'on viendrait, un jour, me le reprocher), je me suis basé sur les lois de l'optique, qui ont établi que, plus le rayon visuel est éloigné d'un objet, plus l'image se reflète à diminution dans la rétine.

C'est ainsi que ce que l'inclination de notre esprit à la farce prend pour un misérable coup d'esprit, n'est, la plupart du temps, dans la pensée de l'auteur, qu'une vérité importante, proclamée avec majesté. Oh ! ce philosophe insensé qui éclata de rire, en voyant un âne manger une figue ! Je n'invente rien : les livres antiques ont raconté, avec les plus amples détails, ce volontaire et honteux dépouillement de la noblesse humaine. Moi, je ne sais pas rire. Je n'ai jamais pu rire, quoique plusieurs fois j'aie essayé de le faire. C'est très difficile d'apprendre à rire. Ou, plutôt, je crois qu'un sentiment de répugnance à cette monstruosité forme une marque essentielle de mon caractère. Eh bien, j'ai été témoin de quelque chose de plus fort : j'ai vu une figue manger un âne ! Et, cependant, je n'ai pas ri ; franchement, aucune partie buccale n'a remué. Le besoin de pleurer s'empara de moi si fortement, que mes yeux laissèrent tomber une larme. « Nature ! nature ! m'écriai-je en sanglotant, l'épervier déchire le moineau, la figue mange l'âne et le ténia dévore l'homme ! » Sans prendre la résolution d'aller plus loin, je me demande en moi-même si j'ai parlé de la manière dont on tue les mouches. Oui, n'est-ce pas ? Il n'en est pas moins vrai que je n'avais pas parlé de la destruction des rhinocéros ! Si certains amis prétendaient le contraire, je ne les écouterais pas, et je me rappellerais que la louange et la flatterie sont deux grandes pierres d'achoppement. Cependant, afin de contenter ma conscience autant que possible, je ne puis m'empêcher de faire remarquer que cette dissertation sur le rhinocéros m'entraînerait hors des frontières de la patience et du sang-froid, et, de son côté, découragerait probablement (ayons, même, la hardiesse de dire certainement) les générations présentes. N'avoir pas parlé du rhinocéros après la mouche ! Au moins, pour excuse passable, aurais-je dû mentionner avec promptitude (et je ne l'ai pas fait) cette omission non préméditée, qui n'étonnera pas ceux qui ont étudié à fond les contradictions réelles et inexplicables qui habitent les lobes du cerveau humain. Rien n'est indigne pour une intelligence grande et simple : le moindre phénomène de la nature, s'il y a mystère en lui, deviendra, pour le sage, inépuisable matière à réflexion. Si quelqu'un voit un âne manger une figue ou une figue manger un âne (ces deux circonstances ne se présentent pas souvent, à moins que ce ne soit en poésie), soyez certain qu'après avoir réfléchi deux ou trois minutes, pour savoir quelle conduite prendre, il abandonnera le sentier de la vertu et se mettra à rire comme un coq ! Encore, n'est-il pas exactement prouvé que les coqs ouvrent exprès leur bec pour imiter l'homme et faire une grimace tourmentée. J'appelle grimace dans les oiseaux ce qui porte le même nom dans l'humanité ! Le coq ne sort pas de sa nature, moins par incapacité, que par orgueil. Apprenez-leur à lire, ils se révoltent. Ce n'est pas un perroquet, qui s'extasierait ainsi devant sa faiblesse, ignorante ou impardonnable ! Oh ! avilissement exécrable ! comme on ressemble à une chèvre quand on rit ! Le calme du front a disparu pour faire place à deux énormes yeux de poissons qui (n'est-ce pas déplorable ?)... qui... qui... se mettent à briller comme des phares ! Souvent, il m'arrivera d'énoncer, avec solennité, les propositions les plus bouffonnes... je ne trouve pas que cela devienne un motif péremptoirement suffisant pour élargir la bouche ! Je ne puis m'empêcher de rire, me répondrez-vous ; j'accepte cette explication absurde, mais, alors, que ce soit un rire mélancolique. Riez, mais pleurez en même temps. Si vous ne pouvez pleurer par les yeux, pleurez par la bouche. Est-ce encore impossible, urinez ; mais j'avertis qu'un liquide quelconque est ici nécessaire, pour atténuer la sécheresse que porte, dans ses flancs, le rire, aux traits fendus en arrière. Quant à moi, je ne me laisserai pas décontenancer par les gloussements cocasses et les beuglements originaux de ceux qui trouvent toujours quelque chose à redire dans un caractère qui ne ressemble pas au leur, parce qu'il est une des innombrables modifications intellectuelles que Dieu, sans sortir d'un type primordial, créa pour gouverner les charpentes osseuses. Jusqu'à nos temps, la poésie fit une route fausse ; s'élevant jusqu'au ciel ou rampant jusqu'à terre, elle a méconnu les principes de son existence, et a été, non sans raison, constamment bafouée par les honnêtes gens. Elle n'a pas été modeste... qualité la plus belle qui doive exister dans un être imparfait ; moi, je veux montrer mes qualités ; mais, je ne suis pas assez hypocrite pour cacher mes vices ! Le rire, le mal, l'orgueil, la folie paraîtront, tour à tour, entre la sensibilité et l'amour de la justice, et serviront d'exemple à la stupéfaction humaine : chacun s'y reconnaîtra non pas tel qu'il devrait être, mais tel qu'il est. Et, peut-être que ce simple idéal, conçu par mon imagination, surpassera, cependant, tout ce que la poésie a trouvé jusqu'ici de plus grandiose et de plus sacré. Car, si je laisse mes vices transpirer dans ces pages, on ne croira que mieux aux vertus que j'y fais resplendir, et dont je placerai l'auréole si haut, que les plus grands génies de l'avenir témoigneront, pour moi, une sincère reconnaissance. Ainsi, donc, l'hypocrisie sera chassée carrément de ma demeure. Il y aura, dans mes chants, une preuve imposante de puissance, pour mépriser ainsi les opinions reçues. Il chante pour lui seul, et non pas pour ses semblables. Il ne place pas la mesure de son inspiration dans la balance humaine. Libre comme la tempête, il est venu échouer, un jour, sur les plages indomptables de sa terrible volonté ! Il ne craint rien, si ce n'est lui-même ! Dans ses combats surnaturels, il attaquera l'homme et le Créateur, avec avantage, comme quand l'espadon enfonce son épée dans le ventre de la baleine : qu'il soit maudit, par ses enfants et par ma main décharnée, celui qui persiste à ne pas comprendre les kanguroos implacables du rire et les poux audacieux de la caricature !... Deux tours énormes s'apercevaient dans la vallée ; je l'ai dit au commencement. En les multipliant par deux, le produit était quatre... mais je ne distinguai pas très bien la nécessité de cette opération d'arithmétique. Je continuai ma route, avec la fièvre au visage, et je m'écriai sans cesse : « Non... non... je ne distingue pas très bien la nécessité de cette opération d'arithmétique ! » J'avais entendu des craquements de chaînes, et des gémissements douloureux. Que personne ne trouve possible, quand il passera dans cet endroit, de multiplier les tours par deux, afin que le produit soit quatre ! Quelques-uns soupçonnent que j'aime l'humanité comme si j'étais sa propre mère, et que je l'eusse portée, neuf mois, dans mes flancs parfumés ; c'est pourquoi je ne repasse plus dans la vallée où s'élèvent les deux unités du multiplicande !

Chant quatrième.

. . . .

Avant d'entrer en matière, je trouve stupide qu'il soit nécessaire (je pense que chacun ne sera pas de mon avis, si je me trompe) que je place à côté de moi un encrier ouvert, et quelques feuillets de papier non mâché. De cette manière, il me sera possible de commencer, avec amour, par ce sixième chant, la série des poèmes instructifs qu'il me tarde de produire. Dramatiques épisodes d'une implacable utilité ! Notre héros s'aperçut qu'en fréquentant les cavernes, et prenant pour refuge les endroits inaccessibles, il transgressait les règles de la logique, et commettait un cercle vicieux. Car, si d'un côté il favorisait ainsi sa répugnance pour les hommes, par le dédommagement de la solitude et de l'éloignement, et circonscrivait passivement son horizon borné, parmi des arbustes rabougris, des ronces et des lambrusques, de l'autre, son activité ne trouvait plus aucun aliment pour nourrir le minotaure de ses instincts pervers. En conséquence, il résolut de se rapprocher des agglomérations humaines, persuadé que parmi tant de victimes toutes préparées, ses passions diverses trouveraient amplement de quoi se satisfaire. Il savait que la police, ce bouclier de la civilisation, le recherchait avec persévérance, depuis nombre d'années, et qu'une véritable armée d'agents et d'espions était continuellement à ses trousses. Sans, cependant, parvenir à le rencontrer. Tant son habileté renversante déroutait, avec un suprême chic, les ruses les plus indiscutables au point de vue de leur succès, et l'ordonnance de la plus savante méditation. Il avait une faculté spéciale pour prendre des formes méconnaissables aux yeux exercés. Déguisements supérieurs, si je parle en artiste ! Accoutrements d'un effet réellement médiocre, quand je songe à la morale. Par ce point, il touchait presque au génie. N'avez-vous pas remarqué la gracilité d'un joli grillon, aux mouvements alertes, dans les égouts de Paris ? Il n'y a que celui-là : c'est Maldoror ! Magnétisant les florissantes capitales avec un fluide pernicieux, il les amène dans un état léthargique où elles sont incapables de se surveiller comme il faudrait. Etat d'autant plus dangereux qu'il n'est pas soupçonné. Aujourd'hui il est à Madrid ; demain il sera à Saint-Pétersbourg ; hier il se trouvait à Pékin. Mais affirmer exactement l'endroit actuel que remplissent de terreur les exploits de ce poétique Rocambole est un travail au-dessus des forces possibles de mon épaisse ratiocination. Ce bandit est, peut-être, à sept cents lieues de ce pays ; peut-être, il est à quelques pas de vous. Il n'est pas facile de faire périr entièrement les hommes, et les lois sont là ; mais on peut, avec de la patience, exterminer, une par une, les fourmis humanitaires. Or, depuis les jours de ma naissance, où je vivais avec les premiers aïeuls de notre race, encore inexpérimenté dans la tension de mes embûches ; depuis les temps reculés, placés au-delà de l'histoire, où, dans de subtiles métamorphoses, je ravageais, à diverses époques, les contrées du globe par les conquêtes et le carnage, et répandais la guerre civile au milieu des citoyens, n'ai-je pas déjà écrasé sous mes talons, membre par membre ou collectivement, des générations entières, dont il ne serait pas difficile de concevoir le chiffre innombrable ? Le passé radieux a fait de brillantes promesses à l'avenir : il les tiendra. Pour le ratissage de mes phrases, j'emploierai forcément la méthode naturelle, en rétrogradant jusque chez les sauvages, afin qu'ils me donnent des leçons. Gentlemen simples et majestueux, leur bouche gracieuse ennoblit tout ce qui découle de leurs lèvres tatouées. Je viens de prouver que rien n'est risible dans cette planète. Planète cocasse, mais superbe. M'emparant d'un style que quelques-uns trouveront naïf (quand il est si profond), je le ferai servir à interpréter des idées qui, malheureusement, ne paraîtront peut-être pas grandioses ! Par cela même, me dépouillant des allures légères et sceptiques de l'ordinaire conversation, et, assez prudent pour ne pas poser... je ne sais plus ce que j'avais l'intention de dire, car je ne me rappelle pas le commencement de la phrase. Mais sachez que la poésie se trouve partout où n'est pas le sourire, stupidement railleur, de l'homme, à la figure de canard. Je vais d'abord me moucher, parce que j'en ai besoin ; et ensuite, puissamment aidé par ma main, je reprendrai le porte-plume que mes doigts avaient laissé tomber. Comment le pont du Carrousel put-il garder la constance de sa neutralité, lorsqu'il entendit les cris déchirants que semblait pousser le sac !

Chant sixième.

Lettre

22 mai 1869.

Monsieur,

C'est hier même que j'ai reçu votre lettre datée du 21 mai ; c'était la vôtre. Eh bien, sachez que je ne puis pas malheureusement laisser ainsi l'occasion de vous exprimer mes excuses. Voici pourquoi : parce que, si vous m'aviez annoncé l'autre jour, dans l'ignorance de ce qui peut arriver de fâcheux aux circonstances où ma personne est placée, que les fonds s'épuisaient, je n'aurais eu garde d'y toucher ; mais, certainement, j'aurais éprouvé autant de joie à ne pas écrire ces trois lettres que vous en auriez éprouvé vous-même à ne pas les lire. Vous avez mis en vigueur le déplorable système de méfiance prescrit vaguement par la bizarrerie de mon père ; mais vous avez deviné que mon mal de tête ne m'empêche pas de considérer avec attention la difficile situation où vous a placé jusqu'ici une feuille de papier à lettre venue de l'Amérique du Sud, dont le principal défaut était le manque de clarté ; car je ne mets pas en ligne de compte la malsonance de certaines observations mélancoliques qu'on pardonne aisément à un vieillard, et qui m'ont paru, à la première lecture, avoir eu l'air de vous imposer, à l'avenir peut-être, la nécessité de sortir de votre rôle strict de banquier, vis-à-vis d'un monsieur qui vient habiter la capitale...

... Pardon, Monsieur, j'ai une prière à vous faire : si mon père envoyait d'autres fonds avant le 1er septembre, époque à laquelle mon corps fera une apparition devant la porte de votre banque, vous aurez la bonté de me le faire savoir ? Au reste, je suis chez moi à toute heure du jour ; mais vous n'auriez qu'à m'écrire un mot, et il est probable qu'alors je le recevrai presque aussitôt que la demoiselle qui tire le cordon ou bien avant, si je me rencontre sur le vestibule...

... Et tout cela, je le répète, pour une bagatelle insignifiante de formalité ! Présenter dix ongles secs au lieu de cinq, la belle affaire : après avoir réfléchi beaucoup, je confesse qu'elle m'a paru remplie d'une notable quantité d'importance nulle...

Joris-Karl Huysmans

1848-1907

« CET *écrivain, dit de lui-même Huysmans, dans une prétendue interview parue sous la signature A. Meunier, mais rédigée, de fait, entièrement par lui : un inexplicable amalgame d'un Parisien raffiné et d'un peintre de la Hollande. C'est de cette fusion, à laquelle on peut ajouter encore une pincée d'humour noir et de comique rêche anglais, qu'est faite la marque des œuvres qui nous occupent* » (*il s'agit en l'occurrence des premières œuvres, jusqu'à* A rebours *inclusivement*). *L'espèce d'humour qui est recommandée dans cette phrase à la façon d'une épice, Huysmans, jusqu'à l'apparition d'*En route, *en 1892, date à laquelle nous le perdons, semble en avoir fait la condition même du maintien de l'appétit mental. Par l'excès des couleurs sombres de sa peinture, par l'atteinte et le dépassement dont il est coutumier d'un certain point critique dans les situations désolantes, par la préfiguration minutieuse, aiguë, des déboires* *qu'entraîne à ses yeux, dans l'alternative la plus banale, toute espèce d'option, il parvient à ce résultat paradoxal de libérer en nous le principe du plaisir. Les réalités extérieures présentées systématiquement sous leur angle le plus mesquin, le plus agressif, le plus blessant exigent du lecteur de Huysmans une réparation constante de l'énergie vitale, minée par l'accumulation des tracas quotidiens qu'on lui rend tout à coup trop sensibles. La grande originalité de l'auteur d'*En ménage *tient au fait qu'il paraît renoncer pour lui-même au bénéfice du plaisir humoristique, et que nous pouvons croire que ce bénéfice nous est exclusivement réservé, l'auteur ne se départissant pas d'une attitude accablée qui nous donne à chaque instant l'illusion de prendre sur lui l'avantage. Il y va ici d'une intention délibérée, d'une méthode thérapeutique réfléchie, d'une* ruse *destinée à nous faire surmonter notre propre misère. «Et, lit-on dans* En ménage, *ces soirs où les humeurs noires le désolaient, il se couchait de bonne heure, traînait devant ses bibliothèques à la recherche d'un livre rentrant dans l'ordre des pensées qui l'agitaient. Il eût voulu en trouver un qui le consolât et renforçât en même temps son amertume, un qui contât des ennuis plus grands et de la même nature pourtant que les siens, un qui le soulageât par comparaison. Bien entendu il n'en découvrait pas.»* (En ménage.)

Le style de Huysmans, merveilleusement refondu en vue de la communicabilité nerveuse des sensations, est le produit du détournement de plusieurs vocabulaires, dont la combinaison déchaîne à elle seule le rire spasmodique, alors même que les circonstances de l'intrigue le justifient le moins. Par une de ces dérisions dont il a trouvé le secret de nous faire jouir, la vie de ce très grand imaginatif s'est résignée à s'écouler entre les cartons d'un bureau de ministère (les rapports de ses supérieurs hiérarchiques le dépeignent comme un fonctionnaire modèle). Il est conforme à toute la manière atterrante-exaltante de l'écrivain que là, dans les loisirs du service, quelques manuels techniques à portée de la main, parmi lesquels un livre de cuisine toujours grand ouvert, Huysmans, avec une clairvoyance sans égale, ait formulé de toutes pièces la plupart des lois qui vont régir l'affectivité moderne, pénétré le premier la constitution histologique du réel et se soit élevé avec En rade *aux sommets de l'inspiration.*

Bibliographie : *Marthe,* 1876. — *Sac au dos,* 1878. — *Les Sœurs Vatard,* 1879. — *En ménage,* 1881. — *A vau-l'eau,* 1882. — *A rebours,* 1884. *Un dilemme,* 1887. — *En rade,* 1887. — *Certains,* 1889. — *Là-bas,* 1891, etc.

En ménage

.. ..

IL avait faim. La fatigue et la marche avaient comme émoussé l'aigu de ses ennuis. Il était presque joyeux, lorsqu'il avisa un petit mastroquet, derrière la vitrine duquel se tuméfiait un melon grandi dans l'alcool.

Des rangées de bouteilles avec des capsules de plomb sur la tête et des étoiles allumées au milieu du ventre formaient le demi-cercle, enveloppaient deux étages de bondons meurtris ; des vinaigrettes persillées de bœuf froid, des ratas figés aux navets, des tôt-faits avec des plaques noires de brûlé, godant sur leur bourbe jaune.

Dans une gamelle de fer, un riz au lait entamé croulait ; des œufs couleur de vin emplissaient un saladier à fleur ; un lapin, ouvert sur un plat, les quatre pattes en l'air, étalait le violet visqueux de son foie sur sa carcasse lavée de vermillon très pâle. Une muraille de bols, emmanchés les uns dans les autres, une tour de soucoupes, bordées de bleu, s'élevaient précédées devant les carreaux de la devanture d'un ancien bocal de prunes à l'eau-de-vie, plein d'eau, où des glaïeuls affalés laissaient tremper leurs tiges.

André s'assit devant une table vide. En attendant qu'on lui apportât la soupe, il regarda la salle. C'était une pièce assez grande, ornée de becs de gaz et d'abat-jour verts, d'un poêle de fonte, d'un comptoir peint en faux acajou, à filets ombrés, garni d'un vase de verre bleu plein de fleurs, de mesures d'étain posées en flûte de pan, d'un tronc en nickel, d'un chat bâillant et d'une écritoire. Derrière ce meuble, des rayons s'étageaient, supportant des litres décachetés, une théière en porcelaine, des tasses blanches avec trois pieds et une anse écarlates, et des initiales salement dédorées au centre. Une glace encastrée au milieu des rayons reflétait le haut du bouquet, marinant dans le vase bleu, le tuyau zigzaguant du poêle, trois patères inoccupées, fichées au mur, la doublure éraillée d'un paletot, le luisant d'un chapeau gras. Sur une petite table, dans un coin, un fromage de Bourgogne, le ventre entaillé, s'effondrait sous l'attaque d'un millier de mouches ; près des casiers où se tassaient des serviettes munies de ronds, une huche contenait des pains grêles et mous qui touchaient presque à une cage accrochée au plafond. Cette cage était vide par suite d'un décès, et une seiche l'habitait, seule pendue au bout d'un fil.

Cet établissement tenait de l'auberge de campagne et de la crémerie du Paris pauvre. Le patron, en manches de chemise, l'estomac en avant comme une bosse, le nez en trompette, se gobergeait, la serviette au bras, traînant dans une boue de crachats et de sable des pantoufles tapissées de dominos et de jeux de cartes.

Des bruits de vaisselles et de chaudrons, des chants de fritures et des plaintes de roux s'échappaient de la porte toujours battante de la cuisine. Des grésillements furieux de viandes sautées dans la poêle, de biftecks jutant sur un gril, de subites vapeurs rouges, de fétides fumées bleues arrivaient par moments. De sourdes disputes, des voix brèves de patrons ahurissant leurs domestiques, s'entendaient à toute minute.

Une servante fluette, pâle, la mine douloureuse et idiote, vacillait, minée par d'inépuisables flueurs blanches. Une autre trimbalait de la cuisine à l'office et de l'office à la cuisine des piles d'assiettes, avait l'air somnambulesque, ne semblait pas se rendre compte de l'importance de la tâche qui lui était confiée.

André commençait à s'impatienter ; on ne lui apportait toujours pas sa soupe. Il était las de regarder ces gens qui l'entouraient ; tous se connaissaient ; il était tombé dans une sorte de pension dc famille, dans un râtelier où s'empiffrait un monde étrange. Il y avait des groupes discrets, causant à mi-voix, étouffant leur rire derrière leur serviette ; il y en avait de hâbleurs, débagoulant, tout haut, des plaisanteries massives, accaparant l'attention avec leurs ébats.

Très familier avec ses clients, le patron rigolait, criant : Ah ! elle est bien bonne ! hurlait, avec calme, soudain : un fricandeau au jus, un filet sauce tomate, un !

André avalait le vermicelle qu'on s'était enfin décidé à lui servir. A sa gauche, deux commères piochaient dans un plat de tripes, puisaient dans une queue de rat et vidaient des verres. Les coudes sur la table, elles se faisaient de mutuels salamalecs pour une cuillerée de sauce, causaient comme de bonnes mamans, débinaient une voisine, plaignaient leur concierge dont le ventre avait enflé en mangeant des moules.

André commençait à se ragaillardir, mais une coterie, installée près du poêle, éteignait avec

son vacarme le brouhaha des autres groupes.
Un coiffeur pérorait, émettait des vérités de cette force : « Quand on a de l'argent, on vous tire des coups de chapeau ; sans ça, quand on a, comme moi, placé tout son saint-frusquin dans des fonds qui ne rapportent pas, on vous chante : « Marie, trempe ton pain, Marie, trempe ton « pain. » Du reste, toutes les fois que j'ai acheté des valeurs, elles baissaient le lendemain ; je ne pourrais pas me l'interdire d'ailleurs, il me faut des émotions ».

Les camarades se délectaient, lui versaient à boire, et lui, avec ses yeux capotés, son air de glorieux crétin, reprenait : « Moi j'aime le sexe ; pour que je puisse m'en passer, il faudrait que je sois comme le merle qui siffle après ses enfants » ; et, faisant par un calembour allusion à son métier, il ajouta : « Je ne serais toujours pas un merle vif, je serais un merle lent ».

Des fusées de joie partirent, d'incompréhensibles gaietés saluèrent cette bordée de sottises.
André avait hâte de prendre son chapeau, de fuir, mais le service ne se pressait guère. Il avait réduit de moitié un rosbif très dur et abandonné le reste, il réclamait maintenant une oseille qui n'arrivait point. Il demanda au patron qui jubilait d'une façon stupide s'il avait un journal. *Le Siècle* était en main. On lui apporta les *Petites Affiches*. Il essaya de s'absorber dans cette lecture, de s'isoler de la joie de ces tables, de se boucher les oreilles aux jacasses stridentes de ces imbéciles ; il les entendait quand même. Il se força à lire trois pages de cette feuille, s'arrêta devant une annonce qui offrait comme une occasion superbe, par suite d'une liquidation de famille, une dot de dix-huit mille francs et une orpheline ; il resta pensif. Le mot *pressé* qui figurait entre parenthèses, au bas de cette réclame, déroula devant lui des perspectives infinies d'ordures. Il y vit de courtes échéan-

ces d'accouchement, des ventres grossis après un mois de mariage. Il songea aux déboires qu'éprouverait avec cette orpheline l'honnête benêt qui se laisserait happer. Celui-là avait des chances d'épouser une vierge qui aurait longuement turpidé dès son bas âge ! et il pensait : c'est déjà difficile de n'être pas berné quand on connaît la famille et que l'on a vécu, pendant des mois, avec sa fiancée. Qui aurait pu croire que sa femme à lui l'aurait trompé ? Une fois de plus, il était revenu au point de départ de ses pensées, aux misères de son ménage. Il voulut à tout prix secouer ces souvenirs. Il se contraignait maintenant à regarder ses voisins, à les écouter.

Un fausset aigu lui vrillait l'oreille. Le coiffeur était parti sans même qu'il s'en fût aperçu. Un monsieur, qui avait au-dessus d'une barbe rouge un nez barré par des lunettes d'or, s'était installé à sa place, et il expliquait à un tout jeune homme le mystère des dents. Celui-ci écarquillait les yeux, l'écoutait dévotement, voulant sans doute s'établir dans cette partie.

« Le plus clair de votre recette, disait le monsieur, c'est la pose des fausses dents. Elles se fabriquent en Angleterre et se vendent au passage Choiseul. Là, il y a un sérieux bénéfice, pensez donc, vous pouvez demander dix francs par dent et cela coûte dix sous, sans bout de gencive en caoutchouc et un franc avec gencive.

— Il y en a des roses et des brunes, n'est-ce pas ? interrompit timidement le jeune homme ; moi, j'aimerais mieux les roses.

— Tiens ! vous n'êtes pas mou ! les brunes, ce sont des gencives de pauvres ! elles valent moins cher, mais l'on en vend plus », repartit l'autre.

Le jeune adepte en bâillait d'étonnement.

« Et les dentiers en hippopotame ? » hasarda-t-il.

L'homme aux lunettes d'or leva les bras au ciel.

« Ça, c'est de la sculpture ! songez donc, il faut

tailler la dent en plein ivoire, mettre des montures d'or, cela coûte des prix fous ! » et il continuait à expliquer la cuisine de son métier, avouait pratiquer sur les chicots de ses malades d'inutiles opérations et profiter de l'abasourdissement douloureux où ces gens se trouvaient pour leur vendre à haut prix ses dentifrices.

André pensa que c'était trop subir d'affligeantes révélations. Son oseille était mangée. Il insista furieusement pour avoir la note, refusa de commander un dessert, paya la somme de un franc quarante centimes et il ouvrait la porte quand, du fond de la salle où quelques gens s'éternisaient devant des petits verres, une voix convaincue dit simplement :

« Les femmes, c'est des bien pas grand-chose ! »

André ferma la porte, songeant avec une certaine mélancolie que, dans tout l'insipide bavardage qu'il avait entendu, cette pensée était peut-être la seule qui fût profonde, qui fût vraie.

.. ..

En rade

.. ..

Un article l'intéressa et l'induisit à de longues rêveries. Quelle belle chose, se dit-il, que la science ! voilà que le professeur Selmi, de Bologne, découvre dans la putréfaction des cadavres un alcaloïde, la ptomaïne qui se présente à l'état d'huile incolore et répand une lente mais tenace odeur d'aubépine, de musc, de seringat, de fleur d'oranger ou de rose.

Ce sont les seules senteurs qu'on ait pu trouver jusqu'ici dans ces jus d'une économie en pourriture, mais d'autres viendront sans doute ; en attendant, pour satisfaire aux postulations d'un siècle pratique qui enterre, à Ivry, les gens sans le sou à la machine et qui utilise tout, les eaux résiduaires, les fonds de tinettes, les boyaux des charognes et les vieux os, l'on pourrait convertir les cimetières en usines qui apprêteraient sur commande, pour les familles riches, des extraits concentrés d'aïeuls, des essences d'enfants, des bouquets de pères.

Ce serait ce qu'on appelle, dans le commerce, l'article fin ; mais, pour les besoins des classes laborieuses qu'il ne saurait être question de négliger, l'on adjoindrait, à ces officines de luxe, de puissants laboratoires dans lesquels on préparerait la fabrication des parfums en gros ; il serait, en effet, possible de les distiller avec les restes de la fosse commune que personne ne réclame ; ce serait l'art de la parfumerie établi sur de nouvelles bases, mis à la portée de tous, ce serait l'article camelote, la parfumerie pour bazar laissée à très bon prix, puisque la matière première serait abondante et ne coûterait, pour ainsi dire, que les frais de main-d'œuvre des exhumateurs et des chimistes.

Ah ! je sais bien des femmes du peuple qui seraient heureuses d'acheter pour quelques sous des tasses entières de pommades ou des pavés de savon, à l'essence de prolétaire !

Puis quel incessant entretien du souvenir, quelle éternelle fraîcheur de la mémoire n'obtiendrait-on pas avec ces émanations sublimées de morts ! — A l'heure actuelle, lorsque de deux êtres qui s'aimèrent l'un vient à mourir, l'autre ne peut que conserver sa photographie et, les jours de Toussaint, visiter sa tombe. Grâce à l'invention des ptomaïnes il sera désormais permis de garder la femme qu'on adora chez soi, dans sa poche même, à l'état volatil et spirituel, de transmuer sa bien-aimée en un flacon de sel, de la condenser à l'état de suc, de l'insérer comme une poudre dans un sachet brodé d'une douloureuse épitaphe, de la respirer, les jours de détresse, de la humer, les jours de bonheur, sur un mouchoir.

Sans compter qu'au point de vue des facéties charnelles, nous serions peut-être enfin dispensé d'entendre, le moment venu, l'inévitable « appel à la mère » puisque cette dame pourrait être là, et reposer, déguisée en une mouche de taffetas ou mêlée à un fard blanc, sur le sein de sa fille, alors que celle-ci se pâme, en réclamant son aide parce qu'elle est bien sûre qu'elle ne peut venir.

Ensuite, le progrès aidant, les ptomaïnes qui sont encore de redoutables toxiques seront sans doute dans l'avenir absorbées sans aucun péril ; alors pourquoi ne parfumerait-on pas avec leurs essences certains mets ? pourquoi n'emploierait-on pas cette huile odorante comme on se sert des essences de cannelle et d'amande, de vanille et de girofle, afin de rendre exquise la pâte de certains gâteaux ? de même que, pour la parfumerie, une nouvelle voie tout à la fois économique et cordiale s'ouvrirait pour l'art du pâtissier et du confiseur.

Enfin ces liens augustes de la famille, que ces misérables temps d'irrespect desserrent et relâchent, pourraient être certainement affermis et renoués par les ptomaïnes. Il y aurait, grâce à elles, comme un rapprochement frileux d'affection, comme un coude à coude de tendresse toujours vive. Sans cesse, elles susciteraient l'instant propice pour rappeler la vie des défunts et la citer en exemple à leurs enfants dont la gourmandise maintiendra la parfaite lucidité du souvenir.

Ainsi, le jour des Morts, le soir, dans la petite salle à manger meublée d'un buffet en bois pâle plaqué de baguettes noires, sous la lueur de la lampe rabattue sur la table par l'abat-jour, la famille est assise. La mère, une brave femme, le père, caissier dans une maison de commerce ou dans une banque, l'enfant tout jeune encore, récemment libéré des coqueluches et des gourmes, maté par la menace d'être privé de dessert, le mioche a enfin consenti à ne pas tapoter sa soupe avec une cuiller, à manger sa viande avec un peu de pain.

Il regarde, immobile, ses parents recueillis et muets. La bonne entre, apporte une crème aux ptomaïnes. Le matin, la mère a respectueusement tiré du secrétaire Empire, en acajou, orné d'une serrure en trèfle, la fiole bouchée à l'émeri qui contient le précieux liquide extrait des viscères décomposés de l'aïeul. Avec un compte-gouttes, elle-même a instillé quelques larmes de ce parfum qui aromatise maintenant la crème.

Les yeux de l'enfant brillent ; mais il doit, en attendant qu'on le serve, écouter les éloges du vieillard qui lui a peut-être légué, avec certains traits de physionomie, ce goût posthume de rose dont il va se repaître.

« Ah ! c'était un homme de sens rassis, un homme franc du collier et sage, que grand-papa Jules ! Il était venu en sabots à Paris et il avait toujours mis de côté, alors même qu'il ne gagnait que cent francs par mois. Ce n'est pas lui qui eût prêté de l'argent sans intérêts et sans caution ! pas si bête ; les affaires avant tout, donnant, donnant ; et puis, quel respect il témoignait aux gens riches ! — Aussi, est-il mort révéré de ses enfants, auxquels il laisse des placements de père de famille, des valeurs sûres !

— Tu te le rappelles, grand-père, mon chéri ?

— Nan, nan, grand-père ! crie le gosse qui se barbouille de crème ancestrale les joues et le nez.

— Et la grand-mère ! Tu te rappelles aussi, mon mignon ? »

L'enfant réfléchit. Le jour de l'anniversaire du décès de cette brave dame, on prépare un gâteau de riz que l'on parfume avec l'essence corporelle de la défunte qui, par un singulier phénomène, sentait le tabac à priser lorsqu'elle vivait et qui embaume la fleur d'oranger, depuis sa mort.

« Nan, nan, aussi grand-mère ! s'écrie l'enfant.

— Et lequel tu aimais le mieux, dis, de ta grand-maman ou de ton grand-papa ? »

Comme tous les mioches qui préfèrent ce qu'ils n'ont pas à ce qu'ils touchent, l'enfant songe au lointain gâteau et avoue qu'il aime mieux son aïeule ! il retend néanmoins son assiette vers le plat du grand-père.

De peur qu'il n'ait une indigestion d'amour filial, la prévoyante mère fait enlever la crème.

Quelle délicieuse et touchante scène de famille ! se dit Jacques en se frottant les yeux. Et il se demanda, dans l'état de cervelle où il se trouvait, s'il n'avait pas rêvé, en somnolant, le nez sur la revue dont le feuilleton scientifique relatait la découverte des ptomaïnes.

.. ..

Tristan Corbière

1845-1875

TOUTE *la mer, a-t-on dit, mais surtout celle des récifs nocturnes, la femme fatale, et non seulement toute la mer, mais toute la campagne sous son jour le plus reculé, où l'on lève à chaque pas les mythes couvant sous les plantes épineuses, les apparitions au fond des plantes épineuses, les apparitions au fond des chemins creux, les pauvres gestes millénaires autour des bêtes et devant les pierres vaguement dégrossies à l'image de ces protecteurs aux attributions très modestes que sont les saints de Bretagne, tel est le palimpseste — assez peu différent pour Jarry — que recouvre l'écriture en éclairs et en ellipses de Corbière. Le dandysme baudelairien est ici transposé en pleine solitude morale, dans l'ombre de l'ossuaire de Roscoff, que le poète, affligé d'une terrible déformation corporelle et surnommé par les marins* an Ankou (*la Mort*) *hante en compagnie de son chien qu'il a appelé Tristan comme lui. Le contraste entre la disgrâce physique et les dons sensibles de premier ordre ne peut manquer, dans l'œuvre de Corbière, de susciter l'humour comme réflexe de défense et de le disposer comme homme aux recherches systématiques « de mauvais goût ». Il s'accoutre en matelot, les cuisses nues et les jambes flageolant dans d'énormes bottes. Il cloue un crapaud séché sur le trumeau de sa cheminée. « Tiens, voilà mon cœur ! » jette-t-il à une femme en même temps qu'un cœur sanglant de mouton. Mais pour une autre, pour la belle créature de passage qu'en 1871 il aimera, et dont il saura miraculeusement se faire aimer, que d'admirable simplicité déployée dans le sens de la séduction ! C'est sans doute avec* Les Amours jaunes *que l'automatisme verbal s'installe dans la poésie française. Corbière doit être le premier en date à s'être laissé porter par la vague des mots qui, en dehors de toute direction consciente, expire chaque seconde à notre oreille et à laquelle le commun des hommes oppose la digue du sens immédiat. En douterait-on, qu'il suffirait d'évoquer son effrayant : « Je parle sous moi. » Toutes les ressources qu'offre l'assemblage des mots sont ici mises à contribution sans scrupule, à commencer par le calembour, utilisé, comme plus tard par Nouveau, Roussel, Duchamp et Rigaut, à de tout autres fins que celles d'« amuser », et même, au besoin, à des fins contraires : transporté presque mourant à la maison Dubois, Tristan Corbière écrit à sa mère : « Je suis à Dubois dont on fait les cercueils. »*

Bibliographie : *Les Amours jaunes,* 1873.

Litanie du sommeil

(*fragment*)

.. ..

SOMMEIL ! écoute-moi : je parlerai bien bas :
Sommeil. — Ciel-de-lit de ceux qui n'en ont pas !

Toi qui planes avec l'Albatros des tempêtes,
Et qui t'assieds sur les casques-à-mèche honnêtes !
SOMMEIL ! — Oreiller blanc des vierges assez bêtes !
Et Soupape à secret des vierges assez faites !
Moelleux Matelas de l'échine en arête !
Sac noir où les chassés s'en vont cacher leur tête !
Rôdeur de boulevard extérieur ! Proxénète !
Pays où le muet se réveille prophète !
Césure du vers long, et Rime du poète !
SOMMEIL ! — Loup-Garou gris ! Sommeil ! Noir de fumée !
SOMMEIL ! — Loup de velours, de dentelle embaumée !
Baiser de l'Inconnue, et Baiser de l'Aimée !
— SOMMEIL ! Voleur de nuit ! Folle-brise pâmée !

Parfum qui monte au ciel des tombes parfumées !

Carrosse à Cendrillon, ramassant *les Traînées !*
Obscène Confesseur des dévotes mort-nées !

Toi qui viens, comme un chien, lécher la vieille plaie
Du martyr que la mort tiraille sur sa claie !

O sourire forcé de la crise tuée !
SOMMEIL ! Brise alizée ! Aurorale buée !

Trop-plein de l'existence, et Torchon neuf qu'on passe,
Au CAFÉ DE LA VIE, à chaque assiette grasse !
Grain d'ennui qui nous pleut de l'ennui des espaces !
Chose qui cours encor, sans sillage et sans traces !
Pont-levis des fossés ! Passage des impasses !

SOMMEIL ! Caméléon tout pailleté d'étoiles !
Vaisseau-fantôme errant tout seul à pleines voiles !
Femme du rendez-vous, s'enveloppant d'un voile !
SOMMEIL ! — Triste Araignée, étends sur moi ta toile !

SOMMEIL auréolé ! féerique Apothéose,
Exaltant le grabat du déclassé qui pose !
Patient Auditeur de l'incompris qui cause,
Refuge du pécheur, de l'innocent qui n'ose !

Domino ! Diables-bleus ! Ange-gardien-rose !
Voix mortelle qui vibre aux immortelles ondes !
Réveil des échos morts et des choses profondes,
— Journal du soir : *Temps, Siècle* et *Revue des Deux Mondes !*

Fontaine de Jouvence et Borne de l'envie !
— Toi qui viens assouvir la faim inassouvie !
Toi qui viens délier la pauvre âme ravie,
Pour la noyer d'air pur au large de la vie !

Toi qui, le rideau bas, viens lâcher la ficelle
Du chat, du commissaire et de Polichinelle,

Du violoncelliste et de son violoncelle,
Et la lyre de ceux dont la Muse est pucelle !
Grand Dieu, Maître de tout ! Maître de ma Maîtresse
Qui me trompe avec toi — l'amoureuse Paresse —
O Bain de voluptés ! Eventail de caresse !

SOMMEIL ! Honnêteté des voleurs ! Clair de lune
Des yeux crevés ! — SOMMEIL ! Roulette de fortune
De tout infortuné ! Balayeur de rancune !

O corde de pendu de la Planète lourde !
Accord éolien hantant l'oreille sourde !
— Beau Conteur à dormir debout : conte ta bourde !
SOMMEIL ! Foyer de ceux dont morte est la falourde !

SOMMEIL ! — Foyer de ceux dont la falourde est morte !
Passe-partout de ceux qui sont mis à la porte !
Face-de-bois pour les créanciers et leur sorte !
Paravent du mari contre la femme forte !

Surface des profonds ! Profondeur des jocrisses !
Nourrice du soldat et soldat des nourrices !
Paix des juges de paix ! Police des polices !
SOMMEIL ! — Belle-de-nuit entrouvrant son calice !
Larve, Ver-Luisant et nocturne Cilice !
Puits de vérité de monsieur La Palisse !

Soupirail d'en haut ! Rais de poussière impalpable
Qui viens rayer du jour la lanterne implacable !

SOMMEIL ! — Ecoute-moi, je parlerai bien bas :
Crépuscule flottant de *l'Etre ou n'Etre pas !...*

.. ..

Les Amours jaunes.

Germain Nouveau

1851-1920

La *pensée la plus souple a peine à ne faire qu'un du jeune homme de vingt et un ans à la voix ensoleillée et aux yeux de mirage qui conquiert aussitôt l'amitié de Rimbaud — celui-ci, précédé d'une réputation détestable, vient d'entrer au Tabourey où l'on affecte de ne pas le reconnaître ; Nouveau, mû par une admiration sans bornes, est allé à lui ; le lendemain ils partiront ensemble pour l'Angleterre — de ce jeune homme et du mendiant de trente ans après courbé sous le porche de Saint-Sauveur d'Aix et à qui Paul Cézanne, se rendant à la messe, fera chaque dimanche l'aumône d'un écu. Le non-conformisme absolu règle pourtant cette vie d'un bout à l'autre. « L'auteur des* Valentines, *dit son ami Ernest Delahaye, n'était pas contrariant, il avait plutôt un esprit d'opposition tranquille, souriante et parfois gracieusement ironique. Cela venait du besoin constant de construire ses idées en faisant « le manoir à l'envers », aussi d'une tendance perpétuelle à chercher un nouvel aspect des choses. Le simple, pour lui, était le contraire de ce que dit et fait le commun des mortels. » Si le mécanisme de subversion intellectuelle qu'en compagnie de Cros, de Rimbaud et même de Verlaine il avait tout d'abord contribué à mettre au point lui éclata un jour entre les doigts — sa première crise mystique en 1879 le surprit en train de manger, le jour du vendredi saint, une entrecôte qu'il avait tenu à découper lui-même dans une boucherie — il ne devait cesser d'apporter dans le « bien » comme dans le « mal » le même zèle inquiétant, la même absence totale de mesure. Employé de ministère, il est mis en demeure de démissionner à la suite d'un duel burlesque qu'il s'est attiré avec un collègue. Professeur de dessin à Janson-de-Sailly, il tombe à genoux de sa chaire et entonne un cantique. Après un court séjour à l'hospice de Bicêtre et deux pèlerinages à pied, l'un à Rome, l'autre à Saint-Jacques de Compostelle, il se met par humilité en devoir de détruire son œuvre et passe les quinze dernières années de sa vie à hanter les églises de Provence du spectre de Benoît Labre, le saint à la couronne de vermine qu'il s'est choisi pour modèle.*

Bibliographie : *Savoir aimer*, 1904. — *Les Poèmes d'Humilis*, 1910. — *Valentines*, 1921. — *Le Calepin du Mendiant*, 1949.

Le peigne

La serviette est une servante,
Le savon est un serviteur,
Et l'éponge est une savante ;
Mais le peigne est un grand seigneur.

Oui, c'est un grand seigneur, Madame,
Des plus nobles par la hauteur
Et par la propreté de l'âme,
Oui, le peigne est un grand seigneur !

Quoi ? l'on ose dire à voix haute
Sale comme un... Du fond du cœur
Que l'on réponde ! à qui la faute ?
Mais le peigne est un grand seigneur !

Oui, s'il n'est pas propre, le peigne,
A qui la faute ? à son auteur ?
N'est-ce pas plutôt à la teigne !
Car... le peigne est un grand seigneur.

La faute, elle est à qui le laisse
S'épanouir dans sa hideur.
C'est la faute.... à notre paresse.
Lui, le peigne est un grand seigneur.

Oui, notre main est sa vassale,
Et s'il est sale, par malheur,
Il se f...iche un peu d'être sale,
Car le peigne est un grand seigneur.

Il ne veut nettoyer la tête,
Que si la main de son brosseur
Lui fait les dents, je le répète,
Oui le peigne est un grand seigneur.

Oui, c'est un grand seigneur, le peigne,
Sans être rogue ou persifleur,
Sa devise serait : « ne daigne »
Car le peigne est un grand seigneur.

Grand seigneur son dédain nous cingle,
Porteur d'épée, il est railleur,
Or, cette épée est une épingle,
Si le peigne est un grand seigneur.

Cette épingle, adroite et gentille,
Le rend propre comme une fleur,
Aux doigts de la petite fille
Dont le peigne est un grand seigneur.

Donc que je dise ou que tu dises
Qu'il est sale, mon beau parleur,
Il laisse tomber les bêtises,
Car le peigne est un grand seigneur.

Pour moi, je ne veux pas le dire :
Cela manquerait... de saveur
Et puis cela ferait sourire ;
Non..., le peigne est un grand seigneur.

Le peigne

Sur vos dents fines et sans crasse,
Chaque matin j'ai cet honneur,
Mon beau peigne, je vous embrasse,
Et je suis votre serviteur.

Valentines

Arthur Rimbaud

1854-1891

CE *qu'il y a de confondant, de glaçant et de magnifique dans l'humour, tel que nous l'envisageons, la faculté de réaction paradoxale ultra-désintéressée qu'il suppose est loin de trouver chez Rimbaud un terrain approprié. Jamais, il faut le dire, un tel humour ne parviendra à s'exprimer dans son œuvre que d'une manière occasionnelle et encore ne répondra-t-il qu'imparfaitement à l'idée d'ensemble que nous nous en faisons. L'expression physique de Rimbaud que révèle la photographie de Carjat ou celles d'Ethiopie suffirait à exclure toute espèce de doute à ce sujet. Le regard filtrant du visionnaire, presque éteint de l'aventurier, ne laisse rien percer de la profonde malice qui ne se dérobe jamais tout à fait dans ceux des humoristes-nés. Là est peut-être son point faible : la conception poétique et artistique d'aujourd'hui, dans la mesure où elle est déterminée par les besoins d'un temps et où elle les* surdétermine, *a fait à l'humour une part qui jusque-là ne lui revenait pas encore. Toute la sensibilité actuelle y demeure éveillée et l'on ne saurait soutenir que Rimbaud la comble, comme Lautréamont par exemple, à ce point de vue. C'est d'abord qu'en lui l'homme intérieur et l'homme extérieur ne sont jamais parvenus à vivre en bonne intelligence. Ils se succèdent et même dans la première partie de sa vie s'interceptent constamment. Nous négligeons la seconde où la marionnette a pris le dessus, où un assez lamentable polichinelle fait sonner à tout bout de champ sa ceinture d'or, pour ne considérer que le Rimbaud de 1871-1872, véritable dieu de la puberté comme il en manquait à toutes les mythologies. Le trauma affectif offre ici à la sublimation des voies d'épanouissement si riches que d'un seul coup le monde extérieur en vient à ne pas occuper plus de place qu'aux yeux échelonnés de tous les zélateurs de la secte Zen au Japon. « L'homme aux semelles de vent » est pour nous rappeler tous les « tapis volants » qui viennent de l'Orient et permettent, dit-on, dans la chasteté et le jeûne, de battre à pied tous les records automobiles et autres. Il se peut, il ne se peut pas : les deux sont vrais comme Rimbaud écrivant ses poèmes et vendant des trousseaux de clés sur les trottoirs de la rue de Rivoli. Les seuls éclairs d'humour qu'ait eus Rimbaud, ces seules illuminations d'un autre genre par-delà les* Illuminations *— n'oublions pas qu'à un humoriste professionnel (comme on dit révolutionnaire professionnel) du type Jacques Vaché, il apparaîtra comme un personnage puéril et navrant — sont presque toujours obscurcis par les taches d'une ironie désespérée on ne peut plus contraire à l'humour ; chez lui, le moi gravement menacé est généralement incapable du bond vers le « surmoi » qui permettrait le déplacement de l'accent psychique, il persiste à se défendre par ses propres moyens, la misère intellectuelle et morale des* *êtres qui l'environnent lui fournissant des armes. Devant sa propre souffrance il s'en prend aux autres au lieu de* se résoudre *en eux. Il perd par là la seule chance de la dominer et de nous apparaître* intact. *Ces réserves, si rigoureuses soient-elles, ne sont pas pour donner moins de prix, au contraire, à certains aveux bouleversants de l'* « *Alchimie du Verbe* » : « *J'aimais les peintures idiotes, dessus de porte, décors, toiles de saltimbanques, enseignes, enluminures populaires ; la littérature démodée, latin d'église, livres érotiques sans orthographe* » *et à l'entre tous admirable poème* « *Rêves* » *de 1875 qui constitue le testament poétique et spirituel de Rimbaud.*

Bibliographie : *Une saison en enfer,* 1873. — *Les Illuminations,* 1886. — *Poésies complètes,* 1895. — *Un cœur sous une soutane,* 1924, etc.

Un cœur sous une soutane

.. ..

Je rouvris faiblement les yeux...

Césarin et le sacristain fumaient chacun un cigare maigre, avec toutes les mignardises possibles, ce qui rendait leurs personnes effroyablement ridicules : Madame la sacristaine, sur le bord de sa chaise, sa poitrine cave penchée en avant, ayant derrière elle tous les flots de sa robe jaune qui lui bouffaient jusqu'au cou, et épanouissant autour d'elle son unique volant, effeuillant délicieusement une rose : un sourire affreux entrouvrait ses lèvres, et montrait à ses gencives maigres deux dents noires, jaunes comme la faïence d'un vieux poêle. Toi, Thimothina, tu étais belle avec ta collerette blanche, tes yeux baissés et tes bandeaux plats.

« C'est un jeune homme d'avenir, son présent inaugure son futur, disait en laissant aller un flot de fumée grise le sacristain.

— Oh ! M. Léonard illustrera la robe ! » nasilla la sacristaine dont les deux dents parurent !...

Moi, je rougissais à la façon d'un garçon de bien ; je vis que les chaises s'éloignaient de moi et qu'on chuchotait sur mon compte.

Thimothina regardait toujours mes souliers ; les deux sales dents me menaçaient... le sacristain riait ironiquement ; j'avais toujours la tête baissée !...

« Lamartine est mort... » dit tout à coup Thimothina.

Chère Thimothina ! C'était pour ton adorateur, pour ton pauvre poète Léonard, que tu jetais dans la conversation ce nom de Lamartine ; alors je relevai le front, je sentais que la pensée seule de la poésie allait refaire une virginité à tous ces profanes, et je sentais mes ailes palpiter, et je dis, rayonnant, l'œil sur Thimothina :

« Il avait de beaux fleurons à sa couronne, l'auteur des *Méditations poétiques !*

— Le cygne des vers est défunt, dit la sacristaine.

— Oui, mais il a chanté son chant funèbre, reprisje enthousiasmé.

— Mais, s'écria la sacristaine, M. Léonard est poète aussi ! Sa mère m'a montré l'an passé des essais de sa muse... »

Je jouai d'audace : « Oh ! Madame, je n'ai apporté ni ma lyre ni ma cithare, mais...

— Oh ! votre cithare, vous l'apporterez un autre jour...

— Mais, ce néanmoins, si cela ne déplaît pas à l'honorable — et je tirai un morceau de papier de ma poche, — je vais vous lire quelques vers... Je les dédie à Mlle Thimothina.

— Oui ! oui ! jeune homme ! très bien ! Récitez, récitez. Mettez-vous au bout de la salle... »

Je me reculai... Thimothina regardait mes souliers... la sacristaine faisait la Madone ; les deux messieurs se penchaient l'un vers l'autre... Je rougis, je toussai, et je dis en chantant tendrement :

Dans sa retraite de coton,
Dort le zéphyr à douce haleine ;
Dans son nid de soie et de laine,
Dort le zéphyr au gai mouton...

Toute l'assistance pouffa de rire : les messieurs se penchaient l'un vers l'autre en faisant de grossiers calembours ; mais ce qui était surtout effroyable, c'était l'air de la sacristaine, qui, l'œil au ciel, faisait la mystique, et souriait avec les dents affreuses ! Thimothina, Thimothina crevait de rire ! Cela me perça d'une atteinte mortelle, Thimothina se tenait les côtes !...

« Un doux zéphyr dans du coton, c'est suave, c'est suave !... » faisait en reniflant le père Césarin...

Je crus m'apercevoir de quelque chose... Mais cet éclat de rire ne dura qu'une seconde ; tous essayèrent de reprendre leur sérieux, qui pétait encore de temps en temps...

« Continuez, jeune homme ; c'est bien, c'est bien !

Quand le zéphyr lève son aile
Dans sa retraite de coton...
Quand il court où la fleur l'appelle,
Sa douce haleine sent bien bon...

Cette fois un gros rire secoua mon auditoire ; Thimothina regarda mes souliers, j'avais chaud, mes pieds brûlaient sous son regard et nageaient dans la sueur, car je disais : Ces chaussettes que je porte depuis un mois, c'est un don de son amour, ces regards qu'elle jette sur mes pieds, c'est un témoignage de son amour : elle m'adore !

Et voici que je ne sais quel petit goût me parut sortir de mes souliers : oh ! je compris les rires horribles de l'assemblée ! Je compris qu'égarée dans cette société méchante, Thimothina Labinette, Thimothina ne pourrait jamais donner libre cours à sa passion ! Je compris qu'il me fallait dévorer, à moi aussi, cet amour douloureux éclos dans mon cœur une après-midi de mai, dans une cuisine des Labinette, devant le tortillement postérieur de la Vierge au bol !

Quatre heures, l'heure de la rentrée, sonnaient à la pendule du salon ; éperdu, brûlant d'amour et fou de douleur, je saisis mon chapeau, je m'enfuis en renversant une chaise, je traversai le corridor en murmurant : J'adore Thimothina ; et je m'enfuis au séminaire sans m'arrêter...

Les basques de mon habit noir volaient derrière moi, dans le vent, comme des oiseaux sinistres !

.. ..

Lettre

14 octobre 75.

Cher ami,

Reçu le Postcard et la lettre de V. il y a huit jours. Pour tout simplifier, j'ai dit à la poste d'envoyer ses restantes chez moi de sorte que tu peux écrire ici, si encore rien aux restantes. Je ne commente pas les dernières grossièretés du Loyola, et je n'ai plus d'activité à me donner de ce côté-là à présent, comme il paraît que la deuxième « portion » du « contingent » de la « classe » 74 va-t-être appelée le 3 novembre suivant ou prochain : la chambrée de nuit :

« RÊVE »

On a faim dans la chambrée —
C'est vrai ....

Emanations, explosions,
Un génie : Je suis le gruère !
Lefebvre : Keller !
Le génie : Je suis le brie !
Les soldats coupent sur leur pain :
C'est la Vie !
Le génie : Je suis le roquefort !
— Ça s'ra not' mort.
— Je suis le gruère
Et le brie... etc..

VALSE

On nous a joints, Lefebvre et moi... etc... !

De telles préoccupations ne permettent que de s'y absorbère. Cependant renvoyer obligeamment selon les occases les « Loyola » qui rappliqueraient.

Un petit service : veux-tu me dire précisément et concis — en quoi consiste le « bachot » ès-sciences actuel, partie classique, et mathém, etc... — Tu me dirais le point de chaque partie que l'on doit atteindre : mathém., phys., chim., etc. et alors des titres immédiats, et le moyen de se procurer des livres employés dans ton collège par ex. pour ce Bachot à moins que ça ne change aux diverses universités : en tous cas de professeurs ou d'élèves compétents, t'informer à ce point de vue que je te donne. Je tiens surtout à des choses précises, comme il s'agirait de l'achat de ces livres prochainement. Instruc. militaire et « Bachot », tu vois, me feraient deux ou trois agréables saisons ! Au diable d'ailleurs ce « gentil labeur ». Seulement sois assez bon pour m'indiquer le mieux possible la façon comment on s'y met.

Ici rien de rien.

— J'aime à penser que le Peydeloup et les gluants pleins d'haricots patriotiques ou non ne te donnent pas plus de distraction qu'il ne t'en faut. Au moins ça ne « chlingue » pas la neige, comme ici.

A toi « dans la mesure de mes faibles forces ».

Tu écris :

A. RIMBAUD.
31, rue Saint-Barthélemy
Charleville (Ardennes), va sans dire.

P.-S. La corresp : « en passepoil » arrive à ceci que le « Némery » avait confié les journaux du Loyola à un *agent de police* pour me les porter !

Alphonse Allais

1854-1905

SERAIT-CE *que les bocaux de la pharmacie où Alphonse Allais passa son enfance ne reflètent rien de sombre — au-dessus d'eux le ciel d'Honfleur tel que le peindra plus tendre qu'un autre Eugène Boudin, non moins familier que Courbet et que Manet de l'officine paternelle — mais il est exceptionnel que son œuvre toute d'humour trahisse une appréhension grave, décèle la moindre arrière-pensée. S'il s'apparente malgré tout aux auteurs incomparablement plus nocifs qui donnent le ton à ce recueil, c'est moins par la substance claire et presque toujours printanière de ses contes, dont le bouquet même est rarement amer, que par l'ingéniosité avec laquelle il a traqué, sous leur mille formes, la bêtise et l'égoïsme petit-bourgeois qui culminèrent de son temps. Non seulement il ne laisse passer aucune occasion de frapper de dérision le lamentable idéal patriotique et religieux exaspéré chez ses concitoyens par la défaite de*

1871, mais il excelle à mettre en difficulté l'individu satisfait, ébloui de truismes et sûr de lui qu'il côtoie chaque jour dans la rue. Son ami Sapeck et lui règnent en effet sur une forme d'activité jusqu'à eux presque inédite, la mystification. *On peut dire que celle-ci s'élève avec eux à la hauteur d'un art : il ne s'agit de rien moins que d'éprouver une activité terroriste de l'esprit, aux prétextes innombrables, qui mette en évidence chez les êtres le conformisme moyen, usé jusqu'à la corde, débusque en eux la bête sociale extraordinairement bornée et la harcèle en la dépaysant du cadre de ses intérêts sordides, peu à peu. Il y a là un rappel à la raison d'être qui équivaut à la condamnation à mort : « Comme ses ancêtres sur leur barque, dira Maurice Donnay, remontaient le cours des fleuves, il remontait sur ses contes le cours des préjugés. » L'ombre de Baudelaire n'est pas loin et, en effet, les biographes nous rappellent que lorsque le poète vient voir sa mère à Honfleur il se plaît à rendre visite au père d'Alphonse Allais et marque sans doute son empreinte sur l'enfant (Alphonse Allais habitera, à la fin de sa vie, la « maison Baudelaire »). L'existence d'Alphonse Allais est liée à l'astre, très vite périclitant, de ces entreprises excentriques que furent successivement les Hydropathes, les Hirsutes et le Chat-Noir, sur lesquelles se découvre d'un chapeau haut de forme la pensée encore mystérieuse de cette fin du dix-neuvième siècle. On a tenté, bien vainement jusqu'à ce jour, de dénombrer les* inventions *toutes gratuites de l'auteur d'*A se tordre, *produit d'une imagination poétique qui se situe entre celle de Zénon d'Elée et celle des enfants : fusil, dont le calibre est de un millimètre et où la balle est remplacée par une véritable aiguille, pouvant traverser quinze ou vingt hommes, enfilés, liés et empaquetés du même coup ; poissons voyageurs, destinés à remplacer les pigeons pour le transport des dépêches :*

aquariums en verre dépoli pour cyprins timides ; intensification du foyer lumineux des vers luisants ; huilage de l'océan pour rendre les flots inoffensifs ; tire-bouchon mû par la force des marées ; essoreuse de poche ; maison-ascenseur qui s'enfonce dans le sol jusqu'à l'étage à atteindre ; train lancé sur dix lames superposées courant chacune à raison de vingt lieues à l'heure, etc. Il va sans dire que l'édification de ce mental château de cartes exige avant tout une connaissance approfondie de toutes les ressources qu'offre le langage, de ses secrets comme de ses pièges : « C'était un grand écrivain », pourra dire, à la mort d'Alphonse Allais, le sévère Jules Renard.

Bibliographie : *A se tordre*, 1891. — *Vive la Vie*, 1892. — *Rose et Vert Pomme*, 1894. — *Le parapluie de l'escouade*, 1894. — *Deux et deux font cinq*, 1895. — *On n'est pas des bœufs*, 1896. — *Le bec en l'air*, 1897. — *Amours, délices et orgues*, 1898. — *Pour cause de fin de bail*, 1899. — *L'affaire Blaireau*, 1899. — *Ne nous frappons pas*, 1900. — *Le Captain Cap*, 1902. — *A l'œil*, 1921, etc.

Un drame bien parisien

. . . .

Chapitre IV

Comment l'on pourra constater que les gens qui se mêlent de ce qui ne les regarde pas feraient beaucoup mieux de rester tranquilles.

> C'est épatant ce que le monde deviennent rosse depuis quelque temps !
> (*Paroles de ma concierge dans la matinée de lundi dernier.)*

Un matin, Raoul reçoit le mot suivant :

« Si vous voulez, une fois par hasard, voir votre femme en belle humeur, allez donc, jeudi, au bal des Incohérents, au Moulin-Rouge. Elle y sera, masquée et déguisée en pirogue congolaise. A bon entendeur, salut !

Un Ami. »

Le même matin, Marguerite reçut le mot suivant :

« Si vous voulez, une fois par hasard, voir votre mari en belle humeur, allez donc, jeudi, au bal des Incohérents, au Moulin-Rouge. Il y sera, masqué et déguisé en templier fin de siècle. A bon entendeur, salut !

Une Amie. »

Ces billets ne tombèrent pas dans l'oreille de deux sourds.

Dissimulant admirablement leurs desseins, quand arriva le fatal jour :

« Ma chère amie, dit Raoul de son air le plus innocent, je vais être forcé de vous quitter jusqu'à demain. Des intérêts de la plus haute importance m'appellent à Dunkerque.

— Ça tombe bien, répondit Marguerite délicieusement candide, je viens de recevoir un télégramme de ma tante Aspasie, laquelle, fort souffrante, me demande à son chevet. »

Chapitre V

Où l'on voit la folle jeunesse d'aujourd'hui tournoyer dans les plus chimériques et passagers plaisirs, au lieu de songer à l'éternité.

Mai vouéli vièure pamens :
La vido es tant bello !
Auguste Marin.

Les échos du *Diable boiteux* ont été unanimes à proclamer que le Bal des Incohérents revêtit cette année un éclat inaccoutumé.

Beaucoup d'épaules et pas mal de jambes, sans compter les accessoires.

Deux assistants semblaient ne pas prendre part à la folie générale : un Templier fin de siècle et une Pirogue congolaise, tous deux hermétiquement masqués.

Sur le coup de trois heures du matin, le Templier s'approcha de la Pirogue et l'invita à venir souper avec lui.

Pour toute réponse, la Pirogue appuya sa petite main sur le robuste bras du Templier, et le couple s'éloigna.

Chapitre VI

Où la situation s'embrouille.

« I say, don't you think the rajah laughs at us ?
— Perhaps, sir. »
Henry O'Mercier.

« Laissez-moi un instant, fit le Templier au garçon de restaurant, nous allons faire notre menu et nous vous sonnerons. »

Le garçon se retira et le Templier verrouilla soigneusement la porte du cabinet.

Puis, d'un mouvement brusque, après s'être débarrassé de son casque, il arracha le loup de la pirogue.

Tous deux poussèrent, en même temps, un cri de stupeur, en ne se reconnaissant ni l'un ni l'autre.

Lui, ce n'était pas Raoul.

Elle, ce n'était pas Marguerite.

Ils se présentèrent mutuellement leurs excuses, et ne tardèrent pas à lier connaissance à la faveur d'un petit souper, je ne vous dis que ça.

. . . .

A se tordre.

Plaisir d'été

Le domaine que j'occupe durant la belle saison s'avoisine d'une modeste demeure qu'habite la plus odieuse chipie de tout le littoral.

Veuve d'un agent voyer qu'elle fit mourir de chagrin, cette mégère joignait une acariâtreté peu commune à l'avarice la plus sordide, le tout sous le couvert d'une dévotion poussée à l'excès.

Elle est morte, paix à ses cendres !

Elle est morte, et j'ai bien ri quand je l'ai vue battre l'air de ses grands bras décharnés et s'affaler sur le gazon maigre de son ridicule et trop propre jardinet.

Car j'assistai à son trépas ; mieux encore, j'en étais l'auteur, et cette petite aventure restera, je pense, un de mes meilleurs souvenirs.

Il fallait, d'ailleurs, que cela se terminât ainsi, car j'en étais venu à ne plus dormir, tant m'obsédait la seule pensée de cette harpie.

Horrible, horrible femme !

J'arrivai à mon funèbre résultat au moyen d'un certain nombre de plaisanteries, toutes du plus mauvais goût, mais qui révèlent chez leur auteur autant d'astuce, ma foi, que d'implacabilité.

Désirez-vous un léger aperçu de mes machinations ?

. . . .

Ma voisine avait la folie du jardinage : nulle salade dans le pays n'était comparable à ses salades, et quant à ses fraisiers, ils étaient tous si beaux qu'on avait envie de s'agenouiller devant.

Contre les mauvaises herbes, contre les malins insectes, contre les plus dévorants vers, elle connaissait et employait, sans jamais se lasser, mille trucs d'une efficacité redoutable.

Sa chasse aux limaçons était tout un poème, aurait pu dire Coppée en un vers immortel.

Or, un jour qu'une pluie d'orage venait de sévir sur le pays, voici ce que j'imaginai :

Je convoquai une myriade de gamins (*myriade*, c'est une façon de parler) et, leur remettant à chacun un sac :

« Allez, dis-je, mes petits amis, allez par les chemins de la campagne, et rapportez-moi autant de *calimachons* que vous pourrez. Quelques sous vous attendent au retour. »

(Dans le district que j'habite, *colimaçon* se prononce — incorrectement d'ailleurs — *calimachon*.)

Voilà mes polissons partis en chasse.

Un copieux gibier les attendait : jamais, en effet, tant d'escargots n'avaient diapré le paysage.

Tous ces mollusques, je les réunis en congrès dans une immense caisse bien close, en laquelle ils furent invités à jeûner pendant une bonne semaine.

Après quoi, par un radieux soir d'été, je lâchai ce bétail dans le jardin de la vieille.

Le lever du soleil éclaira bientôt ce Waterloo.

Des romaines, des chicorées, des fraisiers naguère si florissants, ne subsistaient plus désormais que de sinistres et déchiquetées nervures.

Ah ! si je n'avais pas tant ri, ce spectacle de dévastation m'aurait bien navré !

La chipie n'en croyait pas ses yeux.

Cependant, gavés mais non repus, mes limaçons continuaient leur œuvre d'anéantissement.

De mon petit observatoire, je les apercevais qui grimpaient résolument à l'assaut des poiriers.

... A ce moment, tinta la cloche pour la messe de dix heures.

Ma voisine s'enfuit conter ses peines au Bon Dieu.

. . . .

Il serait fastidieux, le récit détaillé des plaisanteries féroces que j'infligeai à la méchante femme qui me servait de voisine.

Je passerai sous silence tous les morceaux de carbure de calcium impur que je projetais dans le petit bassin devant sa maison : pas une plume humaine ne saurait décrire la puanteur d'ail qu'éparpillait alors son stupide jet d'eau.

Et précisément (détail que j'appris par la suite et qui me combla de joie) cette mégère éprouvait une aversion insurmontable pour l'odeur de l'ail.

Au pied du mur qui sépare son jardin du mien, elle cultivait un superbe plant de persil. Oh ! le beau persil !

Par poignée, sans compter, j'inondai sa plateforme de graines de ciguë, plante dont l'aspect ressemble, à s'y méprendre, à celui du persil.

(Je plains les nouveaux locataires du jardin, s'ils ne s'aperçoivent pas de la supercherie.)

Arrivons aux deux suprêmes facéties dont la dernière, ainsi que je l'ai annoncé plus haut, détermina le trépas subit de l'horrible vieille.

A force de l'étudier, je connaissais sur le bout du doigt le petit train-train de notre chipie.

Levée dès l'aurore, elle inspectait d'un œil soupçonneux les moindres détails de son jardin, écrasait un limaçon par-ci, arrachait une mauvaise herbe par-là.

Au premier coup de cloche de la messe de six heures, la dévote filait, puis, son devoir religieux accompli, revenait et prenait dans sa boîte aux lettres le journal *La Croix*, dont elle faisait édifiante lecture en sirotant son café au lait.

Or, un matin, elle lut d'étranges choses dans sa gazette favorite. La chronique de tête, par exemple, commençait par cette phrase :

« On n'en finira donc jamais avec tous ces N.

de D. de ratichons ! » et le reste de l'article continuait sur ce ton.

Après quoi, on pouvait lire ce petit entrefilet :

« Avis à nos lecteurs

« Nous ne saurions recommander trop de précautions à ceux de nos lecteurs qui, pour une raison ou pour une autre, se voient forcés d'introduire des ecclésiastiques dans leur domicile.

« Ainsi, lundi dernier, le curé de Saint-Lucien, appelé chez un de ses paroissiens pour lui administrer les derniers sacrements, a jugé bon de se retirer en emportant la montre en or du moribond et une douzaine de couverts d'argent.

« Ce fait est loin de constituer un cas isolé, etc., etc. »

Et les faits divers, donc !

On y racontait notamment que le nonce du pape avait été arrêté, la veille, au bal du Moulin-Rouge, pour ivresse, tapage et insulte aux agents.

Etrange journal !

Ai-je besoin d'ajouter que ce curieux organe avait été rédigé, composé, cliché et tiré non par des dames comme le journal *La Fronde*, mais par votre propre serviteur, avec la complicité d'un imprimeur de mes amis, dont je ne saurais trop louer la parfaite complaisance en cette occasion.

. . . .

Une des farces que je puis recommander en toute confiance à mon élégante clientèle est la suivante. Elle ne brille ni par une vive intellectualité, ni par un tact exquis, mais sa pratique procure à son auteur une intense allégresse.

Bien entendu, je ne manquai pas de l'appliquer à mon odieuse voisine.

Dès le matin, et à diverses heures de la journée,

j'envoyai, signés de la vieille et portant son adresse, des télégrammes à des gens habitant les quatre coins les plus différents de la France.

Chacun de ces télégrammes, loti d'une *réponse payée,* consistait en une demande de renseignements sur un sujet quelconque.

On ne peut que difficilement se faire une idée de la stupeur mêlée d'effroi qu'éprouva la vieille dame chaque fois que le facteur du télégraphe lui remit un papier bleu sur lequel s'étalaient des phrases de la plus rare saugrenuité.

Succédant de près à la lecture du numéro spécial de *La Croix,* fabriqué par moi, ces télégrammes précipitèrent mon odieuse voisine dans une hallucination fort comique.

A la fin, elle refusa de recevoir le facteur et menaça même l'humble fonctionnaire de coups de manche à balai, au cas où il se représenterait.

Installé à la fenêtre de mon grenier et muni d'excellentes jumelles, je n'avais jamais tant ri.

. . . .

Cependant, le soir vint.

Une vieille coutume voulait que le chat de la bonne femme, un grand chat noir maigre, mais superbe, vint rôder dans mon jardin dès que le jour tombait.

Aidé de mon neveu (un garçon qui promet) j'eus vite capturé l'animal.

Non moins prestement nous le saupoudrâmes copieusement de sulfure de baryum.

(Le sulfure de baryum est un de ces produits qui ont la propriété de rendre les objets lumineux dans l'obscurité. On s'en procure chez tous les marchands de produits chimiques.)

. . . .

Ce fut par la nuit opaque, une nuit sans étoiles et sans lune.

Inquiète de ne pas voir rentrer son minet, la vieille appelait :

« Polyte ! Polyte ! Viens, mon petit Polyte ! »

(En voilà un nom pour un chat !)

Soudain, lâché par nous, ivre de rage et de peur, Polyte s'enfuit, grimpa le mur en moins de temps qu'il n'en faut pour l'écrire, et se précipita vers son logis.

Avez-vous jamais vu un chat lumineux bondir par les ténèbres de la nuit ?

C'est un spectacle qui en vaut la peine et, pour ma part, je n'en connais point de plus fantastique. C'en était trop.

Nous entendîmes des cris, des hurlements :

« Belzébuth ! Belzébuth ! vociférait la vieille. C'est Belzébuth ! »

Puis nous la vîmes lâcher la chandelle qu'elle tenait à la main et choir sur son gazon.

Quand des voisins, attirés par ses cris, arrivèrent pour la relever, il était trop tard : je n'avais plus de voisine.

Ne nous frappons pas.

Jean-Pierre Brisset

SI *l'œuvre, remarquable entre toutes, de Brisset vaut d'être considérée dans ses rapports avec l'humour, la volonté qui y préside ne peut en aucune façon passer pour humoristique. L'auteur, en effet, ne se départit en aucune occasion de l'attitude la plus sérieuse, la plus grave. C'est au terme d'un processus d'identification avec lui, de l'ordre de celui qu'exige l'examen de tout système philosophique ou scientifique, que le lecteur est amené à trouver pour son propre compte un refuge dans l'humour. Il y va pour lui de la nécessité de s'épargner un émoi affectif par trop considérable, celui qui résulterait de l'homologation d'une découverte ébranlant les assises mêmes de la pensée, anéantissant toute espèce de gain conscient antérieur, remettant en question les plus élémentaires principes de la vie sociale. Une telle découverte est tenue pour impossible* a priori *et les asiles d'aliénés sont construits pour n'en rien laisser filtrer, au cas exorbitant où elle se produirait. Le réflexe de préservation générale, en ce qui regarde Brisset, sem-*

ble avoir été sensiblement moins vif, puisqu'il n'a abouti, en 1912, qu'à le faire affubler par une coterie d'écrivains du titre ironique de prince des penseurs. *Cette dignité dérisoire ne le desservira qu'auprès de ceux qui passent en fermant les yeux devant les plus grandes singularités qu'offre l'esprit humain. La décharge émotive de l'expression de Brisset dans un humour tout de* réception (*par opposition à l'humour d'*émission *de la plupart des auteurs qui nous intéressent) met très spécialement en évidence certains caractères constitutifs de cet humour. L'auteur se présente comme en possession d'un secret d'une portée telle que tout ce qui a été conçu avant sa révélation peut être tenu pour nul et non avenu. Nous assistons ici, non plus à un retour de l'individu mais, en sa personne, à un retour de toute l'espèce vers l'enfance. (Il se passe quelque chose d'équivalent dans le cas du douanier Rousseau.) Le désaccord flagrant qui se manifeste entre la nature des idées communément reçues et l'affirmation chez l'écrivain ou le peintre de ce primitivisme intégral est générateur d'un humour de grand style auquel le responsable ne participe pas.*

L'idée maîtresse de Jean-Pierre Brisset est la suivante : « La parole qui est Dieu a conservé dans ses plis l'histoire du genre humain depuis le premier jour, et dans chaque idiome l'histoire de chaque peuple, avec une sûreté, une irréfutabilité qui confondront les simples et les savants. » D'emblée, l'analyse des mots lui permet d'établir que l'homme descend de la grenouille. Cette trouvaille qu'il tend à légitimer, puis à exploiter par un jeu d'associations verbales d'une richesse inouïe, corrobore pour lui la constatation anatomique que « la semence humaine, vue au microscope, est telle qu'on croirait voir une flaque d'eau pleine de jeunes têtards de grenouilles, les petits êtres de cette semence en rappellent complètement la forme et les allures. » Ainsi se développe, sur un fond pansexualiste d'une grande valeur hallucinatoire, et à l'abri d'une rare érudition, une suite vertigineuse d'équations de mots dont la rigueur ne laisse pas d'être impressionnante, et se constitue une doctrine qui se donne pour la clef certaine et infaillible du livre de vie. Brisset ne cache pas qu'il est ébloui lui-même de l'éclat du présent qu'il apporte à l'homme et qui doit lui conférer la toute-puissance divine. Il ne se reconnaît d'autres prédécesseurs que Moïse et les prophètes, Jésus et les apôtres. Il s'annonce lui-même comme le septième ange de l'Apocalypse et l'Archange de la résurrection.

Il va sans dire qu'une communication de cet ordre devait, sur le plan humain, valoir à son auteur les pires désillusions. « La Grammaire logique *publiée en 1883, dit-il, s'est répandue raisonnablement dans le monde savant. Nous l'avons présentée à l'Académie pour un concours, mais notre ouvrage fut rejeté par M. Renan. En 1891, n'ayant pu trouver d'éditeur, nous publiâmes nous-mêmes* Le Mystère de Dieu *par l'affichage et deux conférences publiques à Paris. Ce livre souleva parmi les étudiants un moment d'émotion à Angers. Nous avions pris nos dispositions pour y faire une conférence, mais l'autorité municipale fit échouer notre projet. En 1900, nous avons publié* La Science de Dieu *et une feuille tirée à mille exemplaires,* La Grande Nouvelle, *résumant tous nos travaux. Nos crieurs étaient comme paralysés et ne vendaient point cette grande nouvelle. Nous la fîmes distribuer gratuitement dans Paris et l'envoyâmes, ainsi que le livre, un peu par toute la terre. L'édition se vendit à la suite de la distribution de la feuille, ce dont nous ne fûmes informé qu'après la faillite de notre dépositaire. Ces deux publications firent assez de bruit pour amener* Le Petit Parisien *à nous consacrer, d'une manière indirecte, tout un premier article (29 juillet 1904) intitulé :* Chez les fous.

Voici ce qui nous touche directement : On cite même un aliéné « qui, sur un système d'allitérations et de coq-à-l'âne, avait prétendu fonder tout un traité de métaphysique intitulé La Science de Dieu. *Pour lui, en effet, le Mot est tout. Et les analyses des mots expriment les rapports des choses. La place me manque pour citer des passages de cette affolante philosophie. On garde d'ailleurs de leur lecture un trouble réel dans l'esprit. Et mes lecteurs me sauront gré de vouloir le leur épargner. » « L'aliéné, poursuit Brisset, qui était officier de police judiciaire et dont le mode d'écrire n'a rien de commun avec l'obscur verbiage ci-dessus, fut cependant heureux de cette critique et même remercia.* La Science de Dieu *fut à sa publication la septième trompette de l'Apocalypse, et, en 1906, nous avons publié* Les Prophéties accomplies. *Un assez long prospectus à deux mille exemplaires fut adressé de divers côtés et, comme nous devions encore faire entendre notre voix, une conférence eut lieu à l'Hôtel des Sociétés Savantes, le 3 juin 1906. Nous trouvâmes beaucoup de mauvaise volonté et des affiches préparées dans tout Paris ne furent apposées que dans les alentours de l'Hôtel. Nous eûmes une cinquantaine d'auditeurs et affirmâmes dans notre indignation que nul n'entendrait désormais la voix du septième ange. » Une seconde édition de* La Science de Dieu (*entièrement nouvelle*) *paraît cependant en 1913 sous le titre* Les Origines humaines. *L'auteur déclare que, vieux et fatigué, il craint de ne pouvoir mener à bien son suprême projet : un dictionnaire de toutes les langues.*

Envisagée sous l'angle de l'humour, l'œuvre de Jean-Pierre Brisset tire son importance de sa situation unique commandant la ligne qui relie la pataphysique *d'Alfred Jarry ou « science des solutions imaginaires, qui accorde symboliquement aux linéaments les propriétés des objets décrits par leur virtualité* » *à l'*activité paranoïaque-critique *de Salvador Dali ou « méthode spontanée de connaissance irrationnelle basée sur l'association interprétative-critique des phénomènes délirants.* » *Il est frappant que l'œuvre de Raymond Roussel, l'œuvre littéraire de Marcel Duchamp, se soient produites, à leur insu ou non, en connexion étroite avec celle de Brisset, dont l'empire peut être étendu jusqu'aux essais les plus récents de dislocation poétique du langage* (« *Révolution du mot* ») *: Léon-Paul Fargues, Robert Desnos, Michel Leiris, Henri Michaux, James Joyce et la jeune école américaine de Paris.*

Bibliographie : *La Grammaire logique,* 1883. — *Les Mystères de Dieu,* 1891. — *La Science de Dieu,* 1900. — *Les Prophéties accomplies,* 1906. — *Les Origines humaines,* 1913.

La grande loi
ou
la clef de la parole

IL existe dans la parole de nombreuses Lois, inconnues jusqu'aujourd'hui, dont la plus importante est qu'un son ou une suite de sons identiques, intelligibles et clairs peuvent exprimer des choses différentes, par une modification dans la manière d'écrire ou de comprendre ces noms ou ces mots. Toutes les idées énoncées avec des sons semblables ont une même origine et se rapportent toutes, dans leur principe, à un même objet. Soit les sons suivants :

Les dents, la bouche.
Les dents la bouchent,
l'aidant la bouche.
L'aide en la bouche.
Laides en la bouche.
Laid dans la bouche.
Lait dans la bouche.
L'est dam le à bouche.
Les dents-là bouche.

Si je dis : *dents, la bouche,* cela n'éveille que des idées bien familières : les dents sont dans la bouche. C'est là bien comprendre le dehors du livre de vie caché dans la parole et scellé de sept sceaux. Nous allons lire dans ce livre, aujourd'hui ouvert, ce qui était caché sous ces mots : *les dents, la bouche.*

Les dents bouchent l'entrée de la bouche et la bouche aide et contribue à cette fermeture : *Les dents la bouchent, l'aidant la bouche.*

Les dents sont *l'aide,* le soutien *en la bouche* et elles sont aussi trop souvent *laides en la bouche* et c'est aussi *laid.* D'autres fois, c'est un *lait* : elles sont blanches comme *du lait dans la bouche.*

L'est dam le à bouche se doit comprendre : il est un *dam,* mal ou dommage, ici à la bouche ; ou tout simplement : j'ai mal aux dents. On voit en même temps que le premier *dam* a une *dent* pour origine. *Les dents-là bouche* vaut : bouche ou cache ces dents-là, ferme la bouche.

Tout ce qui est ainsi écrit dans la parole et s'y lit clairement est vrai d'une vérité inéluctable ; c'est vrai sur toute la terre. Ce qui est dit dans une seule langue est dit pour toute la terre : sur toute la terre, les dents sont l'aide et laides en la bouche, bien que les autres langues ne le disent pas comme la langue française, mais disent des choses bien autrement importantes sur lesquelles notre langue se tait. Les langues ne se sont point concertées ensemble ; l'Esprit de l'Eternel, créateur de toutes les choses, a seul disposé son livre de vie. Comment a-t-il pu cacher ainsi à tous les hommes, sur toute la terre, une science aussi simple ?

C'est là la clef qui ouvre les livres de la parole.

. . . .

Jean-Pierre Brisset

La formation du sexe

REMARQUONS d'abord qu'on peut changer la place des mots d'une phrase sans que l'idée exprimée en soit modifiée : *La porte est ouverte* et *porte est ouverte là,* disent toujours : *ouverte est la porte.* Il en fut de même dans le principe : *à le* valait : *le à = là* et *ale* valut aussi : *là.*

Ceci étant admis, nous lisons : *ai que ce ?* ayant valu : *ce qu'ai ?* ou : *qu'ai ce ? = qu'ai-je ?* Cela se disait sur ce quai où se tenait l'ancêtre. Les questions : *ai que ce ? est que ce ?* disaient : *ai* ou *est quoi ici ?* et créèrent le mot *exe,* le premier nom du *sexe.* Les uns prononçaient : *éqce* ; d'autres : *èqce,* suivant la phrase créatrice : *ai que ce ? est que ce ?* D'où *sexe* se prononcera, suivant le cas : *séqce, sèqce. Ec, éque* ou *ek,* formé de : *ai que ?* est même un premier nom du sexe : *éque-ce* valait *ce éque, ec* ou *ek* et devint *exe.*

On questionna ensuite : *ce exe, sais que ce ?* = ce point, sais-tu quoi c'est ? ce qui devint : *sexe.* — *Sais que c'est ? ce exe est, sexe est, ce excès,* c'est le sexe. — On voit que le sexe fut le premier *excès.* On n'a aucun excès à craindre de ceux qui n'ont pas de sexe. Dans : *ce exe est,* on peut analyser : *ce* ou ceci *est* un *exe* et : *exe est ce* ou ceci. Par suite, on voit que *ce* montra et désigna d'abord le sexe. Aussi : *ce ek-ce* = ce sexe-ci : *sexe. Eh, è, é,* est aussi un premier nom du sexe : Ce *é* que c'est ? *Sexe* est.

Je ne sais que c'est. Jeune sexe est. La première chose que remarqua l'ancêtre et qu'il ne connaissait pas, c'était un sexe jeune en formation. Dans ce cas, les plus clairvoyants sont encore quelquefois forcés de dire : *Je ne sais que c'est. Jeune sexe est,* vaut *: sexe est jeune,* et : *jeune est sexe.* Le mot *jeune* peut être considéré comme un nom. Il en résulte que *jeune* désigne et désigna ceux qui prenaient le sexe. Les jeunes sont les enfants dont le sexe n'a pas encore atteint toute sa puissance, car il se développe toujours très lentement.

Tu sais que c'est bien. Tu sexe est bien. Le mot *tu,* ainsi que *jeune,* désigna aussi le sexe. C'est un terme enfantin : cache ton *tu,* ton *tutu. Tu tu = ton sexe. Tu relues tu tu* = tu reluques ton sexe. *Turlututu,* répétait avec dépit celui qui était l'objet de cette remarque blessante.

Y ce ai que c'est ? Il sait que c'est. Y sais que c'est. Y sexe est. Y désigna d'abord le sexe, puis valut *je* et enfin *il. Y le sexe est. Il sait que c'est.*

On sait que c'est. On sexe est. Le pronom *on* désigna le sexe et avait la valeur de *en, en ce lieu, en ce l'yeu,* en cet œil-là. Le sexe se présenta sous forme *d'yeu* ou d'œil. Ce fut une légère ouverture. Le pronom *on* est indéfini et tous les mots qu'il peut remplacer se sont d'abord référés au sexe, l'origine de toute parole vivante : *Pierre, Jean, Julie,* etc. *sait que c'est bien* et *sexe est bien.* Tout ce qui peut savoir quelque chose est de rigueur un sexe dans son origine, un membre de la famille humaine ou divine.

Je sais que c'est bien. Je ou *jeu sexe est bien.* Le premier *jeu* était le sexe. De là vient la passion du jeu. Le prudent cachait son jeu. Le pronom *je* désigne ainsi le sexe et quand *je* parle, c'est un sexe, un membre viril de l'Eternel-Dieu qui agit par sa volonté ou sa permission. C'est en parlant de son sexe que l'ancêtre s'aperçut qu'il parlait de son propre individu, de lui-même.

A = ai. Que ce a ? = qu'ai-je ? Que ça ou çà = Quoi cela ? Que exe est que ce a ? = Quel sexe est que j'ai ? *Que excès que çà ! Qu'est-ce ? que sexe a. Qu'ai ? que sexe a ? Kékséksa ? Que aie ce que c'est que ce a* = Ici vois ou prends ce que c'est que j'ai. L'inconnu de la chose faisait changer l'ordre en une question : *Qu'est que c'est que ça ?* Ces seules analyses suffiraient pour démontrer, avec la Loi infaillible qui nous guide dans notre travail, que notre question la plus familière est née chez des êtres prenant le sexe et ne connaissant rien de cette *exe-croissance,* de cette *exetension.* Aujourd'hui, on peut tout au plus être embarrassé pour le genre.

Je me exe à mine ai. Tu te exe à mine as. Y ce exe à mine a. Y sexe à mine a. Y le sexe a mine à. C'est le sexe *à la mine* ou *à la main* que l'ancêtre *s'examinait, sexe à mine ai. Mine* a valu *main.* La main faisait mine et minait le terrain. *Che mine, chemine ; che main, chemin,* disaient également : *ici la main.* Donc le créateur de : *je m'examinai,* etc. disait : *J'ai mon sexe à la main,* etc. C'est en examinant son sexe que l'ancêtre faisait *son examen, son exe à main, son nexe à main.* L'examen du sexe est le premier que l'on subit en venant au monde.

Dans *examiner, examen,* etc. *exe* se prononce : *égze.* Ce changement nous montre que : *gue = que, ze = ce.* L'inversion de *égze* donne *ze gu'ai = ce qu'ai. Gu'ai = j'ai* et a formé : *gai, gué, gué, guet.* Le sexe rendait *gai ;* l'ancêtre aquatique appelait alors sur le *gué* où l'on faisait le *guet.* C'est sur le gué que combattaient les chevaliers du guet. Chaque famille d'ancêtres défendait son gué et son marécage. — Puisque *ze = ce,* pour bien comprendre les mots où se trouve le son *ze,* on doit lui rendre son antique valeur *ce.* Il est toujours à *zézayer* valait : à *s'essayer.* Qui *s'essayait zézayait. A sesse eille ai, à zèze eille ai* = au sexe vois ce que j'ai. *Sesse* et *zéze* ont donc désigné le sexe. Italien : *il sesse ho* = j'ai le sexe ; *il sesso* = le sexe. *Ce esse : ce exe : sesse : sexe.*

Ce montrait le sexe : *ce ai, ai ce, esse.* On a vu que *on* valut *en,* en ce lieu. *On ce ai c'est* = c'est en ce que j'ai. *On ce esse est, on ce esse aie. On sesse est, on sesse aie. On sait c'est. On ce essaie, on s'essaie. On ce essaie* montre clairement *ce* présentant le sexe et s'unifiant avec celui qui parle dans : *on s'essaie.* Même remarque dans : *L'on ce exe à mine a,* l'on s'examine. Le pronom allemand *Sich = soi* et est formé de : *ce ich* = ce moi et montre le sexe ainsi que *soi. Ce ois* = vois ceci, le *ce* ou *sexe. Soi* vaut donc *sexe.* Or, le premier ancêtre ne parlait pas d'autre chose. C'est encore le fond de la conversation des démons.

Ainsi, les pronoms réfléchis tirent leur origine de la réflexion de l'ancêtre sur sa propre nudité. Tout ce qui aujourd'hui est langage figuré fut d'abord appliqué à des actes matériels. Il fallait que le mot fût formé avant que l'esprit l'emportât dans les régions de la pure pensée.

Qu'ist ce exe que l'eus ? Qu'ist sexe que l'eus ou l'ai ? Dans les premiers temps, les temps passés du verbe étaient des temps présents. *Je l'eus* valait : *je l'ai,* et a formé le passé défini du verbe *lire : Je l'eus, je lus ; tu l'eus, tu lus ; il l'eut, il lut ; nous l'eûmes, nous lûmes ; vous l'eûtes, vous lûtes ; ils l'eurent, ils lurent.* Les premiers qui *l'eurent* furent les *lurons* et la première chose qu'ils *lurent* fut le sexe. Le sexe est aussi la première *lyre,* il produirait *l'ire* et rendait irascible. C'est là qu'il fallut d'abord lire, dans le délire. Le sexe fut donc la première cause d'attraction et de répulsion. La question : *Qu'ist sexe que l'eus ?* fit que les ancêtres se repoussèrent et on disait : Les voilà *qui s'excluent. Y sais que, ce que l'eus, est* = je sais que ce que j'ai c'est. *Y sexe que l'eus est* = C'est là le sexe que j'ai. Les sexes semblables ne se convenaient point, ils *s'excluaient.*

. . . .

Jean-Pierre Brisset

Le cœur

Que heure ! Que heurt ! Leurre-leur l'heure. L'heure, en donnant le *heurt,* donne *l'heure.* C'est avec *l'heure* qu'on leurrait. Qui avait *l'heure* était heureux, *heure eux.* Tant que l'heure n'était pas venue, on manquait de cœur. Le cœur est aussi : *Le qu'eust re, le queue re.* Le sexe sous le nom de *cœur* heurta et donna le premier l'heure. C'est lui qui donne du *cœur* au ventre. *Le queue relevé* montrait le cœur élevé. On appelait sans cœur celui qui n'était pas sexué. Le *cœur* prit l'esprit de chose centrale, de milieu, et ainsi ce mot nomma le centre du royaume du sang ; mais, au figuré, le cœur est toujours le sexe. Lorsque l'ancêtre avait mal au cœur, il inspirait le dégoût et la répugnance, de même lorsqu'il le soulevait et l'offrait à l'adoration de ceux qui en étaient dégoûtés. Ce cœur était la clef des cœurs qui peuvent s'ouvrir. Ce qu'aujourd'hui nous appelons *cœur* ne peut s'ouvrir, se montrer ni se donner, et ne le put jamais. Cependant, l'expression paraît naturelle et ne choque pas ; mais l'esprit des sots est choqué de ce que la femme fut prise d'une *queue haute* ou côté de l'homme.

On plaçait sur son cœur, et dans son cœur, ce qu'on avait de plus précieux et alors c'était sacré. *Ce à cœur ai, ce à creux ai. Ce à creux ai cœur,* nous montre l'union des cœurs, aussi le *Sacré-Cœur* est percé de flèches. C'est une abomination identique à celle des Brames qui adoraient l'assemblage sexuel sous le nom de *lingam.* Les cœurs consacrés et toutes les médailles sont des tabous, des images du sexe. Les démons ont toujours leur cœur à la bouche, leur bon cœur ; leur cœur si tendre et pourtant plein de fermeté, leur cœur adorable et autres infamies. Ils adorent le Cœur de Jésus et insultent ainsi à celui qui seul doit être adoré : Dieu.

La Science de Dieu ou la création de l'homme.

O. Henry

1862-1910

O. Henry, *qui visita, coiffé d'un haut-de-forme, les chutes du Niagara, prétend, en les écoutant, avoir réussi à déterminer le timbre de leur voix : « Le son que rendent les chutes est à peu près soixante centimètres au-dessus du sol le plus grave du piano. » Le grand humoriste populaire traîne au long de son œuvre un passé lyrique qui évoque les yeux clairs des débuts du cinéma américain, les strophes ardentes de « L'émigrant de Landor Road » d'Apollinaire et les grands appels de Jacques Vaché à la vocation unique de toute une génération : « Je serai aussi trappeur, ou voleur, ou chercheur, ou chasseur, ou mineur, ou sondeur. Bar de l'Arizona... » C'est ainsi qu'O. Henry, pur produit de ce Texas où il fit ses études, aux confins du Mexique et du territoire indien d'Oklahoma, fut successivement cow-boy, chercheur d'or, garçon de droguerie, calqueur chez un marchand de biens avant d'être mis en prison pour faux, reconnu innocent, et de* *devenir éditeur d'un journal satirique. Son humour (« gebrochener » Humor), comme celui du premier Chaplin, est tendre et ne cherche pas à modifier la structure du monde. « Nous sommes, dit-il, tous un peu obligés d'être des prévaricateurs, des menteurs et des hypocrites, non pas seulement de temps en temps, mais tous les jours de notre vie. Si nous faisions autrement, la machine sociale tomberait en morceaux au bout d'une journée. Il est nécessaire que nous agissions ainsi à l'égard l'un de l'autre, comme il est nécessaire que nous portions des vêtements. Nous faisons pour le mieux. » Sa bienveillance, sa sympathie émue, comme celle de Thomas De Quincey, n'en vont pas moins électivement aux « coquins », aux hors-la-loi. Les grandes pistes poétiques qu'il parcourt à toute allure dans des contes comme « La voix de la ville » sont de celles que ne peut décrire qu'un admirable cavalier. « Les pas d'un homme perdu dans la neige dessinent, sans qu'il le veuille, une circonférence parfaite. » Il est gardé, d'ailleurs, de toute amertume par le sens de l'*amour émerveillé, *comme par le don qu'il possède de se pencher à volonté sur le puits d'illusion de l'enfance. Il écrit, de la campagne, à sa petite fille : « Ici, c'est l'été, les abeilles sont fleuries ; les fleurs chantent, les oiseaux font leur miel... A quand les fêtes de Pâques et les œufs de lapins ? Mais sans doute as-tu appris à l'école que les lapins ne pondent pas et que les œufs poussent bel et bien sur des arbustes. »*

Bibliographie (en français) : *Le Filou scrupuleux. Contes. Martin Burney.*

L'auto le long du square

COMME la nuit tombait, la jeune fille parut à l'entrée du square et gagna le banc désert où elle avait coutume de s'asseoir. Etant un peu en avance, elle se mit à lire, sans relever le voile épais qui tombait de son turban.

L'heure sonna à une horloge. Un jeune homme parut au bout de l'allée, fit quelques pas, et s'arrêta, gardant ses distances, comme s'il guettait une occasion.

A cet instant (comme le hasard fait bien les choses) le livre tomba. Le jeune homme fonça dessus, le ramassa et le rendit à sa propriétaire, avec cet air spécial à ceux qui fréquentent les jardins publics, où l'on démêle, à côté de beaucoup de galanterie, un vif désir de ne pas voir paraître le gardien unijambiste et pudibond. Sa mise était simple. Il risqua d'un ton dégagé une remarque sans importance essentielle sur la température (sujet pour faire connaissance, qui porte la responsabilité de tant de malheurs ici-bas), et, prenant une pose, attendit son destin.

A travers son voile, la jeune fille le dévisagea longuement, puis elle dit, d'une voix qui passait du grave à l'aigu pour revenir au grave et retourner d'où elle venait :

« Asseyez-vous, monsieur, vous me ferez plaisir. Pourquoi vous le cacher ? La nuit tombe. Il fait trop noir pour lire, et j'aimerais causer. »

Le jeune homme fit comme vous eussiez fait à sa place. Il fit même davantage : il s'assit près de la jeune fille avec un empressement dont le moins qu'on en puisse dire, c'est qu'il était dépourvu de la plus élémentaire retenue.

« Savez-vous, dit-il (et les mots avaient l'air de se bousculer sur ses lèvres comme des curieux à l'entrée d'une ménagerie), savez-vous que vous êtes la femme la plus étonnante que j'aie jamais rencontrée ? Depuis deux jours que je vous observais. Ne vous en étiez-vous pas aperçue ? N'avais-tu pas remarqué que quelqu'un était là chaque soir, caressant des yeux tes formes ravissantes ? Réponds-moi, mon petit lapin chéri.

— Qui que vous soyez, répondit la jeune fille d'un ton glacé, je vous prie instamment de prendre en considération que je suis une personne honnête. Je vous pardonne une erreur compréhensible. Il est vrai que c'est moi qui vous ai prié de vous asseoir. Mais si dans votre monde pareille invitation comporte le droit de me tutoyer en m'appelant mon petit lapin chéri, considérez-la comme nulle et non avenue.

— Je vous prie d'accepter mes excuses, répondit humblement le jeune homme. On rencontre souvent dans les squares de jeunes personnes... vous savez ce que c'est... je veux dire... je vous demande pardon...

— Quittons ce sujet pénible, monsieur. Parlez-moi plutôt, s'il vous plaît, de ces gens que je vois passer près de nous, allant et venant par ces allées. Ils m'intéressent énormément. Où vont-ils ? Pourquoi marchent-ils si vite ? Sont-ils heureux ? »

Un peu décontenancé, le jeune homme regarda son interlocutrice. Puis, partant à fond de train sur la route lyrique où on l'invitait à courir :

« Ce que vous voyez là, dit-il (et il avait l'air de penser à tout autre chose), c'est tout le roman merveilleux de la vie. Parmi ces gens, certains... rentrent chez eux et d'autres... vont ailleurs. On se demande quelle peut bien être leur histoire. On voudrait la connaître et peut-être vaut-il mieux l'ignorer...

— Je ne suis pas de votre avis, dit la jeune fille, derrière son voile. Je viens m'asseoir ici pour me rapprocher de l'humanité qui travaille. Le sort m'a fait naître dans un milieu où les battements du cœur populaire ne parviennent pas. Si je vous ai parlé, monsieur... monsieur...

— Monsieur Parkenstaker, dit le jeune homme en s'inclinant. Puis-je savoir à mon tour ?

— Non, je ne puis vous dire mon nom. Il suffirait à me trahir, comme vous reconnaîtriez mon visage, si je levais ce voile. Mon accoutrement, emprunté à ma femme de chambre, m'assure l'incognito, mais mon nom est de ceux qui évoquent pour les petites gens les merveilleux paradis de la richesse. Si je vous ai parlé, monsieur...

— ... Parkenstaker, répéta le jeune homme.

— ... c'est que je voulais, une fois dans ma vie, connaître un homme de qui la fortune et ce qu'on est convenu d'appeler la supériorité sociale n'ont pas encore corrompu le cœur. Vous ne pouvez savoir à quel point je suis lasse de tout l'inutile éclat de ma vie, lasse de l'argent, des hommes, lasse de ces marionnettes qui se croient des hommes et des femmes.

— J'avais toujours, répondit le jeune homme,

considéré l'argent comme une chose fort estimable.

— On voit bien que vous ignorez ce que c'est. Si les dollars vous coulaient entre les doigts... »

Elle fit le geste de laisser l'eau couler le long de ses bras, puis elle reprit, la bouche déçue :

« Il y a des jours où le bruit de la glace dans ma coupe de champagne me fait songer à la mort... »

M. Parkenstaker se montrait de plus en plus intéressé :

« Puis-je, dit-il, vous poser une question ? J'adore les gens du monde. Je lis avidement tout ce qu'on dit d'eux et je croyais pouvoir imaginer comment ils vivent, jusque dans les moindres détails. Ainsi, je m'étais figuré que le champagne se frappait non dans la coupe, mais dans la bouteille même... »

La jeune fille prit un air d'indulgence absolument inimitable :

« Ah ! dit-elle, vous croyez connaître les gens du monde et vous ignorez le trait le plus frappant de leur caractère. Pour nous, l'intérêt de la vie, c'est justement de faire ce qui n'a pas été fait jusqu'alors. Un prince tartare a lancé cette semaine à l'hôtel Waldorf l'idée de mettre la glace dans le vin. C'est une mode ; elle durera huit jours. L'autre semaine, dans un grand dîner de Madison Avenue, on distribuait à chaque invité des gants de chevreau vert qu'on mettait au moment de manger les olives. Ce fut la mode partout... pendant huit jours. »

Elle eut un autre sourire amer. (C'était le deuxième.) Puis elle dit, d'une voix basse et prenante, comme poursuivant un rêve intérieur :

« Si mon cœur doit aimer un jour, je voudrais que ce fût un homme de condition inférieure, qui travaillât du matin au soir, un employé, un sourire, astreint à observer des heures fixes, et non un désœuvré ! Hélas ! Je ne m'abuse point. Les exigences de ma caste auront raison de mes rêves. En ce moment déjà, un grand-duc, chef de je ne sais quelle principauté allemande, et de qui l'intempérance et la cruauté ont rendu folle la femme qu'il avait d'abord épousée, et un marquis anglais, impassible et froid, exclusivement occupé de choses d'argent, se disputent ma main. Mais qu'est-ce donc qui me pousse à me confier à vous, monsieur...

— ... Parkenstaker, répéta le jeune homme. Croyez, mademoiselle, que je suis extrêmement sensible...

— Quel métier faites-vous ? demanda l'inconnue.

— Je travaille dans un restaurant. »

Elle sursauta dans l'ombre :

« Pas comme garçon ? dit-elle (et sa voix avait l'air d'implorer). Tout travail a sa noblesse, mais servir les autres, n'est-ce pas ?...

— Je ne sers pas à table. Je suis caissier. (Il eut l'air de chercher pendant une minute.) Tenez, dans cette maison-là... »

La nuit était tombée tout à fait. Près du jardin, au milieu d'une façade obscure, une enseigne lumineuse s'allumait : « Déjeuners, dîners, prix fixe, ouvert toute la nuit. » A cette vue, la jeune fille, mue comme par un signal, fourra son livre dans son réticule et se leva précipitamment :

« Pourquoi n'êtes-vous pas au travail ? dit-elle, la voix changée.

— Je ne travaille que la nuit, dit le jeune homme. Puis-je espérer vous revoir ?

— Peut-être... Avez-vous remarqué l'auto qui stationnait à l'entrée du jardin ? Une auto blanche...

— Avec un châssis rouge ? dit le jeune homme.

— Oui. C'est ma voiture préférée. Pierre me croit dans le magasin de l'autre côté du square. Vous voyez à quelles ruses nous sommes obligées de recourir... Bonsoir, monsieur...

— Seule ? dit le jeune homme. Il fait bien noir,

le parc est plein de gens suspects. Permettez-moi...
— Si vous avez un peu d'amitié pour moi, reprit vivement l'inconnue, vous ne quitterez ce banc que dix minutes après mon départ. Je ne veux pas vous faire l'injure d'un soupçon, mais les autos portent des armes sur leurs portières... Au revoir... »
Et elle s'en fut dans l'ombre du parc.
Le jeune homme la vit sortir du jardin, se dirigeant vers l'endroit où stationnait l'auto blanche. Sans hésiter, ramassé sur lui-même, il se mit à courir de buisson en buisson dans l'allée parallèle au trottoir que suivait l'inconnue. Elle dépassa la voiture, traversa la rue, se retourna une dernière fois et disparut dans le restaurant sous l'enseigne lumineuse.
De plus en plus intrigué, le jeune homme courut vers la porte vitrée et, plongeant son regard à l'intérieur, il vit ceci :
Le restaurant était un de ces établissements médiocres où l'on peut manger à bon compte dans un décor dont le faux luxe ne peut faire illusion qu'aux personnes qui n'ont pas le goût difficile. La jeune femme gagna le fond de la salle et reparut presque aussitôt débarrassée de son turban et de son voile. Une femme rousse qui trônait sur un tabouret dans une cage vitrée lui céda sa place. Deux clients entrèrent, deux habitués, et l'inconnue les salua d'un sourire.
Le jeune homme alors regagna le trottoir en bordure du parc, alluma un cigare, fit quelques pas, l'air préoccupé, comme ne sachant que faire. Enfin, prenant un parti, il s'approcha de l'auto blanche, monta dedans, se renversa sur les coussins, et, tirant à lui la portière armoriée, jeta à son chauffeur :
« Au cercle, Henri ! »

Le Filou scrupuleux.

André Gide

1869-1951

L'HUMOUR *noir est le véritable compte à régler entre les deux générations d'hommes qui ont pu, à quelque titre, se réclamer de l'œuvre de M. André Gide. Bon gré, mal gré, il faut reconnaître que la publication des* Caves du Vatican, *à la veille de la guerre, marque entre ces deux générations l'apogée du malentendu. L'ouvrage, dès sa publication dans la* Nouvelle Revue Française, *provoque deux mouvements d'opinion violemment contradictoires : alors que, décontenancés, la plupart des anciens admirateurs et amis de l'auteur s'empressent d'affirmer qu'il se fourvoie (on l'accuse de s'être laissé aller au « roman-feuilleton », d'avoir sacrifié à la parodie on ne sait au juste de quoi, mais bien à la parodie, on lui en veut d'avoir, pour la première fois, manqué de sérieux), les jeunes gens s'exaltent à vrai dire moins pour l'intrigue du livre, dans sa légèreté fort supportable d'ailleurs, et pour le style, non débarrassé de tout esthétisme, que pour la création centrale du personnage de Lafcadio. Ce personnage, totalement inintelligible aux premiers, apparaît aux seconds plein de sens, voué à une descendance extraordinaire ; il représente pour eux une tentation et une justification de premier ordre. Dans les années de débâcle intellectuelle et morale qui furent celles de la guerre 14-18, ce personnage n'a cessé de grandir, il a incarné le non-conformisme sous toutes ses formes, avec un sourire que les « tapirs » s'accordèrent à trouver fort séduisant, bien qu'il fût imperceptiblement oblique et cruel. De lui part une sorte d' « objection d'inconscience » beaucoup plus grave que l'autre et qui est loin d'avoir dit son dernier mot. Les idées de famille, de patrie, de religion et même de société sortent on ne peut moins vaillantes de l'assaut que leur livrent chez un adolescent l'ennui le moins résigné, le désœuvrement le plus mobile. « L'œuvre d'art n'est pour moi qu'un pis-aller, déclarera en 1919 à M. Gide un jeune Allemand qui est venu le voir, je préfère la vie... tenez (et, note l'auteur des* Nourritures terrestres, *il étend le bras dans un geste admirable), de seulement étendre mon bras, j'éprouve plus de joie qu'à écrire le plus beau livre du monde. L'action, c'est cela que je veux ; oui, l'action la plus intense... intense... jusqu'au meurtre... » Il est aisé de voir dans cette attitude et dans celle de Lafcadio l'aboutissant logique, actif, moderne, de la conception du dandysme. Sur le « front », Jacques Vaché, par divers côtés très hostile à Gide, rêve d'installer son chevalet entre les lignes françaises et les lignes allemandes pour faire le portrait de Lafcadio. Quelques années plus tôt, Arthur Cravan, neveu d'Oscar Wilde et Lafcadio* partiel *avant la lettre, avait d'ailleurs on ne peut plus sévèrement, on ne peut plus plaisamment, fait mesurer la distance qui sépare M. André Gide de son héros. Mais le prin-*

cipe de réalité n'en a pas moins à plusieurs reprises été mis en vacance par M. Gide, et, puisque aussi bien — humour à part — il est de tous les auteurs contemporains celui qui s'attache le plus à durer, *nous sommes quelques-uns à croire que c'est là la partie la moins périssable de son œuvre.*

Bibliographie : *Paludes,* 1895. — *Le Prométhée mal enchaîné,* 1899. — *Les Caves du Vatican,* 1914, etc.

Discours de Prométhée

1

DANS la salle des Nouvelles Lunes, à huit heures précises, la foule entra.

Coclès s'assit au centre gauche ; Damoclès au centre droit ; le reste du public au milieu.

Un tonnerre d'applaudissements salua l'entrée de Prométhée ; il gravit les degrés de l'estrade, posa son aigle à côté de lui, se ressaisit. Dans la salle un frémissant silence...

La pétition de principes

— Messieurs, commença Prométhée, n'ayant point la prétention, hélas ! de vous intéresser par ce que je vais dire, j'ai eu soin d'amener cet aigle avec moi. Après chaque passage ennuyeux de mon discours, il voudra bien nous faire quelques tours.

J'ai aussi sur moi des photographies obscènes et des fusées volantes ; aux moments les plus graves de mon discours j'aurai soin de distraire avec elles le public. J'ose donc espérer, Messieurs, quelque attention.

A chaque nouveau tour du discours, j'aurai l'honneur, Messieurs, de vous faire assister à un repas de l'aigle, — car, Messieurs, mon discours a trois points ; je n'ai pas cru devoir repousser cette forme qui plaît à mon esprit classique. — Et ceci pouvant servir d'exorde, je dirai maintenant, d'avance et sans fard, les deux premiers points du discours :

Premier point : Il faut avoir un aigle.

Deuxième point : D'ailleurs, nous en avons tous un.

Craignant que vous ne m'accusiez de parti pris, Messieurs ; craignant aussi de nuire à la liberté de ma pensée, je n'ai préparé mon discours que jusque-là ; le troisième point découlera naturellement des deux autres ; j'y laisse à la passion tout son jeu. — En guise de conclusion, l'aigle, Messieurs, fera la quête.

— Bravo ! Bravo ! s'écria Coclès.

Prométhée but une gorgée d'eau. L'aigle fit, en pirouettant, trois fois le tour de Prométhée, puis salua. Prométhée regarda dans la salle, sourit à Damoclès, à Coclès, et comme aucun signe d'ennui ne se montrait encore, il remit à plus tard les fusées et reprit :

2

— Quelque habileté rhétorique que j'y mette, je ne saurai, Messieurs, devant vos esprits clairvoyants, escamoter la fatale pétition de principes qui m'attend au début de mon discours.

Messieurs, nous aurons beau faire chacun, nous

n'échapperons pas à la pétition de principes. Or, qu'est-ce qu'une pétition de principes ? Messieurs, j'ose le dire : toute pétition de principes est une affirmation de tempérament ; car, où les principes manquent, là s'affirme le tempérament.

Quand je déclare : il faut avoir un aigle, vous pourrez tous vous écrier : pourquoi ?

— Or, que voulez-vous que je réponde qui ne puisse se ramener à cette formule où s'affirme mon tempérament : Je n'aime pas les hommes ; j'aime ce qui les dévore.

Le tempérament, Messieurs, est ce qui se doit affirmer. Nouvelle pétition de principes, direz-vous. Mais je viens de démontrer que toute pétition de principes est une affirmation de tempérament ; et comme je dis qu'il faut affirmer son tempérament (car il importe), je répète : je n'aime pas l'homme, j'aime ce qui le dévore. — Or qui dévore l'homme ? — Son aigle. Donc, Messieurs, il faut avoir son aigle. Je pense que voilà qui est suffisamment démontré.

Prométhée but une gorgée d'eau. L'aigle fit en pirouettant trois fois le tour de Prométhée, puis salua. Prométhée reprit :

Suite du discours de Prométhée

— Messieurs, je n'ai pas toujours connu mon aigle. C'est là ce qui me fait induire, par un raisonnement qui porte un nom particulier dont je ne me souviens plus, dans la logique, que je n'étudie d'ailleurs que depuis huit jours, — ce qui me fait induire, disais-je, bien que le seul aigle présent soit le mien, que, Messieurs, un aigle, vous en avez tous un.

J'ai tu jusqu'à présent mon histoire ; d'ailleurs jusqu'à présent je ne la comprenais pas bien. Et si je me décide à vous en parler maintenant, c'est que, grâce à mon aigle, elle m'apparaît maintenant merveilleuse.

3

— Messieurs, je vous l'ai dit, je n'ai pas toujours vu mon aigle. Avant lui, j'étais inconscient et beau, heureux et nu sans le savoir. Jours charmants ! Sur les flancs ruisselants du Caucase, heureuse et nue aussi, la lascive Asia m'embrassait. Ensemble nous roulions dans les vallées ; nous sentions l'air chanter, l'eau rire, les plus simples fleurs embaumer. Souvent nous nous couchions sous les larges ramures, parmi des fleurs où les essaims murmurants se frôlaient. Asia m'épousait, pleine de rires ; puis doucement les bruissements d'essaims, de feuillages où celui des ruisseaux nombreux se fondaient, nous invitaient au plus doux des sommeils. Autour de nous tout permettait, tout protégeait notre inhumaine solitude, — soudain un jour, Asia me dit : Tu devrais t'occuper des hommes.

Il me fallut d'abord les chercher.

Je voulus bien m'occuper d'eux ; mais c'était en avoir pitié.

Ils étaient peu éclairés ; j'inventai pour eux quelques feux, et dès lors commença mon aigle. C'est depuis ce jour que je m'aperçois que je suis nu.

A ces mots des applaudissements partirent de divers points de la salle. Brusquement Prométhée éclata en sanglots. L'aigle battit des ailes, roucoula. D'un geste atroce Prométhée ouvrit son gilet et tendit son foie douloureux à l'oiseau. Les applaudissements redoublèrent. Puis l'aigle fit en pirouettant trois fois le tour de Prométhée ; celui-ci but une gorgée d'eau, se reprit et continua son discours en ces termes :

4

— Messieurs, ma modestie l'emportait : excusez-moi ; c'est la première fois que je parle en public. Mais à présent l'emporte ma franchise ; Messieurs, je me suis occupé des hommes beaucoup plus que je ne le disais. Messieurs, j'ai beaucoup fait pour les hommes ; Messieurs, j'ai passionnément, éperdument, et déplorablement aimé les hommes. — Et j'ai tant fait pour eux qu'autant dire que je les ai faits eux-mêmes ; car auparavant qu'étaient-ils ? — Ils étaient, mais n'avaient pas conscience d'être. — Comme un feu pour les éclairer, cette conscience, Messieurs, de tout mon amour pour eux je la fis. — La première conscience qu'ils eurent, ce fut celle de leur beauté. C'est ce qui permit la propagation de l'espèce. L'homme se prolongea dans sa postérité. La beauté des premiers se redit, égale, indifférente, et sans histoire. Cela aurait pu durer longtemps. — Soucieux alors, portant déjà en moi sans le savoir l'œuf de mon aigle, je voulus plus ou mieux. Cette propagation, cette prolongation morcelée me parut indiquer chez eux une attente — tandis qu'en vérité mon aigle seul attendait. Moi je ne savais pas, cette attente je la croyais en l'homme ; cette attente je la plaçais dans l'homme. D'ailleurs, ayant fait l'homme à mon image, je comprends à présent qu'en chaque homme quelque chose d'inéclos attendait ; en chacun d'eux était l'œuf d'aigle... Et puis je ne sais pas ; je ne peux expliquer cela. — Ce que je sais, c'est que, non satisfait de leur donner la conscience de leur être, je voulus leur donner aussi raison d'être. Je leur donnai le feu, la flamme et tous les arts dont une flamme est l'aliment. Echauffant leurs esprits, en eux je fis éclore la dévorante croyance au progrès. Et je me réjouissais étrangement que la santé de l'homme s'usât à la produire. — Non plus croyance au bien, mais malade espérance du mieux. La croyance au progrès, Messieurs, c'était leur aigle. Notre aigle est notre raison d'être, Messieurs.

Le bonheur de l'homme décrut, décrut, et ce me fut égal ; l'aigle était né, Messieurs ! Je n'aimais plus les hommes, c'était ce qui vivait d'eux que j'aimais. C'en était fait pour moi d'une humanité sans histoire... l'histoire de l'homme, c'est l'histoire des aigles, Messieurs.

Le Prométhée mal enchaîné.

John Millington Synge

1871-1909

Le *singulier pouvoir de domination sur soi-même et sur les autres que confère l'humour, si l'on voulait l'enfermer dans un talisman, il semble que celui-ci devrait contenir un peu de terre d'Irlande, et c'est un sachet de cette terre en ce qu'elle a de plus frais et de plus parfumé qu'offre avant tout l'œuvre dramatique et poétique de John Millington Synge. Au sommet de cette œuvre,* Le Baladin du Monde occidental *non seulement apparaît comme à George Moore « la pièce la plus significative de ces deux cents dernières années », mais encore a le don de lever sur le théâtre de l'avenir, tel qu'il* doit *être, l'épaisseur de milliers de rideaux. C'en est fait avec elle des formules surannées sur lesquelles tente vainement de se recréer à notre époque le moyen d'expression qu'un Eschyle, un Shakespeare ou un Ford ont élevé au-dessus de tous les autres mais qui aujourd'hui a derrière lui des siècles d'avilissement. Il s'agit, comme l'a observé M. Antonin Artaud, de « retrouver le secret d'une poésie objective à base d'humour à laquelle a renoncé le théâtre, qu'il a abandonné au Music-Hall et dont le Cinéma ensuite a tiré parti.* » Ce secret repose tout entier entre les mains de Synge, et Guillaume Apollinaire l'a pressenti, lui qui note au lendemain de la représentation du Baladin à Paris : « De ce réalisme d'une perfection sans cesse inattendue se dégage une poésie si forte et d'une si rare qualité que je ne m'étonne pas si elle a choqué. » La pièce avait été accueillie à Dublin par des huées, à New York ses représentations tournaient à l'émeute. « A Paris, ajoute Apollinaire, ce fut de l'indifférence, sauf de la part des poètes qui furent vivement frappés par ce tragique si nouveau ; c'est que les poètes ont toujours plus ou moins tenté de tuer leur père ; mais c'est une chose bien difficile, témoin le Playboy, et voyant la salle le jour de la générale, je me disais : « Trop de pères, pas assez de fils. » Cette interprétation du sens de la pièce, si heureuse soit-elle, ne saurait en exclure plusieurs autres et le propre d'une telle « comédie » est d'en avoir fait naître à la fois de si nombreuses et de si disparates. Pour les puritains de New York qui volontairement ou non s'aveuglèrent sur son contenu manifeste, elle tombait « à un quadruple titre » sous le coup de la loi proscrivant la représentation de toute œuvre « lascive, sacrilège, obscène ou indécente ». Pour un critique irlandais, note encore M. Maurice Bourgeois, auteur de l'admirable traduction française, il ne fallait y voir qu'une dramatisation de la plaisanterie de Baudelaire entrant dans un restaurant parisien en criant bien haut : « Après avoir assassiné mon pauvre père... » au grand ahurissement des assistants. Pour les traducteurs allemands, elle symbolisait la lutte de la « jeune Irlande » contre la « vieille Irlande ». Pour d'autres encore, rien moins que la lutte de la matière contre l'esprit. Est-il besoin de souligner que, pour *avoir été omise jusqu'à ce jour, une explication des plus satisfaisantes des données immédiates de la pièce trouverait à s'ordonner purement et simplement autour du « complexe d'Œdipe » ? L'important est que l'exploration du « contenu latent » entraîne ici devant une rosace de significations tendant à valoir sur plusieurs plans en même temps qu'à valoir pour tous, comme si, avec* Le Baladin, *l'on avait affaire à un précipité du rêve universel.*

Synge qui, avant de se retirer en Irlande et d'y aborder le théâtre, a voyagé en Allemagne et en Italie et longtemps résidé en France, s'est fait une représentation très vive de l'écueil qui menaçait en littérature et en art chacune des deux tendances antagonistes de son temps : « La littérature moderne des villes n'offre de richesse que dans un ou deux livres très travaillés qui sont bien loin des profonds et communs intérêts de la vie. On a, d'un côté, Mallarmé et Huysmans produisant cette littérature, et, de l'autre, Ibsen et Zola, traitant des réalités de la vie en termes désenchantés et incolores. » La résolution de cette contradiction, il l'a trouvée dans le langage à la fois ultra-concret et éperdument incantatoire du peuple irlandais, réduit géographiquement et économiquement à son génie propre, et dans l'imagination flamboyante avec laquelle ce peuple — bergers, pêcheurs, servantes de cabarets, rétameurs nomades — tend à s'affranchir de « l'oppression des collines ». L'extraordinaire lumière de l'œuvre de Synge tient à ce que, ce magnifique arbre primitif, il a su le dénuder pour nous jusqu'à la sève.

Bibliographie : *L'Ombre de la ravine,* 1903. — *A cheval vers la mer,* 1904. — *La Noce du rétameur,* 1904. — *La Fontaine aux Saints,* 1905. — *Le Baladin du Monde occidental,* 1907. — *Les îles d'Aran,* 1907. — *Deirdre aux Douleurs,* 1909.

Le baladin du monde occidental

Acte deuxième

. . . .

SARAH. Je vous demande pardon : c'est-il vous l'homme qui a tué son père ?

CHRISTY, *avançant de côté vers le clou auquel le miroir était accroché.* C'est moi, Dieu m'aide !

SARAH, *prenant des œufs qu'elle a apportés.* Alors, je vous souhaite mille fois la bienvenue, et je suis accourue avec une couple d'œufs de cane pour votre repas d'aujourd'hui. Les canes de Pegeen ne valent rien, mais ces œufs-ci sont de la vraie, de la riche espèce. Tendez la main et vous verrez que ce n'est pas des menteries que je vous raconte.

CHRISTY, *s'avançant avec réserve et tendant la main gauche.* Ils sont d'une belle taille et bien lourds.

SUZANNE. Et moi j'accours avec un morceau de beurre, parce que ce serait malheureux de vous laisser manger vos patates toutes sèches, après la longue course que vous avez faite depuis que vous avez démoli votre pé.

CHRISTY. Merci aussi.

HONOR. Et moi je vous ai apporté une petite tranche de gâteau, parce que vous devez avoir l'estomac dans les talons, après tout ce chemin-là à marcher par le monde.

NELLY. Et moi, je vous ai apporté une petite poulette pondeuse — cuite à l'eau et tout — qui a été écrasée à la nuit tombante par le cabriolet du vicaire. Tâtez-moi le gras de cet estomac, m'sieu.

CHRISTY. Il va éclater pour sûr.

Il le tâte du revers de la main dans laquelle il tient les présents.

SARAH. Mais pincez-le donc ! Votre main droite est-elle trop sacrée pour oser vous en servir ? *Elle se glisse derrière lui.* C'est un miroir qu'il a. Tiens, je n'avais encore jamais vu d'hommes avec un miroir tourné du côté de son dos. Les ceusses qui tuent leur père, c'est une bande de freluquets, pour sûr.

Les filles rient sous cape.

CHRISTY, *souriant innocemment et mettant les présents en tas sur le miroir.* Je vous sais bien gré à toutes aujourd'hui.

LA VEUVE QUIN, *entrant en coup de vent, sur le pas de la porte.* Sarah Tansey, Suzanne Brady, Honor Blake ! Que diable faites-vous ici à cette heure du jour ?

LES FILLES, *riant sous cape.* Voilà l'homme qui a tué son père.

LA VEUVE QUIN, *venant vers elles.* Je sais bien que c'est lui ; et je viens justement de le faire inscrire aux jeux, là-bas, pour qu'il coure, saute, lance le palet et Dieu sait quoi encore.

SARAH, *avec exubérance.* A la bonne heure, veuve Quin. Je parierais ma dot qu'il rossera le monde entier.

LA VEUVE QUIN. Alors vous devriez le tenir frais et bien nourri au lieu d'être là à mijoter un festin. *(Prenant les cadeaux.)* Avez-vous le ventre plein ou à jeun, jeune homme ?

CHRISTY. A jeun, ne vous déplaise.

LA VEUVE QUIN, *élevant la voix.* Eh bien, quelle bande vous faites ! Allons, remuez-vous et donnez-lui son déjeuner. (*A Christy.*) Venez ici près de moi (*elle l'assied sur le banc à côté d'elle, tandis que les filles font du thé et préparent le déjeuner de Christy),* et racontez-nous votre histoire avant que Pegeen n'arrive, au lieu de faire des grimaces à vous écarquiller les oreilles comme la lune au mois de mai.

CHRISTY, *déjà tout heureux.* C'est une longue histoire ; ça vous assommerait de m'écouter.

LA VEUVE QUIN. Ne faites donc pas le timide, un beau gars astucieux et traître comme vous. C'était-il dans votre maison tout là-bas que vous lui avez brisé le crâne ?

CHRISTY, *circonspect, mais flatté.* Non. Nous étions en train de défaire des patates dans son bout de champ du diable, froid, en pente et pierreux.

LA VEUVE QUIN. Et vous êtes allé lui demander de l'argent ou lui parler de prendre une femme qui le chasserait de sa ferme ?

CHRISTY. Non, pas à ce moment-là. J'étais à bêcher, à bêcher, quand il me dit comme ça : « Espèce d'idiot qui louche, descends un peu dire au curé que tu épouseras la Veuve Casey dans une vingtaine de jours. »

LA VEUVE QUIN. Et quel genre de femme était-ce ?

CHRISTY, *avec horreur.* Un épouvantail ambulant

venu de l'autre côté des collines, quarante-cinq ans, pesant deux quintaux cinq livres sur la bascule, avec une jambe qui boite, un œil qui ne voit pas, et puis une femme d'une mauvaise conduite notoire avec vieux et jeunes.

LES FILLES, *faisant cercle autour de lui et le servant.* Dieu de Dieu !

LA VEUVE QUIN. Et qu'est-ce qu'il avait besoin de vous forcer à l'épouser ?

Elle prend un petit morceau de poulet.

CHRISTY, *mangeant, de plus en plus content.* Il prétendait que j'avais besoin d'être protégé contre la méchanceté du monde, mais tout ce temps-là il ne pensait qu'à la façon dont il vivrait dans sa baraque à elle et dépenserait son or à boire.

LA VEUVE QUIN. On peut peut-être plus mal trouver qu'un foyer bien sec, une femme veuve et un verre à boire le soir. Et alors vous lui avez cogné dessus ?

CHRISTY, *s'échauffant presque.* Non, « je ne l'épouserai pas », que je lui dis, « quand tout le monde sait qu'elle m'a donné à téter pendant six semaines quand je suis venu au monde, elle qui est aujourd'hui une vieille sorcière avec une langue qui a mis en fuite les corneilles et les oiseaux de mer, à tel point qu'épouvantés par sa malédiction, ils ne voudraient plus venir projeter leur ombre au-dessus de son jardin. »

LA VEUVE QUIN, *taquine.* Cette femme-là doit être de bonne compagnie.

SARAH, *avide de curiosité.* Ne faites pas attention à ce qu'elle dit. Et alors, vous l'avez tué ?

CHRISTY. « Elle est trop comme il faut pour un gars comme toi », qu'il me dit, « aussi va-t'en, ou je vas t'aplatir comme un reptile qui a passé sous un camion. » « Tu ne feras pas ça si je peux t'en empêcher », que je lui dis. « Va-t'en », qu'il me dit,

« ou je ferai faire ce soir au diable des jarretières avec tes membres ». « Tu ne feras pas ça si je peux t'en empêcher », que je lui dis.

Il se redresse en brandissant son pot à lait.

SARAH. Vous aviez raison assurément.

CHRISTY, *cherchant à faire impression.* Là-dessus le soleil sortit entre le nuage et la colline et m'éclaira le visage d'une lumière verte. « Dieu ait pitié de ton âme », qu'il me dit, dressant sa faux. « Ou de la tienne », que je lui dis, levant ma bêche.

SUZANNE. C'est une histoire magnifique.

HONOR. Et ce qu'il la raconte bien !

CHRISTY, *flatté et confiant, agitant un os de poulet.* Il fondit sur moi avec sa faux, mais je fis un bond en avant. Puis je fis une pirouette en tournant le dos à gauche, et je lui assenai un coup sur le sommet du crâne qui l'étendit tout de son long et le fendit en deux jusqu'à la bosse du gosier.

Il applique l'os de poulet contre sa pomme d'Adam.

LES FILLES, *ensemble.* Eh bien, vous êtes un prodige ! Oh, Dieu vous bénisse ! Sûr que vous êtes un gars comme pas un !

.. ..

Traduction de Maurice Bourgeois.

Alfred Jarry

1873-1907

COMME *il a dit lui-même : « Redon — celui qui mystère » ou « Lautrec — celui qui affiche », il faudrait dire : Jarry, celui qui revolver. « C'est, écrit-il l'année de sa mort à Mme Rachilde, une grande joie de... propriétaire de pouvoir tirer au revolver dans sa chambre à coucher. » Un soir qu'accompagné de Guillaume Apollinaire il assiste à une représentation du cirque Bostock, il terrorise ses voisins qu'il prétend convaincre de ses exploits de dompteur tout en agitant son revolver. « Jarry, dit Apollinaire, ne me cacha pas la satisfaction qu'il avait éprouvée à épouvanter les philistins, et c'est revolver au poing qu'il monta sur l'impériale de l'omnibus qui devait le ramener à Saint-Germain-des-Prés. Là-haut, pour me dire adieu, il agitait encore son bull-dog. » Une autre fois, dans un jardin, il s'amuse à déboucher le champagne à coup de revolver. Des balles s'égarent par-delà la clôture, entraînant l'irruption d'une dame dont les enfants jouaient dans le jardin voisin. « S'il les atteignait, pensez donc ! — Eh ! dit Jarry, qu'à cela ne tienne, Madame, nous vous en ferons d'autres. » A dîner un autre jour, il tire sur le sculpteur Manolo, coupable, affirme-t-il, de lui avoir fait des propositions malhonnêtes et, s'adressant aux amis qui l'entraînent : « N'est-ce pas que c'était beau comme littérature ?... Mais j'ai oublié de payer les consommations. » C'est flanqué de deux revolvers et muni par surcroît d'une forte canne plombée que, coiffé de fourrure et chaussé de pantoufles, à la fin de sa vie, il se rendra tous les soirs chez le docteur Saltas (le même qui, la veille de sa mort, s'étant enquis de ce qui pouvait lui faire le plus grand plaisir, se vit demander par lui un cure-dents).*

Cette alliance inséparable de Jarry et du revolver, tout comme d'André Marcueil, le héros de son « Surmâle » et de la « Machine à inspirer l'amour », peut être donnée pour la clé finale de sa pensée. Le revolver est ici le trait d'union paradoxal entre le monde extérieur et le monde intérieur. Dans la petite boîte parallélogrammatique qui se nomme son chargeur dorment une infinité de solutions toutes prêtes, de conciliations : « De la dispute du signe Plus et du signe Moins, le R. P. Ubu, de la Compagnie de Jésus, ancien roi de Pologne, fera bientôt un grand livre intitulé César Antéchrist *où se trouve la seule démonstration pratique, par l'engin mécanique dit bâton à physique, de l'identité des contraires ». La littérature, à partir de Jarry, se déplace dangereusement, en terrain miné. L'auteur s'impose en marge de l'œuvre ; l'accessoiriste, désolant à souhait, passe et repasse sans cesse devant l'objectif en fumant un cigare ; il est impossible de chasser de la maison terminée cet ouvrier qui s'est mis en tête de planter sur elle le drapeau noir. Nous disons qu'à partir de Jarry, bien plus que de Wilde, la différenciation tenue long-*

*temps pour nécessaire entre l'art et la vie va se trouver contestée, pour finir anéantie dans son principe. Au-delà de la première représentation d'*Ubu Roi, *nous dit-on, Jarry entreprend de s'identifier coûte que coûte à sa création, mais au fait, quelle création ? Etant admis que l'humour représente une revanche du principe du plaisir attaché au* surmoi *sur le principe de* réalité *attaché au* moi, *lorsque ce dernier est mis en trop mauvaise posture, on n'aura aucune peine à découvrir dans le personnage d'Ubu l'incarnation magistrale du* soi *nietzschéen-freudien qui désigne l'ensemble des puissances inconnues, inconscientes, refoulées dont le moi n'est que l'émanation permise, toute subordonnée à la prudence : « Le* moi, *dit Freud, ne recouvre le soi que par sa surface formée par le système P (= perception, par opposition à C = conscience) à peu près comme le disque germinal recouvre l'œuf. » En l'occurrence, l'œuf, c'est bien M. Ubu, triomphe de l'instinct et de l'impulsion instinctive, comme il le proclame lui-même : « Semblable à un œuf, une citrouille ou un fulgurant météore, je roule sur cette terre où je ferai ce qu'il me plaira. D'où naissent ces trois animaux (les palotins) aux oreilles imperturbablement dirigées vers le Nord et leurs nez vierges semblables à des trompes qui n'ont pas encore sonné. » Le* soi *s'arroge, sous le nom d'Ubu, le droit de corriger, de châtier qui n'appartient de fait qu'au* surmoi, *dernière instance psychique. Le* soi, *promu à la suprême puissance, procède immédiatement à la liquidation de tous les sentiments nobles (« Allez, passez les Nobles dans la trappe ! »), du sentiment de culpabilité (« A la trappe les magistrats ! ») et du sentiment de dépendance sociale (« Dans la trappe les financiers ! »). L'agressivité du* surmoi *hypermoral envers le* moi *passe ainsi au* soi *totalement amoral et donne toute licence à ses tendances destructives. L'humour, comme* *processus permettant d'écarter la réalité en ce qu'elle a de trop affligeant, ne s'exerce plus guère ici qu'aux dépens d'autrui. On n'est pas moins, sans contredit, à la source même de cet humour, ainsi qu'en témoigne son jaillissement continuel.*

Telle est, selon nous, la signification profonde du caractère d'Ubu, telle est en même temps la raison pour laquelle il excède toute interprétation symbolique particulière. Comme a pris soin de le déclarer Jarry, « ce n'est pas exactement Monsieur Thiers, ni le bourgeois, ni le mufle. Ce sera plutôt l'anarchiste parfait avec ceci qui empêche que nous devenions l'anarchiste parfait que c'est un homme, d'où couardise, saleté, etc. » Mais le propre même de cette création est de se soumettre les formes les plus variées de l'activité humaine, à commencer par les formes collectives. Partant de là, le même *Ubu sera prêt à renoncer à l'avantage personnel qui constituait dans* Ubu roi *son unique mobile pour rentrer dans la masse humaine dont il tendra à personnifier les émotions d'autant plus contagieuses qu'elles sont plus grossières. A la volonté de domination à toute épreuve d'*Ubu roi, Ubu enchaîné *donne pour pendant une volonté de servilité à toute épreuve. Le* surmoi *ne s'est dégagé de l'aventure que pour reparaître sous un aspect stéréotypé, consternant,* dont vont participer au même degré le fasciste et le stalinien. *On reconnaîtra que les événements de ces vingt dernières années confèrent au second Ubu une valeur prophétique inappréciable, qu'on évoque la manœuvre des « hommes libres » au champ de Mars prolongée jusqu'à nous par tous les écrans du monde d'un plus que jamais enthousiaste et unanime « Vive l'armerdre » ou l'atmosphère des « procès de Moscou » : « Père Ubu (à son défenseur). — Monsieur, pardon ! Taisez-vous ! Vous dites des menteries et empêchez que l'on écoute le récit de nos exploits. Oui, Messieurs, tâchez d'ouvrir* *vos oneilles et de ne point faire de tapage... nous avons massacré une infinité de personnes... nous ne rêvons que de saigner, écorcher, assassiner ; nous décervelons tous les dimanches publiquement, sur un tertre, dans la banlieue, avec des chevaux de bois et des marchands de coco autour... ces vieilles affaires sont classées, parce que nous avons beaucoup d'ordre... c'est pourquoi nous ordonnons à Messieurs nos juges de nous condamner à la plus grande peine qu'ils soient capables d'imaginer, afin qu'elle nous soit proportionnée ; non point à mort cependant... Nous nous verrions volontiers forçat, avec un beau bonnet vert, repu aux frais de l'Etat et occupant nos loisirs à de menus travaux.* »

Bibliographie : *Les Minutes de sable mémorial,* 1894. — *César Antéchrist,* 1895. — *Ubu roi,* 1896. — *Les jours et les nuits,* 1897. — *L'Amour en visite,* 1898. — *L'Amour absolu,* 1899. — *Ubu enchaîné,* 1900. — *Messaline,* 1901. — *Almanachs du Père Ubu,* 1899 et 1901. — *Le Surmâle,* 1902. — *Le Moutardier du Pape,* 1907. — *La Papesse Jeanne,* 1908. — *Gestes et Opinions du Docteur Faustroll, pataphysicien,* suivi de *Spéculations,* 1911. — *La Dragonne,* 1943. — *Œuvres poétiques complètes,* 1945. — *L'autre Alceste,* 1947, etc.

Epilogue

DANS la forêt triangulaire, après le crépuscule.

Le chœur

Sa voix, d'abord morte presque encore et qui murmure, de plus en plus tonne éclatante.

Les hauts chapeaux des noirs Yankees
Confèrent au ciel oublié
Les trois piliers du sablier.
La sieste des longs fémurs croise
Ses blanches X philosophales.
La pointe de nos barbes s'effiloque en la rafale.

Que la boule de nos cagoules,
Rose reflet au sang qui coule
Cherche le mort, momie en l'or du crépuscule ;

Et les sabliers retournés
Sable en haut donnent au damné
La nuit entière avant les Juifs errants par la nuit nulle.

Rempli le sablier d'albâtre,
Le cœur qui pleure ne peut battre.
Comme lui sous les ifs nos pieds d'ibis sur les marais.

Pleuvra la future lumière
Aux plombs des vitraux des forêts
Sur notre tâche de nécrophores coutumière.

Sur la plainte des mandragores
Et la pitié des passiflores
Le lombric blanc des enterrements sort de ses tanières.

Le chœur, qu'on n'a jamais vu, *blanchit le fond de son aube soufrée à ogives. Paraissant :*

Le lombric blanc des enterrements sort de ses tanières.

Les Minutes de sable mémorial.

La chanson du décervelage

JE fus pendant longtemps ouvrier ébéniste,
Dans la ru' du Champ d' Mars, d' la paroiss' de Toussaints.
Mon épouse exerçait la profession d' modiste,
Et nous n'avions jamais manqué de rien. —
Quand l' dimanch' s'annonçait sans nuage,
Nous exhibions nos beaux accoutrements
Et nous allions voir le décervelage
Ru' d' l'Echaudé, passer un bon moment.

Voyez, voyez la machine tourner,
Voyez, voyez la cervell' sauter,
Voyez, voyez les Rentiers trembler ;

Chœur

Hourra, cornes-au-cul, vive le Père Ubu !

Nos deux marmots chéris, barbouillés d' confitures,
Brandissant avec joi' des poupins en papier,
Avec nous s'installaient sur le haut d' la voiture
Et nous roulions gaiement vers l'Echaudé. —
On s' précipite en foule à la barrière,
On s' fich' des coups pour être au premier rang ;
Moi je m' mettais toujours sur un tas d' pierres
Pour pas salir mes godillots dans l' sang.

Refrain

Bientôt ma femme et moi nous somm's tout blancs d' cervelle,
Les marmots en boulott'nt et tous nous trépignons
En voyant l' Palotin qui brandit sa lumelle,
Et les blessur's et les numéros d' plomb. —
Soudain j' perçois dans l' coin près d' la machine,
La gueul' d'un bonz' qui n' m' revient qu'à moitié.
Mon vieux, que j' dis, je r'connais ta bobine,
Tu m'as volé, c'est pas moi qui t' plaindrai.

Refrain

Soudain j' me sens tirer la manch' par mon épouse :
Espèc' d'andouill', qu'ell' m' dit, v'là l' moment d' te montrer :
Flanque-lui par la gueule un bon gros paquet d' bouse,
V'là l' Palotin qu' a just' le dos tourné.
En entendant ce raisonn'ment superbe,

J'attrap' sus l' coup mon courage à deux mains :
J' flanque au Rentier un' gigantesque merdre
Qui s'aplatit sur l' nez du Palotin.

Refrain

Aussitôt j'suis lancé par-dessus la barrière,
Par la foule en fureur je me vois bousculé
Et j' suis précipité la tête la première
Dans l' grand trou noir d'ous qu'on n' revient jamais. —
Voilà c' que c'est qu' d'aller s' promener l'dimanche
Ru' d' l'Echaudé pour voir décerveler,
Marcher l' Pinc'-Porc ou bien l' Démanch'-Comanche,
On part vivant et l'on revient tudé.

Refrain

Ubu Roi.

Ubu enchaîné

Acte premier. Scène II.

Le Champ de Mars

LES TROIS HOMMES LIBRES, LE CAPORAL. Nous sommes les hommes libres, et voici le caporal. — Vive la liberté, la liberté, la liberté ! Nous sommes libres. — N'oublions pas que notre devoir, c'est d'être libres. Allons moins vite, nous arriverions à l'heure. La liberté, c'est de n'arriver jamais à l'heure — jamais, jamais ! pour nos exercices de liberté. Désobéissons avec ensemble... Non ! pas ensemble : une, deux, trois ! le premier à un, le deuxième à deux, le troisième à trois. Voilà toute la différence. Inventons chacun un temps différent, quoique ce soit bien fatigant. Désobéissons individuellement — au caporal des hommes libres !

LE CAPORAL. Rassemblement !

Ils se dispersent.

Vous, l'homme libre numéro trois, vous me ferez deux jours de salle de police, pour vous être mis, avec le numéro deux, en rang. La théorie dit : Soyez libres ! — Exercices individuels de désobéissance... L'indiscipline aveugle et de tous les instants fait la force principale des hommes libres. — Portez... arme !

LES TROIS HOMMES LIBRES. Parlons sur les rangs. — Désobéissons. — Le premier à un, le deuxième à deux, le troisième à trois. — Une, deux, trois !

LE CAPORAL. Au temps ! Numéro un, vous deviez poser l'arme à terre ; numéro deux, la lever la crosse en l'air ; numéro trois, la jeter à six pas derrière et tâcher de prendre ensuite une attitude libertaire. Rompez vos rangs ! Une, deux ! une, deux !

Ils se rassemblent et sortent en évitant de marcher au pas.

Ubu enchaîné.

Les héméralopes

SENGLE eut une permission de quinze jours « à titre de convalescence » pour Paris. Et redevenu le pioupiou bleu et rouge, il sortit, par toute la ville, vers la gare.

Il croisa plusieurs officiers qu'il omit de saluer, mais qui ne le rappelèrent pas. Et d'ailleurs, pour se prouver à soi sa bonne volonté d'obséquiosité militaire, six pas avant et six après, il leva la main réglementaire *sur :*

Deux facteurs ;

Sept potaches ;

Un garçon de recettes ;

Un conducteur d'omnibus, qui se promenait en grande tenue de service, dans un jardin public. Et comme plusieurs cyclistes y flânaient aussi, leurs machines accotées à des massifs, naturellement il chercha le garage d'omnibus.

Il salua un des cyclistes, parce qu'il portait, à gauche, un horrible petit insigne, tout tortillé, de club.

Il entra dans la cathédrale, s'enquérant du Suisse, afin de l'honorer à genoux. Il s'humilia ensuite, au hasard du chemin poursuivi, devant :

Le drapeau en zinc d'un lavoir ;

Un polichinelle enseigne d'un bazar ;

Plusieurs commissionnaires, à cause de leur plaque ;

Un marmiton, ayant réfléchi qu'il était peut-être gradé, quoique le dissimulant sous la similitude de sa tenue de service et de corvée.

Et avec la nuit, où les chances de salutations devenaient moins honorables, il s'approcha des feux mobiles de la gare.

Dans l'avenue, il rencontra un groupe de soldats, tordus de bizarres gestes. Ce n'étaient pas des ivrognes, lesquels, comme on arrose selon des signes d'infini, sont renvoyés d'un ruisseau à l'autre, et suivent très exactement en leurs zigzags les lois de la réfraction. Ces soldats-là tâtaient en les longeant les murs, jusqu'au heurt douloureux du premier passant, ou le cahot de la chute d'un trottoir. Et ils semblaient des aveugles se guidant mutuellement vers des fosses, Breughel en uniforme.

Sengle entendit des bouts de phrases et reconstitua leurs plaintes :

« Nous ne trouverons jamais l'hôpital. Voilà trois fois que nous avons fait tout le tour de la ville. L'hôpital s'est écroulé. Comme l'année dernière, où le major ne retrouva plus que les murs à la visite du soir, sa négligence n'ayant prévenu le génie. La toiture croula sur les typhoïdiques, qu'on évacua dans les corridors d'un hospice d'accoucheuses. C'est si vrai qu'un malade en recouvra la santé. Les hôpitaux s'écoulent-ils donc tous les ans, dans cette ville, par l'incurie des majors ? »

Et ils repartirent, tâtonnant dans un quatrième circuit.

Sengle comprit leur hallucination au lu de leur matricule. D'une petite garnison voisine, sur une hauteur, se multipliaient les cas de cécité nocturne, à cause de l'altitude. Le major passant sa visite du matin les expédiait à l'hôpital d'urgence, mais on attendait qu'il y eût un convoi, qu'on formait et envoyait sans guide après la soupe du soir. Arrivés dans la ville de l'hôpital le soleil couché, leur amaurose ne comprenant point les lumières artificielles, les pauvres diables trébuchaient dans le noir absolu. On y était habitué. Voilà pourquoi les officiers ne s'étaient point scandalisés du manque de courtoisie militaire de Sengle.

Puisse ce chapitre faire comprendre à la foule, la grande héméralope, qui ne sait voir que des lueurs connues, que d'autres peuvent la considérer comme une exception morbide, et calculer les ascensions droites et déclinaisons d'une nuit pour elle sans astre ; qu'il lui fasse pardonner ce que dans ce livre elle trouvera sacrilège envers ses idoles, car en somme nous affirmons ceci : qu'il n'arrive pas quotidiennement que les hôpitaux militaires s'écroulent par suite de l'incurie des médecins-majors ; qu'il est possible que le fait soit même assez rare ; qu'il y a plusieurs années qu'il ne s'est produit ; que c'était peut-être un fait isolé ; que, malgré son authenticité (voir certains journaux de l'été de 89), nous avons la mansuétude de ne le décrire qu'hallucinatoire...

Sengle, soucieux de la parole de l'Evangile, pensa d'abord à s'enquérir d'une fosse, ou d'une glace de devanture, afin que les aveugles momentanés culbutassent dedans : mais, de peur de manquer son train, il se contenta de leur dire :

« Je suis le Général ; tâchez de prendre une attitude militaire. »

Les Jours et les Nuits.

Le surmâle

.. ..

« Regardez, je vais tuer la bête, dit Marcueil, très calme.

— Quelle bête ? Tu es soûl, mon vieux... jeune ami, dit le général.

— La bête », dit Marcueil.

Devant eux, trapue, sous la lune, s'accroupissait une chose de fer, avec comme des coudes sur ses genoux, et des épaules, sans tête, en armure.

« Le dynamomètre ! s'exclama, hilare, le général.

— Je vais tuer cela, répéta avec obstination Marcueil.

— Mon jeune ami, dit le général, quand j'avais votre âge et même moins, que j'étais « taupin » à Stanislas, j'ai souvent dépendu des enseignes, dévissé des vespasiennes, volé des boîtes au lait, enfermé des pochards dans des corridors, mais je n'ai pas encore cambriolé de distributeur automatique ! Enfin, il est soûl... Mais fais attention, il n'y a rien là-dedans pour toi, mon jeune ami !

— C'est plein, plein de force, et plein, plein de nombre là-dedans », causait tout seul André Marcueil.

« Enfin, condescendit le général, je veux bien t'aider à casser cela, mais comment ? Coups de pied, coups de poing ? Tu ne voudrais pas que je te prête mon sabre ? pour le mettre en deux morceaux !

— Casser cela ? Oh non, dit Marcueil : je veux *tuer* cela.

— Gare la contravention, alors, pour *bris de monument d'utilité publique !* dit le général.

— Tuer... avec un permis », dit Marcueil. Et il fouilla dans la poche de son gilet et en tira une pièce de dix centimes, française.

La fente du dynamomètre, verticale, luisait.

« C'est une femelle, dit gravement Marcueil... Mais c'est très fort. »

La pièce de monnaie déclencha un déclic : ce fut comme si la massive machine, sournoisement, se mettait en garde.

André Marcueil saisit l'espèce de fauteuil de fer par les deux bras, et, sans effort apparent, tira :

« Venez, madame », dit-il.

Sa phrase s'acheva en un fracas de ferraille formidable, les ressorts rompus se tordaient sur le sol comme les entrailles de la bête ; le cadran grimaça et son aiguille vira affolée deux ou trois tours comme un être traqué qui cherche une issue.

« Trottons-nous, dit le général : cet animal, pour m'épater, a su choisir un instrument qui n'était pas solide. »

Très lucides maintenant tous les deux, quoique Marcueil n'eût pas pensé à jeter les deux poignées qui lui faisaient des cestes brillants, ils refranchirent la clôture et remontèrent l'avenue, vers le coupé.

L'aube se levait, comme la lumière d'un autre monde.

La passion considérée comme course de côte

BARRABAS, engagé, déclara forfait.

Le starter Pilate, tirant son chronomètre à eau ou clepsydre, ce qui lui mouilla les mains, à moins qu'il n'eût simplement craché dedans — donna le départ.

Jésus démarra à toute allure.

En ce temps-là, l'usage était, selon le bon rédacteur sportif saint Matthieu, de flageller au départ des sprinters cyclistes, comme font les cochers à leurs hippomoteurs. Le fouet est à la fois un stimulant et un massage hygiénique. Donc Jésus, très en forme, démarra, mais l'accident de pneu arriva tout de suite. Un semis d'épines cribla tout le pourtour de sa roue d'avant.

On voit, de nos jours, la ressemblance exacte de cette véritable couronne d'épines aux devantures de fabricants de cycles, comme réclame à des pneus increvables. Celui de Jésus, un single-tube de piste ordinaire, ne l'était pas.

Les deux larrons, qui s'entendaient comme en foire, prirent de l'avance.

Il est faux qu'il y ait eu des clous. Les trois figurés dans des images sont le démonte-pneu dit « une minute ».

Mais il convient que nous relations préalablement les pelles. Et d'abord décrivons en quelque sorte la machine.

Le cadre est d'invention relativement récente. C'est en 1890 que l'on vit les premières bicyclettes à cadre. Auparavant, le corps de la machine se composait de deux tubes brasés perpendiculairement l'un sur l'autre. C'est ce qu'on appelait la bicyclette à corps droit ou à croix. Donc Jésus, après l'accident de pneumatiques, monta la côte à pied, prenant sur son épaule son cadre ou si l'on veut sa croix.

Des gravures du temps reproduisent cette scène, d'après des photographies. Mais il semble que le sport du cycle, à la suite de l'accident bien connu qui termina si fâcheusement la course de la Passion et que rend d'actualité, presque à son anniversaire, l'accident similaire du comte Zborowski à la côte de la Turbie, il semble que ce sport fut interdit un certain temps, par arrêté préfectoral. Ce qui explique que les journaux illustrés, reproduisant la scène célèbre, figurèrent des bicyclettes plutôt fantaisistes. Ils confondirent la croix du corps de la machine avec cette autre croix, le guidon droit. Ils représentèrent Jésus les deux mains écartées sur son guidon, et notons à ce propos que Jésus cyclait couché sur le dos, ce qui avait pour but de diminuer la résistance de l'air.

Notons aussi que le cadre ou la croix de la machine, comme certaines jantes actuelles, était en bois.

D'aucuns ont insinué, à tort, que la machine de Jésus était une draisienne, instrument bien invraisemblable dans une course de côte, à la montée. D'après les vieux hagiographes cyclophiles, sainte Brigitte, Grégoire de Tours et Irénée, la croix était munie d'un dispositif qu'ils appellent « suppedaneum ». Il n'est point nécessaire d'être grand clerc pour traduire « pédale ».

Juste Lipse, Justin, Bosius et Erycius Puteanus décrivent un autre accessoire que l'on retrouve encore, rapporte en 1634 Cornelius Curtius, dans des croix du Japon : une saillie de la croix ou du cadre, en bois ou en cuir, sur quoi le cycliste se met à cheval : manifestement la selle.

Ces descriptions, d'ailleurs, ne sont pas plus infidèles que la définition que donnent aujourd'hui les Chinois à la bicyclette : « Petit mulet que l'on conduit par les oreilles et que l'on fait avancer en le bourrant de coups de pied. »

Nous abrégerons le récit de la course elle-même, racontée tout au long dans des ouvrages spéciaux, et exposée par la sculpture et la peinture dans des monuments « ad hoc ».

Dans la côte assez dure du Golgotha, il y a quatorze virages. C'est au troisième que Jésus ramassa la première pelle. Sa mère, aux tribunes, s'alarma.

Le bon entraîneur Simon de Cyrène, de qui la fonction eût été, sans l'accident des épines, de le « tirer » et lui couper le vent, porta sa machine.

Jésus, quoique ne portant rien, transpira. Il n'est pas certain qu'une spectatrice lui essuya le visage, mais il est exact que la reporteresse Véronique, de son Kodak, prit un instantané.

La seconde pelle eut lieu au septième virage, sur du pavé gras. Jésus dérapa pour la troisième fois sur un rail, au onzième.

Les demi-mondaines d'Israël agitaient leurs mouchoirs au huitième.

Alfred Jarry

Le déplorable accident que l'on sait se place au douzième virage. Jésus était à ce moment dead-head avec les deux larrons. On sait aussi qu'il continua la course en aviateur... mais ceci sort de notre sujet.

Spéculations.

Raymond Roussel

1877-1933

LA *difficulté qu'il y a, à quelque distance, à distinguer un automate authentique d'un pseudo-automate a tenu en haleine la curiosité des hommes durant des siècles. Du portier androïde d'Albert le Grand, qui introduisait avec quelques paroles les visiteurs, jusqu'au joueur d'échecs célébré par Poe, en passant par la mouche de fer de Jean Müller qui revenait se poser sur sa main après avoir volé et le fameux canard de Vaucanson, sans laisser bien loin les homuncules, de Paracelse à Achim d'Arnim, l'ambiguïté la plus bouleversante n'a cessé de régner entre la vie animale, surtout la vie humaine, et son simulacre mécanique. Cette ambiguïté, le propre de notre époque est de l'avoir transposée en faisant passer l'automate du monde extérieur dans le monde intérieur, en l'appelant à se produire tout à son aise au-dedans même de l'esprit. La psychanalyse a, en effet, décelé, dans les profondeurs du grenier mental, la présence d'un mannequin anonyme, « sans yeux, sans nez et sans oreilles », assez semblable à ceux que Giorgio de Chirico peignait vers 1916. Ce mannequin, débarrassé des toiles d'araignées qui le dérobaient et le paralysaient, s'est révélé d'une mobilité extrême, « surhumaine » (c'est du besoin même de donner toute licence à cette mobilité qu'est né le surréalisme). Ce personnage insolite, affranchi des signes de monstruosité qui déparent la création de l'admirable* Frankenstein *de Mary Shelley, jouit de la faculté de se déplacer sans le moindre frottement, dans le temps comme dans l'espace, et, d'un bond, de réduire à rien le fossé infranchissable qui passe pour séparer la rêverie de l'action. La merveille est que cet automate soit en puissance de se libérer dans tout homme : il suffit d'aider celui-ci à reconquérir, à l'exemple de Rimbaud, le sentiment de son innocence et de sa puissance absolues.*

On sait que l'« automatisme psychique pur », au sens où ces mots s'entendent aujourd'hui, ne prétend désigner qu'un état-limite qui exigerait de l'homme la perte intégrale du contrôle logique et moral de ses actes. Sans qu'il consente à aller si loin ou plutôt à s'y maintenir, il arrive, à partir d'un certain point, qu'il se trouve actionné par un moteur d'une force insoupçonnable, qu'il obéisse mathématiquement à une cause de mouvement d'apparence cosmique qui lui échappe. La question qui se pose, à propos de ces automates comme des autres, est de savoir si en eux un être conscient *est caché. Et jusqu'à* quel point conscient ? *peut-on se demander en présence de l'œuvre de Raymond Roussel. Certes, de son vivant, quelques-uns avaient bien pressenti qu'il devait sa prodigieuse richesse d'invention à l'utilisation d'un procédé qu'il avait découvert, s'étaient bien convaincus qu'il usait d'un* aide-imagination (*comme il y a des aide-mémoire*). *Ce procédé, il a tenu à le divulguer lui-même après sa mort dans l'ouvrage intitulé :* Comment j'ai écrit certains de mes livres. *Nous savons maintenant qu'il a consisté à composer, au moyen de mots homonymes ou sensiblement homophones, deux phrases d'une signification aussi différente que possible et à donner ces phrases pour piliers (première et dernière phrases) au récit. La fabulation devait se poursuivre de l'une à l'autre par un nouveau travail opéré sur chacun des mots constitutifs des deux phrases : relier ce mot à double entente à un autre mot à double entente au moyen de la préposition « à ». Au dire même de Roussel « le propre du procédé était de faire surgir des sortes* d'équations de faits *qu'il s'agissait de résoudre logiquement ». Le plus grand arbitraire introduit dans le sujet littéraire, il s'agissait de le dissiper, de le faire disparaître par une suite de passes où le rationnel limite et tempère constamment l'irrationnel.*

Roussel est, avec Lautréamont, le plus grand magnétiseur des temps modernes. Chez lui, l'homme conscient extrêmement laborieux (« Je saigne, dit-il, sur chaque phrase » ; il confie à M. Michel Leiris que chaque vers des Nouvelles Impressions d'Afrique *lui a coûté quinze heures de travail environ) ne cesse d'être aux prises avec l'homme inconscient extrêmement impérieux (il est assez symptomatique qu'il s'en soit tenu, sans chercher à la modifier ou à lui en substituer une autre, à une technique philosophiquement injustifiable pendant près de quarante ans). L'humour, volontaire ou non, de Raymond Roussel réside tout entier dans ce jeu de balances disproportionnées : « La machine infernale déposée par Lautréamont sur les marches de l'esprit, dit M. Jean Lévy, nous sommes quelques-uns à en percevoir [chez Roussel] le tic-tac lugubre et à saluer avec admiration chacune de ses explosions libératrices. »*

Le même critique a pu noter très justement que, dans cette œuvre, la part de l'humour, celle de l'obsession et celle du refoulement sont encore loin d'être faites. Raymond Roussel a eu, en effet, maille à partir avec la psycho-pathologie, son cas ayant été jusqu'à fournir au docteur Pierre Janet le prétexte d'une communication intitulée : « Les Caractères psychologiques de l'extase » et son suicide (?) confirmant l'idée qu'il a pu rester, à travers tout le cycle de sa production, un anormal. Il a connu à dix-neuf ans, alors même qu'il achevait son poème La Doublure, *l'extase finale de Nietzsche : « On sent à quelque chose de particulier que l'on fait un chef-d'œuvre, que l'on est un prodige... J'étais l'égal de Dante et de Shakespeare, je sentais ce que Victor Hugo vieilli a senti à soixante-dix ans, ce que Napoléon a senti en 1811, ce que Tannhauser rêvait au Venusberg. Ce que j'écrivais était entouré de rayonnements, je fermais les rideaux, car j'avais peur de la moindre fissure qui eût laissé passer au-dehors les rayons lumineux qui sortaient de ma plume, je voulais retirer l'écran tout d'un coup et illuminer le monde. Laisser traîner ces papiers, cela aurait fait des rayons de lumière qui auraient été jusqu'à la Chine et la foule éperdue se serait abattue sur la maison. »*

Jusqu'à la Chine... Cet enfant qui adorait Jules Vernes, ce grand amateur de guignol, cet homme très riche qui s'était fait construire pour ses déplacements la plus luxueuse roulotte automobile du monde demeurera jusqu'au bout le pire contempteur, le pire négateur du voyage réel. *« A Pékin, dit M. Michel Leiris, il se cloîtra après une visite sommaire de la ville », de même qu'il était resté plusieurs jours à écrire dans sa cabine, alors qu'il lui était donné d'aborder pour la première fois Tahiti.*

La magnifique originalité de l'œuvre de Roussel oppose un démenti lourd de signification et de portée, inflige un affront définitif aux tenants d'un réalisme primaire attardé, qu'il se qualifie lui-

même de « socialiste » ou non. « Martial — c'est sous ce nom que l'auteur de Locus Solus *se présente dans l'étude de M. Pierre Janet — a une conception très intéressante de la beauté littéraire, il faut que l'œuvre ne contienne rien de réel, aucune observation du monde ou des esprits, rien que des combinaisons tout à fait imaginaires : ce sont déjà des idées d'un monde extrahumain. »*

Bibliographie : *La Doublure,* 1897. — *La Vue,* 1904. — *Impressions d'Afrique,* 1910. — *Locus Solus,* 1914. — *Pages choisies,* 1918. — *L'Etoile au Front,* 1925. — *La Poussière de soleils,* 1926. — *Nouvelles Impressions d'Afrique,* 1932. — *Comment j'ai écrit certains de mes livres,* 1935.

Impressions d'Afrique

. . . .

L'*ut* vibrait encore dans le lointain quand Fuxier s'avança vers nous, tenant contre sa poitrine, avec sa main droite déployée, un pot de terre d'où surgissait un cep de vigne.

Sa main gauche portait un bocal cylindrique et transparent, qui, muni d'un large bouchon de liège traversé par un tube métallique, montrait dans sa partie basse un amas de sels chimiques épanouis en gracieux cristaux.

Posant ses deux fardeaux sur le sol, Fuxier sortit de sa poche une petite lanterne sourde, qu'il coucha bien à plat sur la surface de terre affleurant en dedans les bords du pot de grès. Un courant électrique, mis en activité au sein de ce phare portatif, projeta soudain une éblouissante gerbe de lumière blanche, pointée vers le zénith par une puissante lentille.

Soulevant alors le bocal tenu horizontalement, Fuxier tourna une clé placée à l'extrémité du tube métallique, dont l'ouverture, dirigée avec soin vers une portion déterminée du cep, laissa fuser au dehors un gaz violemment comprimé. Une brève explication de l'opérateur nous apprit que ce fluide, mis en contact avec l'atmosphère, provoquait partiellement une chaleur intense, qui, jointe à certaines propriétés chimiques très particulières, allait faire mûrir devant nous une grappe de raisin.

Il achevait à peine son commentaire que déjà l'apparition annoncée se révélait à nos regards sous la forme d'un imperceptible grappillon. Possédant le pouvoir prêté par la légende à certains fakirs de l'Inde, Fuxier accomplissait pour nous le miracle de l'éclosion soudaine.

Sous l'action du courant chimique les grains se développèrent rapidement, et bientôt une grappe de raisin blanc, pesante et mûre, pendit isolément sur le côté du cep.

Fuxier reposa le bocal sur le sol après avoir fermé le tube par un nouveau tour de clé. Puis, attirant notre attention sur la grappe, il nous montra de minuscules personnages prisonniers au centre des globes diaphanes.

Exécutant à l'avance sur le germe un travail de modelage et de coloris plus minutieux encore que la tâche exigée par la préparation de ses pastilles bleues ou rouges, Fuxier avait déposé dans chaque grain la genèse d'un gracieux tableau, dont la mise au point venait de suivre les phases de la maturité si facilement obtenue.

A travers la peau du raisin, particulièrement fine et transparente, on scrutait sans peine, en s'approchant, les différents groupes qu'illuminait par en dessous la gerbe électrique.

Les manipulations opérées sur le germe avaient amené la suppression des pépins, et rien ne troublait la pureté des lilliputiennes statues translucides et colorées, dont la matière était fournie par la pulpe elle-même.

« Un aperçu de l'ancienne Gaule », dit Fuxier en touchant du doigt un premier grain où l'on voyait plusieurs guerriers celtes se préparant au combat.

Chacun de nous admirait la finesse des contours et la richesse des tons si bien mis en relief par les effluves lumineux.

« Eudes scié par un démon dans le songe du comte Valtguire », reprit Fuxier en désignant un deuxième grain.

Cette fois, on distinguait, derrière la délicate enveloppe, un dormeur en armure, étendu au pied d'un arbre ; une fumée, semblant s'échapper de son front pour figurer quelque rêve, contenait, dans ses flots ténus, un démon armé d'une longue scie dont les dents acérées entamaient le corps d'un damné, crispé par la souffrance.

Un nouveau grain, sommairement expliqué, montrait le Cirque romain encombré par une foule nombreuse qu'enflammait un combat de gladiateurs.

« Napoléon en Espagne. »

Ces mots de Fuxier s'appliquaient à un quatrième grain, dans lequel l'empereur, vêtu de son habit vert, passait à cheval en vainqueur au milieu d'habitants qui semblaient le honnir par leur attitude sourdement menaçante.

« Un Evangile de saint Luc », poursuivit Fuxier en frôlant, côte à côte, sous une seule tige mère triplement ramifiée, trois grains jumeaux dans lesquels les trois scènes suivantes se composaient des mêmes personnages.

En premier lieu, on voyait Jésus étendant la main vers une fillette qui, les lèvres entrouvertes, le regard fixe, semblait chanter quelque trille fin et prolongé. A côté, sur un grabat, un jeune garçon immobilisé dans le sommeil de la mort gardait entre ses doigts une longue antenne d'osier ; près de la funèbre couche, le père et la mère, accablés, pleuraient en silence. Dans un coin, une enfant bossue et malingre se tenait humblement à l'écart.

Dans le grain du milieu, Jésus, tourné vers le grabat, regardait le jeune mort, qui, miraculeusement rendu à la vie, tressait en habile vannier l'antenne d'osier légère et flexible. La famille, émerveillée, témoignait par des gestes d'extase sa joyeuse stupéfaction.

Le dernier tableau, comprenant le même décor et les mêmes comparses, glorifiait Jésus touchant la jeune infirme subitement embellie et redressée.

Laissant de côté cette courte trilogie, Fuxier souleva le bas de la grappe et nous montra un grain superbe en le commentant par ces mots :

« Hans le bûcheron et ses six fils. »

Là, un vieillard étrangement robuste portait sur son épaule une formidable charge de bois, faite de troncs entiers mêlés à des faisceaux de bûches serrés par des lianes. Derrière lui, six jeunes gens ployaient tous isolément sous un fardeau de même espèce, infiniment plus léger. Le vieillard, tournant à demi la tête, semblait narguer les retardataires moins endurants et moins vigoureux que lui.

Dans l'avant-dernier grain, un adolescent vêtu d'un costume Louis XV regardait avec émotion, tout en passant comme un simple promeneur, une jeune femme en robe ponceau installée sur le seuil de sa porte.

« La première sensation amoureuse éprouvée par l'*Emile* de Jean-Jacques Rousseau », expliqua Fuxier, qui, en remuant les doigts, fit jouer les rayons électriques parmi les reflets rouge vif de la robe éclatante.

Le dixième et dernier grain contenait un duel surhumain que Fuxier nous donna pour une reproduction d'un tableau de Raphaël. Un ange, planant à quelques pieds du sol, enfonçait la pointe de son épée dans la poitrine de Satan, qui chancelait en laissant tomber son arme.

Ayant passé en revue la grappe entière, Fuxier éteignit sa lanterne sourde, qu'il remit dans sa poche, puis s'éloigna portant de nouveau, comme à son arrivée, le pot de terre et le récipient cylindrique.

. . . .

La Poussière de Soleils

Seizième tableau.

Un lieu plat et nu. Au fond, une balustrade en fer derrière laquelle se dresse une croix. A droite une table de plein air que la Receveuse, assise, garde tout en maniant l'aiguille.

Scène X

BLACHE, RÉARD, LA RECEVEUSE.

RÉARD. Oui, monsieur Blache... Plus je réfléchis, plus je me convaincs que nous sommes toujours dans la bonne voie.

BLACHE. Ainsi, selon vous, ces trois astérisques soulignés entre beaucoup d'autres sur le timbre okléate trouvé dans la collection de mon oncle...

RÉARD. ... ne peuvent que viser les trois étoiles gravées dans cette croix.

BLACHE. Il y a là un mort inconnu ?...

RÉARD. Un mort dont le nom, François Patrier, chez nous est au contraire sur toutes les bouches. Là-bas se trouvent des sables mouvants que jadis, avant qu'existât cette barrière, défendait seul un simple écriteau, — resté une fois inaperçu d'un jeune étourdi à papillonnette, qu'un sphinx quelconque entraîna jusqu'à eux ; accouru aux cris de l'imprudent, François Patrier, un pêcheur, ne put qu'en la subissant lui-même l'arracher à l'étreinte mortelle.

BLACHE. Il enfonça ?...

RÉARD. ... très vite, hélas ! — et dut bientôt tenir au-dessus de sa tête l'enfant à la voix de qui se mêlait en vain la sienne. Le sable commençait d'effleurer sa lèvre lorsque, enfin, à l'horizon, parut un groupe qui accourait.

BLACHE. Le restant du trajet ne pouvait manquer de prendre plusieurs minutes !...

RÉARD. Aussi, sentant que, pour ce qui était de lui, on arriverait trop tard, François Patrier fit à l'enfant une suprême recommandation. Jaloux d'établir que rien dans ce qui l'avait mû ne s'était rapporté à un désir de gloire, il voulait que sur la croix qui marquerait de près le lieu de son engloutissement, l'on gravât simplement trois étoiles.

BLACHE. Et quand arrivèrent les sauveteurs ?

RÉARD. Seules émergeaient encore deux mains sur lesquelles reposait l'enfant, qu'ils purent avoir en formant à eux tous une longue et puissante chaîne à doigts solidement noués, — tandis que François Patrier achevait de disparaître pour jamais.

BLACHE. L'enfant transmit sa dernière volonté ?...

RÉARD, *montrant la croix.* ... qu'on exécuta fidèlement.

BLACHE. En effet... trois étoiles... sans même un millésime...

RÉARD. Mais bientôt, on fut littéralement contraint, tant elle était impérieuse, à satisfaire une soif générale d'honorer quand même un semblable héros. Comme son bref testament verbal ne visait que sa croix mortuaire, on estima que le statufier en ville ne serait pas lui désobéir.

BLACHE. Et une souscription s'ouvrit ?...

RÉARD. ... qui n'est pas encore close. Détail touchant, c'est ici même qu'on recueille chaque jour les dons qui plongent dans cette urne. On a fixé à cinq francs le minimum, qui ne peut être dépassé que par tel des produits que donne ce chiffre porté à l'une de ses puissances.

BLACHE. Ainsi, qui veut offrir plus de cinq francs ?...

RÉARD. ... doit choisir entre vingt-cinq francs, cent vingt-cinq ou six cent vingt-cinq, — sans que rien ne l'empêche d'atteindre trois mille cent vingt-cinq, ou quinze mille six cent vingt-cinq, ou... tenons-nous-en là !... On a espéré souffler par cette progression de gros chiffres aux souscripteurs riches.

BLACHE. Il faudrait savoir si mon oncle... Comment obtenir de cette femme...

RÉARD. Voulez-vous commencer par souscrire ?...

BLACHE. Certes... et de grand cœur.

RÉARD, *s'approchant de la Receveuse.* Voici monsieur Blache qui désirerait participer...

LA RECEVEUSE. « Blache »... j'ai déjà ce nom dans un de mes registres d'offrandes. (*Réfléchissant.*) Dans cinq au carré... ou au cube... Au cube plutôt...

RÉARD, *à Blache.* Voyez... les dons sont l'objet d'un tri scrupuleux... Il y a une série de registres, tous ornés du chiffre cinq, qui, seul sur le premier, montre avec ordre sur les autres, en s'arrêtant à la sixième, la gamme de ses puissances.

BLACHE. Et les registres, comme il convient, sont, du premier au dernier, de plus en plus minces.

LA RECEVEUSE, *après avoir feuilleté un des registres.* Ah !... Voici le nom... C'est bien sur le troisième registre qu'il figure...

BLACHE, *tirant son portefeuille.* Eh bien, par piété familiale je suis le bon exemple — et j'opte, en souscrivant, pour le chiffre qui l'y fera figurer de nouveau.

Nouvelles Impressions d'Afrique

.. ..

((((Tels : — l'ombre, vers midi, sur le cadran solaire,
Montrant que l'estomac réclame son salaire ;
— Par le gel, le niât-on, le mètre étalon ;
— Défiant la crotte un retroussé pantalon ;
— Un journal sur la planche à trou d'un édicule ;
— La botte à retaper dont le talon s'écule ;
— Ce qu'attentif décoiffe à coups d'ongle un rabbin ;
— Lorsqu'il met le couvert la pile d'un larbin ;
— Mû par un barbier, un dossier de fauteuil tiède ;
— Le mètre, au réveil, qu'un soldat ancien possède ;
— Juliette, au gala d'Ejur, et Roméo
Par deux mimes enfants faits *gratis pro Deo ;*
— Le fer vaincu qu'en scène un preux rompt sur sa cuisse ;

— Le pain qu'en salivant guide à la messe un suisse ;
— L'asperge au rancart mise après le coup de dent ;
— Quand sert la bêche, un ver à mortel accident ;
— La canne à dard demi-nu quand fausse est l'alerte ;
— Le trop haut pupitre à musique fraîche ouverte ;
— Quand pousse un pianiste enfant, son siège à vis ;
— L'âgé calendrier-bloc, corpulent jadis ;
— La suspension qu'on remise après la soupe ;
— La bande de papier postal lorsqu'on se coupe ;
— La tache attristant la glace où l'haleine a pris ;
— Au premier éclair qui compte, la voile à ris ;
— La table après un grand dîner réarrondie ;
— L'arche où monte, agressive, une eau qu'on étudie ;
— Au puant souffle à but du fumeur, l'amadou ;
— La queue à bout neuf en sang du jeune toutou ;
— Quand le dressage agit, l'oisif bout de gourmette ;
— Quand sa tête arrive à choir, l'éteinte allumette ;
— L'ouvert tube à demi plat qu'enroule un rapin ;
— Quand, mûr, son bouton part, l'élastique à pépin ;
— Quand le lit prend sa place au berceau, la ruelle ;
— Le pissenlit qu'exprès l'haleine atteint, cruelle ;
— Ses pointes faites, la ballerine à clinquant ;
— L'acte interprété par Maître X... d'un délinquant ;

— Quand l'arroseur cède à la soif, le jet de lance ;
— Le fil qui par l'aragne escaladé balance ;
— Au bord d'un tapis vert un honnête magot ;
— Un cigare réduit à l'état de mégot ;
— Le disque du soleil dans le ciel de Neptune ;))))),

.. ..

Francis Picabia

1879-1953

Le polémiste souvent moins bien inspiré a fait tort chez Picabia au peintre et au poète. Le sens de l'humour, qu'il possède à un haut degré, s'accommode médiocrement de l'attitude critique, défiante, agressive qu'il adopte à l'égard de ses contemporains, pris trop volontiers en particulier. Mais peut-être est-ce là le revers nécessaire d'une œuvre qui moins que toute autre s'est voulu distraite de la vie et, en exécution du mot d'ordre de Rimbaud, ne s'est souciée de rien tant que d'être « absolument moderne ». La volonté de scandale qui y a présidé longtemps (de 1910 à 1925) a fait d'elle une cible toute désignée à l'impatience, voire à la fureur de tous les gardiens de la norme et du bon goût. « Tout, mais pas Picabia » : tel a été le marché offert à l'art novateur de ces vingt dernières années. Marché très généralement conclu, quoique des plus indignes et duquel Picabia ne peut manquer de sortir grandi. Pareille malédiction aujour-

d'hui n'est pas commune et il a fait systématiquement le contraire de ce qu'il fallait pour la conjurer. Ce détracteur pleinement résolu de toutes les conventions morales, esthétiques est un des plus grands poètes du désir, du désir sans repos condamné à renaître autre de sa réalisation même. L'amour et la mort constituent naturellement les deux extrémités de cette ligne entre lesquelles se déplace en zigzag un point hypersensible à l'image de la minute présente.

Picabia a été le premier à comprendre que tous les rapprochements de mots sans exception étaient licites et que leur vertu poétique était d'autant plus grande qu'ils apparaissaient plus gratuits ou plus irritants à première vue. Toute la période héroïque de sa peinture témoigne moins du besoin de réagir contre la vanité des sujets et des techniques ou de stupéfier les imbéciles que du rêve désespéré, néronien, de se donner toujours de plus belles fêtes à soi-même : « Fougère Royale », m'écrivait-il naguère, est un très grand tableau, trois mètres sur deux mètres cinquante. Il est fait de deux cent soixante et un ronds noirs sur fond fraise écrasée. Dans un coin, il y a un énorme bilboquet en or. Quant aux inscriptions, je préfère vous en laisser la surprise.

Bibliographie : *Cinquante-deux miroirs*, 1917. — *Rateliers platoniques*, 1918. — *Poèmes et dessins de la fille née sans mère*, 1918. — *L'Athlète des pompes funèbres*, 1919. — *Jésus-Christ rastaquouère*, 1921. — *La loi d'accommodation chez les borgnes*, 1928, etc.

L'œil froid

APRÈS notre mort, on devrait nous mettre dans une boule, cette boule serait en bois de plusieurs couleurs. On la roulerait pour nous conduire au cimetière et les croque-morts chargés de ce soin porteraient des gants transparents, afin de rappeler aux amants le souvenir des caresses.

Pour ceux qui désireraient enrichir leur ameublement du plaisir objectif de l'être cher, il existerait des boules en cristal, au travers desquelles on apercevrait la nudité définitive de son grand-père ou de son frère jumeau !

Sillage de l'intelligence, lampe steeple-chase ; les humains ressemblent aux corbeaux à l'œil fixe, qui prennent leur essor au-dessus des cadavres et tous les peaux-rouges sont chefs de gare !

Entracte de cinq minutes

J'AVAIS un ami suisse, nommé Jacques Dingue, il vivait au Pérou, à 4 000 mètres d'altitude ; parti il y a quelques années pour explorer ces régions, il avait subi là-bas le charme d'une étrange Indienne qui l'avait rendu complètement fou en se refusant à lui. Il s'était affaibli petit à petit et ne quittait même plus la cabane où il s'était installé. Un docteur péruvien, qui l'avait accompagné jusque-là, lui donnait des soins pour guérir une démence précoce qu'il jugeait incurable !

Une nuit, une épidémie de grippe s'abattit sur la petite tribu d'Indiens qui hospitalisait Jacques Dingue ; tous sans exception furent frappés et, sur deux cents indigènes, cent soixante-dix-huit moururent en peu de jours ; très vite, le médecin péruvien affolé avait regagné Lima... Mon ami fut, lui aussi, atteint par le mal terrible, immobilisé par la fièvre.

Or, tous les Indiens morts possédaient un ou plusieurs chiens, lesquels n'eurent bientôt d'autre ressource pour vivre que de manger leurs maîtres ; ils déchiquetaient les cadavres, et l'un d'eux apporta dans la hutte de Dingue la tête de l'Indienne dont celui-ci était amoureux... Il la reconnut instantanément et sans doute en éprouva-t-il une commotion intense, car il fut subitement guéri de sa folie et de sa fièvre ; ses forces lui revinrent, alors, prenant la tête de la femme de la gueule du chien, il s'amusa à la lancer à l'autre bout de la pièce en criant à l'animal d'apporter ; trois fois le jeu recommença, le chien rapportait la tête en la tenant par le nez, mais à la troisième fois, Jacques Dingue l'ayant lancée plus fort, elle se rompit contre le mur et, à sa grande joie, le joueur de boule put constater que le cerveau qui en jaillit ne présentait qu'une circonvolution et affectait à s'y méprendre la forme d'une paire de fesses !

Jésus-Christ rastaquouère.

L'enfant

L'automne est fané
par l'enfant
que nous aimions.
Ainsi qu'un vautour
sur une charogne
il diminue sa famille
puis disparaît
comme un papillon.

Guillaume Apollinaire

1880-1918

GUILLAUME APOLLINAIRE *est au carrefour de tant de routes qu'un seul côté de lui rentre dans le champ de ce livre, que ne s'y consume, pourrait-on dire, qu'une seule branche de son étoile. Un monde le sépare des types accomplis, à la fois agitateurs et raisonnants, de l'humour moderne : un Lafcadio, un Jacques Vaché ou cet extraordinaire Gino Pieri qui fut quelque temps son secrétaire et dont, sous le nom de Baron d'Ormesan, il a fait le héros de « L'Amphion faux-messie », dernier conte de l'*Hérésiarque et Cie. *A quelque sympathie élective que le porte envers les êtres de cette espèce sa grande curiosité naturelle, il est pour sa part beaucoup moins bien placé pour les séduire ou les retenir. Pour peu qu'il ait à cause d'eux quelque démêlé avec la société, il tombe dans l'enfantillage, n'hésite pas pour se disculper à côtoyer le ridicule, met d'emblée les rieurs de leur côté. Quand, victime de l'intérêt qu'il avait porté à ce Gino Pieri* *au point de donner asile à deux statuettes phéniciennes que celui-ci avait dérobées au musée du Louvre, Apollinaire, en 1913, se voit impliqué dans le vol de la Joconde, il pleure, écrit de mauvais vers plaintifs, sollicite de ses amis des certificats d'honorabilité. Par contre, on se souvient, comme le note le préfacier anonyme de la réédition de 1931 des* Onze mille Verges, *des lettres du « Baron d'Ormesan » où il précisait son propre rôle dans l'affaire : « Rien ne peut mieux situer la différence qu'il y a entre l'homme qui met son humour dans la vie et celui qui fait de l'humour, entre un aventurier et un homme qui a le goût de l'aventure. » Mêmes déboires avec Arthur Cravan qui, ayant écrit dans un article « le juif Apollinaire », eut la surprise de recevoir les témoins de ce dernier : « Bien que, leur déclare Arthur Cravan, je n'aie pas peur du grand sabre d'Apollinaire, mais parce que je n'ai que très peu d'amour-propre, je suis prêt à faire toutes les rectifications du monde et à venir déclarer que... M. Guillaume Apollinaire n'est point juif, mais catholique romain. Afin d'éviter à l'avenir les méprises toujours possibles, je tiens à ajouter que M. Apollinaire, qui a un gros ventre, ressemble plutôt à un rhinocéros qu'à une girafe et que, pour la tête, il tient plutôt du tapir que du lion, qu'il tire davantage sur le vautour que sur la cigogne au long bec. »*

Ces réserves faites, il est indéniable qu'Apollinaire s'est entendu mieux que tout autre à faire passer dans l'expression, seul domaine où il excellait, quelques-unes des attitudes les plus caractéristiques de l'humour d'aujourd'hui. Si ce sens lui a fait radicalement défaut dans tels cas de la vie où entre tous il eût été de circonstance (nous songeons à sa jobarderie active devant la guerre, nous le revoyons sur son lit de mort la veille de l'armistice contemplant avec ravissement son képi sur lequel on venait de coudre un second galon) *c'est à merveille qu'il a su le faire passer dans ses poèmes et dans ses contes. « Une conscience aussi claire, a-t-on pu dire encore, des liens de la poésie et de la sexualité, une conscience de profanateur et de prophète, voilà ce qui met Apollinaire à un point singulier de l'histoire. » C'est au terme même de sa volonté de libération de tous les genres littéraires que, porté poétiquement par un vent furieux, dans l'éperdu de l'imagination et de l'imagination seule, il lui est arrivé de rencontrer le grand humour : qu'on se souvienne du sujet d'*Iéximal Jélimite *dans* Le Poète assassiné. *Apollinaire, quand on l'accompagnait dans la rue, se retournait avec prédilection sur les vieilles clochardes collectionnistes qu'on rencontre parfois le soir, à Paris, sur la rive gauche, se dirigeant vers les quais. Il les regardait un peu comme l'histoire littéraire et son œil momentanément en paraissait noyé. Son rire, à de tous autres propos, faisait le même bruit que sur la vitre une première rafale de grêle.*

Bibliographie : *L'Enchanteur pourrissant,* 1909. — *L'Hérésiarque et Cie,* 1910. — *Le Bestiaire au Cortège d'Orphée,* 1911. — *Méditations esthétiques. Les peintres cubistes,* 1912. — *Les 11 000 Verges.* — *Alcools,* 1913. — *Le Poète assassiné,* 1916. — *Les Mamelles de Tirésias,* 1917. — *Calligrammes,* 1918. — *La femme assise,* 1920. — *Il y a,* 1925. — *Anecdotiques,* 1926, etc.

Dramaturgie

Les Théâtres

JEUNE HOMME, nous allons vous dire quelques sujets de pièces. S'ils étaient signés de noms connus, nous les jouerions, mais ce sont là des chefs-d'œuvre d'inconnus qui nous ont été confiés et dont, sur votre bonne mine, nous vous faisons largesse.

PIÈCE A THÈSE. Le prince de San Meco trouve un pou sur la tête de sa femme, il lui fait une scène. La princesse n'a couché depuis six mois qu'avec le vicomte de Dendelope. Les époux font une scène au vicomte qui, n'ayant couché qu'avec la princesse et Mme Lafoulue, femme d'un secrétaire d'Etat, fait tomber le ministère et accable Mme Lafoulue de son mépris.

Mme Lafoulue fait une scène à son mari. Tout s'explique lorsque arrive M. Bibier, député. Il se gratte la tête. On le dépouille. Il accuse ses électeurs d'être des pouilleux. Finalement tout rentre dans l'ordre. Titre : *Le Parlementarisme.*

COMÉDIE DE CARACTÈRE. Isabelle Lefaucheux promet à son mari de lui être fidèle. Elle se souvient alors d'avoir promis la même chose à Jules, garçon de la boutique. Elle souffre de ne pouvoir accorder sa foi et son amour.

Cependant, Lefaucheux met Jules à la porte. Cet événement détermine le triomphe de l'amour et nous retrouvons Isabelle caissière dans un grand magasin où Jules est commis. Titre : *Isabelle Lefaucheux.*

PIÈCE HISTORIQUE. Le fameux romancier Stendhal est l'âme d'un complot bonapartiste qui se termine par la mort héroïque d'une jeune cantatrice pendant une représentation de *Don Juan* à la Scala de Milan. Comme Stendhal s'est dissimulé sous un pseudonyme, il s'en tire admirablement.

Grands défilés, personnages historiques.

OPÉRA. L'âne de Buridan hésite à satisfaire sa soif et sa faim. L'ânesse de Balaam prophétise que l'âne mourra. L'âne d'or vient, mange et boit. Peau-d'Ane montre sa nudité à ce troupeau asinin. En passant par là, l'âne de Sancho pensa qu'il prouverait sa robustesse en enlevant l'infante, mais le traître Mélo avertit le génie de la Fontaine. Il proclame sa jalousie et bâte l'âne d'or. Métamorphoses. Le prince et l'infante font leur entrée à cheval. Le roi abdique en leur faveur.

PIÈCE PATRIOTIQUE. Le Gouvernement suédois intente à la France un procès en contrefaçon des allumettes suédoises. Au dernier acte, on exhume les restes d'un alchimiste du XIVe siècle qui inventa ces allumettes à La Ferté-Gaucher.

COMÉDIE VAUDEVILLE.

Le bel automédon
Criait à sa voisine :
Si tu me fais voir ton salon.
Je te ferai voir ma cuisine.

Voilà de quoi alimenter toute une vie de dramaturge, monsieur.

Le Poète assassiné.

Rencontres

.. ..

C'EST en courant ainsi après Tristouse Ballerinette que Croniamantal continua son éducation littéraire.

Un jour qu'il cheminait à travers Paris, il se trouva soudain au bord de la Seine. Il passa un pont et marcha quelque temps encore quand tout à coup, apercevant devant lui M. François Coppée, Croniamantal regretta que ce passant fût mort. Mais rien ne s'oppose à ce qu'on parle avec un mort, et la rencontre était agréable.

« Allons, se dit Croniamantal, pour un passant c'est un passant, et l'auteur même du *Passant*. C'est un rimeur habile et spirituel, ayant le sentiment de la réalité. Parlons avec lui de la rime. »

Le poète du *Passant* fumait une cigarette noire. Il était vêtu de noir, son visage était noir ; il se tenait bizarrement sur une pierre de taille, et Croniamantal vit bien, à son air pensif, qu'il faisait des vers. Il l'aborda, et après l'avoir salué lui dit à brûle-pourpoint :

« Cher maître, comme vous voilà sombre. »
Il répondit courtoisement :
— C'est que ma statue est de bronze. Elle m'expose constamment à des méprises. Ainsi l'autre jour,

Passant auprès de moi le nègre Sam Mac Vea
Voyant que j'ai plus noir que lui s'affligea

Voyez comme ces vers sont adroits. Je suis en train de perfectionner la rime. Avez-vous remarqué comme le distique que je vous ai déclamé rime bien pour l'œil ?
— En effet, dit Croniamantal, car on prononce *Sam Mac Vi,* comme on dit *Shekspire.*
— Voici quelque chose qui fera mieux votre affaire, continua la statue :

Passant auprès de moi le nègre Sam Mac Vea
Sur le socle aussitôt ces trois noms écrivit

Il y a là un raffinement qui doit vous séduire, c'est la rime riche pour l'oreille.
— Vous m'éclairez sur la rime, dit Croniamantal. Et je suis bien heureux, cher maître, de vous avoir rencontré en passant.
— C'est mon dernier succès, répondit le poète métallique. Toutefois, je viens de composer un petit poème portant le même titre : c'est un monsieur qui passe, *le Passant,* à travers un couloir de wagon de chemin de fer ; il distingue une charmante personne avec laquelle, au lieu d'aller simplement jusqu'à Bruxelles, il s'arrête à la frontière hollandaise :

Ils passèrent au moins huit jours à Rosendael
Il goûtait l'idéal elle aimait le réel
En toutes choses d'elle il était différent
Par conséquent ce fut bien l'amour qu'ils connurent

Je vous signale ces deux derniers vers, bien que rimant richement, ils contiennent une dissonance qui fait contraster délicatement le son plein des rimes masculines avec la morbidesse des féminines.

— Cher maître, repris-je plus haut, parlez-moi du vers libre.

— Vive la liberté ! cria la statue de bronze.

Le Poète assassiné.

Le phoque

J'ai les yeux d'un vrai veau marin
Et de Madame Ygrec l'allure
On me voit dans tous nos meetings
Je fais de la littérature
Je suis phoque de mon état
Et comme il faut qu'on se marie
Ue beau jour j'épouserai Lota
Du matin au soir l'Otarie
  Papa Maman
Pipe et tabac crachoir caf' conc'
  Laï Tou

Chapeau-tombeau

On a niché
Dans son tombeau
L'oiseau perché
Sur ton chapeau
Il a vécu
En Amérique
Ce petit cul
    Or
nithologique
    Or
J'en ai assez
Je vais pisser

Quelconqueries.

Un poème

Il est entré
Il s'est assis
Il ne regarde pas le pyrogène à cheveux rouges
L'allumette flambe
Il est parti

Il y a.

Pablo Picasso

Né en 1881

« L'HUMOUR, *dira Jacques Vaché, dérive trop d'une sensation pour ne pas être très difficilement exprimable. Je crois que c'est une sensation.* » *Cette sensation, si sensation il y a, rien ne peut être plus propice à son élucidation que de la voir se produire en liaison avec une autre et, à cet égard, l'œuvre de Picasso est peut-être la plus significative. La faculté visuelle y est en effet portée à sa plus haute puissance et se présente en état de* « *révolution permanente* ». « *Croyez-vous, dit-il, que cela m'intéresse que ce tableau représente deux personnages ? Ces deux personnages ont existé, ils n'existent plus. Leur vision m'a donné une émotion initiale, petit à petit leur présence réelle s'est estompée, ils sont devenus pour moi une fiction, puis ils ont disparu ou plutôt ont été transformés en problèmes de toute sorte.* » *Cette volonté de faire passer l'objet du particulier au général, de supprimer le détail anecdotique, qui exprime l'inten-*

tion fondamentale du cubisme, ne peut manquer d'être en rapport avec le souci de surmonter à tout prix les accidents du moi *qui se traduit par le recours à l'humour. Ces accidents n'en sont pas moins tenus pour hautement nécessaires — rien de plus opposé que cet art à l'impassibilité — mais, étant donné l'extrême mobilité de l'émotion, il ne saurait s'agir que de la poursuivre à l'intérieur de l'œuvre même et non de la donner pour sujet préconçu à cette œuvre, ce qui équivaudrait à l'arrêter arbitrairement : « Au fond tout ne tient qu'à soi. C'est un soleil dans le ventre aux mille rayons. Le reste n'est rien. » Il est clair que c'est ici le* surmoi *qui agit comme condensateur de lumière, comme cuirasse tournée vers l'intérieur.*

L'acte lyrique ininterrompu que constitue l'œuvre plastique de Picasso ne peut, par suite, admettre de caution plus valable que l'humour, tel qu'il doit résulter de l'émotion cultivée pour elle-même et portée à son comble. Un frémissement unique parcourt ici l'intervalle obscur qui sépare les choses naturelles et les créations humaines. Une interrogation palpitante, infatigable va des unes aux autres, tendant à faire jaillir, par la seule vertu de l'instrument interposé, l'homme de son chant, si c'est une guitare, la femme de sa nudité, si c'est un miroir. Le visage humain en particulier se propose comme l'éternel, comme l'inépuisable jeu de patience, comme le lieu électif de toutes les perturbations. Le monde extérieur n'est que gangue à ce visage à jamais inconnu, à jamais changeant dans lequel tout doit se retrouver en fin de compte ; il n'est que le monde métaphorique dans lequel viennent se couler les émotions, moule qui n'a de valeur qu'autant qu'il est commun à tous les hommes, qu'il se fonde sur leur expérience journalière : « Les tableaux, dit Picasso, on les fait toujours comme les princes font leurs enfants : avec des bergères. On ne fait jamais le portrait du Parthénon ; on ne peint jamais un fauteuil Louis XV. On fait des tableaux avec une bicoque du Midi, avec un paquet de tabac, avec une vieille chaise. »

Les poèmes récents de Picasso permettent d'embrasser ce qu'exige pathétiquement d'abandon et de défense une telle démarche, poursuivie durant plus de trente ans et dont toute l'optique moderne s'est trouvée bouleversée.

Poèmes

JEUNE FILLE correctement vêtue d'un manteau beige à parements violents 150 000 — 300 — 22 — 95 centimes combinaison madapolam corrigée et revue par allusion de fourrure d'hermine 143 — 60 — 32 un soutien-gorge ouvert, les bords de la plaie retenus écartés par des poulies à main faisant le signe de la croix parfumées au fromage reblochon 1 300 — 75 — 03 — 49 — 317 000 — 25 centimes ouvertures à jour ajoutées un jour sur deux incrustées sur la peau par des frissons tenus en éveil par le silence mortel de la couleur appât genre Lola de Valence 103 plus les regards langoureux 310 — 313 plus 3 000 000 — 80 francs — 15 centimes pour un coup d'œil oublié sur la commode — pénalités encourues au cours du match — lancement du disque entre les jambes par une succession de faits qui sans aucune raison arrivent à se faire un nid et à se transformer dans certains cas en l'image raisonnée de la coupe 380 — 11 plus les frais mais le dessin si académique gabarit de toute l'histoire depuis sa naissance à ce matin n'écrit même pas si l'on marche sur les doigts qui montrent la sortie mais crache son bouquet avec le verre à boire que l'odeur formée par régiments et défilant drapeau en tête de ligne que si les chatouillements du désir ne découvrent l'endroit propice pour transformer la sardine en requin la liste des achats ne s'allonge qu'à partir de ce moment sans l'inévitable arrêt à table à l'heure du déjeuner pour pouvoir écrire assis au milieu de tant d'hyperboles mêlées avec le fromage et la tomate.

☆

Langue de feu évente sa face dans la flûte la coupe qu'en lui chantant ronge le coup de poignard du bleu si enjoué qui assis dans l'œil du taureau inscrit dans sa tête ornée de jasmins attend que la voile enfle le morceau de cristal que le vent enveloppé dans la cape du *mandoble* dégoulinant de caresses distribue le pain à l'aveugle et à la colombe couleur lilas et serre de toute sa méchanceté contre les lèvres du citron flambant la corne torse qui effraye de ses gestes d'adieu la cathédrale qui défaille entre ses bras sans un bravo tandis qu'éclate dans son regard la radio éveillée par l'aube qui photographiant dans le baiser une punaise de soleil mange l'arôme de l'heure qui tombe et traverse la page qui vole défait le bouquet qu'emporte fourré entre l'aile qui soupire et la peur qui sourit le couteau qui bondit de plaisir en laissant même aujourd'hui flottant à sa guise et n'importe comment au moment précis et nécessaire en haut du puits le cri du rose que la main lui jette comme une petite aumône.

Arthur Cravan

1881-1920

D'AVRIL *1912 à avril 1915 paraissent et disparaissent les cinq numéros, aujourd'hui introuvables, de la petite revue* Maintenant, *dirigée par Arthur Cravan. Celui-ci affiche une conception toute nouvelle de la littérature et de l'art qui correspond à ce que pourrait être, en manière de* beau *spectacle, celle du lutteur forain ou du dompteur. En haine des librairies étouffantes où tout se confond et, à l'état de neuf, déjà tombe en poussière, Cravan pousse devant lui le stock des exemplaires de* Maintenant *dans une voiture de quatre-saisons : le numéro vingt-cinq centimes ! L'entreprise très courte, très limitée dont il s'agit semble, à distance, avoir présenté une vertu décongestionnante de premier ordre. Il est impossible de ne pas y découvrir les signes avant-coureurs de* Dada, *bien que la solution au malaise intellectuel soit ici cherchée d'un tout autre côté. On se propose de réhabiliter le tempérament, au sens presque physique du mot (régression non plus vers l'en-*

fance de l'homme, mais vers celle du monde, la préhistoire, amour de l'oncle, en l'espèce Oscar Wilde, présenté sur ses vieux jours comme pachyderme : « Je l'adorais parce qu'il ressemblait à une grosse bête » ; le poète trouve pour se décrire lui-même ces accents lyriques : « J'avais plié mes deux mètres dans l'auto où mes genoux avançaient deux mondes vitrés et j'apercevais sur les pavés qui répandaient leurs arcs-en-ciel les cartilages grenats croiser les biftecks verts ») Dans la mesure même où il professe que « tout grand artiste a le sens de la provocation », ses moyens préférés sont l'aveu cynique et l'injure. Ce que Rimbaud objecte en pleurant : « Je ne comprends pas les lois ; je n'ai pas le sens moral, je suis une brute... Je suis une bête, un nègre », Cravan le fait passer sur le plan de l'apologie, de la revendication totale : « Tout le monde comprendra que je préfère un gros Saint-Bernard obtus à Mademoiselle Fanfreluche qui peut exécuter les pas de la gavotte et, de toute façon, un jaune à un blanc, un nègre à un jaune et un nègre boxeur à un nègre étudiant. » Sans préjudice des appréciations erronées auxquelles le porte, en peinture, son goût électif des boxeurs, nageurs et autres spécialistes de l'entraînement musculaire, Cravan a signé, dans le numéro 4 de Maintenant, *un compte rendu du Salon des Indépendants qui reste le chef-d'œuvre de l'humour appliqué à la critique d'art : « Qu'on est loin, s'écrie-t-il, des accidents de chemin de fer : Maurice Denis devrait peindre au ciel, car il ignore le smoking et le fromage des pieds. Non point que je trouve très audacieux de peindre un acrobate ou un chieur, puisque, au contraire, j'estime qu'une rose faite avec nouveauté est beaucoup plus démoniaque... Si j'avais la gloire de Paul Bourget je me montrerais tous les soirs en cache-sexe dans une revue de music-hall et je vous garantis que je ferais recette. »*

Arthur Cravan

Non content durant la guerre d'avoir réussi à être déserteur de plusieurs pays, Cravan s'efforce encore d'attirer sur sa personne l'attention et la désapprobation les plus tumultueuses. Appelé à conférencer à New York sur l'humour, il monte complètement ivre sur la scène et entreprend de se déshabiller, en attendant que la salle se vide et que la police vienne le cueillir ; en Espagne, il défie le champion du monde Joe Johnson et, par lui, se fait mettre knock-out au premier round. On signale en 1919 son passage comme professeur de culture physique à l'académie athlétique de Mexico : il prépare une conférence sur l'art égyptien. Sa trace se perd à peu de temps de là dans le golfe du Mexique où il s'est engagé de nuit sur une embarcation des plus légères.

André Gide

COMME je rêvais fébrilement, après une longue période de la pire des paresses, à devenir très riche (mon Dieu ! comme j'y rêvais souvent !), comme j'en étais au chapitre des éternels projets, et que je m'échauffais progressivement à la pensée d'atteindre malhonnêtement à la fortune, et d'une manière inattendue, par la poésie — j'ai toujours essayé de considérer l'art comme un moyen et non comme un but — je me dis gaiement : « Je devrais aller voir Gide, il est millionnaire. Non, quelle rigolade, je vais rouler ce vieux littérateur ! »

Tout aussitôt, ne suffit-il pas de s'exciter ? je m'octroyais un don de réussite prodigieux. J'écrivais un mot à Gide, me recommandant de ma parenté avec Oscar Wilde ; Gide me recevait. Je lui étais un étonnement avec ma taille, mes épaules, ma beauté, mes excentricités, mes mots. Gide raffolait de moi, je l'avais pour agréable. Déjà nous filons vers l'Algérie — il refaisait le voyage de Biskra et j'allais bien l'entraîner jusqu'aux côtes des Somalis. — J'avais vite une tête dorée, car j'ai toujours eu un peu honte d'être blanc. Et Gide payait les coupés de 1re classe, et les nobles montures, les palaces, les amours. Je donnais enfin une substance à quelques-unes des milliers d'âmes. Gide payait, payait toujours ; et j'ose espérer qu'il ne m'attaquera point en dommages et intérêts si je lui fais l'aveu que dans les dévergondages malsains de ma galopante imagination il avait vendu jusqu'à sa solide ferme de Normandie pour satisfaire à mes derniers caprices d'enfant moderne.

Ah ! je me revois encore tel que je me peignais alors, les jambes allongées sur les banquettes du rapide méditerranéen, débitant des inconcevabilités pour divertir mon Mécène.

On dira peut-être de moi que j'ai des mœurs d'Androgide. Le dira-t-on ?

Au reste, j'ai si peu réussi dans mes petits projets d'exploitation que je vais me venger. J'ajouterai, afin de ne pas alarmer inconsidérément nos lecteurs de province, que je pris surtout en grippe M. Gide le jour où, comme je le fais entendre plus haut, je me rendis compte que je ne tirerais jamais dix centimes de lui, et que, d'autre part, cette jaquette râpée se permit d'éreinter, pour des raisons d'excellence, le chérubin nu qui a nom Théophile Gautier.

J'allais donc voir M. Gide. Il me revient qu'à cette époque je n'avais pas d'habit, et je suis encore à le regretter, car il m'aurait été facile de l'éblouir. Comme j'arrivais près de sa villa, je me récitai les phrases sensationnelles que je devais placer au cours de la conversation. Un instant plus tard, je sonnai. Une bonne vint m'ouvrir (M. Gide n'a pas de laquais). L'on me fit monter au premier et l'on me pria d'attendre dans une sorte de petite cellule qu'assurait un corridor tournant à angle droit. En passant, je jetai un œil curieux dans différentes pièces, cherchant à prendre par avance quelques renseignements sur les chambres d'amis. Maintenant, j'étais assis dans mon petit coin. Des vitraux, que je trouvais toc, laissaient tomber le jour sur un écritoire où s'ouvraient des feuillets fraîchement mouillés d'encre. Naturellement, je ne me fis pas faute de commettre la petite indiscrétion que vous devinez. C'est ainsi que je puis vous apprendre que M. Gide châtie terriblement sa prose et qu'il ne doit guère livrer aux typographes que le quatrième jet.

La bonne vint me reprendre pour me conduire au rez-de-chaussée. Au moment d'entrer dans le salon, de turbulents roquets jetèrent quelques aboiements. Cela allait-il manquer de distinction ? Mais M. Gide allait venir. J'eus pourtant tout le loisir de regarder autour de moi. Des meubles modernes et peu heureux dans une pièce spacieuse ; pas de tableaux, des murs nus (une simple intention ou une intention un peu simple) et surtout une minutie très protestante dans l'ordre et la propreté.

J'eus même, un instant, une sueur assez désagréable à la pensée que j'avais peut-être saligoté les tapis. J'aurais probablement poussé la curiosité un peu plus loin, ou j'aurais cédé à l'exquise tentation de mettre quelque menu bibelot dans ma poche, si j'avais pu me défendre de la sensation très nette que M. Gide se documentait par quelque petit trou secret de la tapisserie. Si je m'abusais, je prie M. Gide de bien vouloir accepter les excuses publiques et immédiates que je dois à sa dignité.

Enfin l'homme parut. (Ce qui me frappa le plus depuis cette minute, c'est qu'il ne m'offrit absolument rien, si ce n'est une chaise, alors que sur les quatre heures de l'après-midi une tasse de thé, si l'on prise l'économie, ou mieux encore quelques liqueurs d'Orient passent avec raison, dans la société européenne, pour donner cette disposition indispensable qui lui permet d'être parfois étourdissante.)

« Monsieur Gide, commençai-je, je me suis permis de venir à vous, et cependant je crois devoir vous déclarer tout de go que je préfère de beaucoup, par exemple, la boxe à la littérature.

— La littérature est pourtant le seul point sur lequel nous puissions nous rencontrer », me répondit assez sèchement mon interlocuteur.

Je pensais : ce grand vivant !

Nous parlâmes donc littérature, et, comme il allait me poser cette question qui devait lui être particulièrement chère : « Qu'avez-vous lu de moi ? » j'articulai sans sourciller, en logeant le plus de fidélité possible dans mon regard : « J'ai peur de vous lire. » J'imagine que M. Gide dut singulièrement sourciller.

J'arrivai alors petit à petit à placer mes fameuses phrases, que tout à l'heure je me récitais encore, pensant que le romancier me saurait gré de pouvoir après l'oncle utiliser le neveu. Je jetai d'abord négligemment : « La Bible est le plus grand succès de librairie. » Un moment plus tard, comme il montrait assez de bonté pour s'intéresser à mes parents : « Ma mère et moi, dis-je assez drôlement, nous ne sommes pas nés pour nous comprendre. »

La littérature revenant sur le tapis, j'en profitai pour dire du mal d'au moins deux cents auteurs vivants, des écrivains juifs et de Charles-Henri Hirsch en particulier, et d'ajouter : « Heine est le Christ des écrivains juifs modernes. » Je jetais de temps à autre de discrets et malicieux coups d'œil à mon hôte, qui me récompensait de rires étouffés, mais qui, je dois bien le dire, restait très loin derrière moi, se contentant, semblait-il, d'enregistrer, parce qu'il n'avait probablement rien préparé.

A un moment donné, interrompant une conversation philosophique, m'étudiant à ressembler à un Bouddha qui aurait descellé une fois pour dix mille ans ses lèvres : « La grande Rigolade est dans l'Absolu », murmurai-je. Sur le point de me retirer, d'un ton très fatigué et très vieux, je priai: « Monsieur Gide, où en sommes-nous avec le temps ? » Apprenant qu'il était six heures moins un quart, je me levai, serrai affectueusement la main de l'artiste et partis en emportant dans ma tête le portrait d'un de nos plus notoires contemporains, portrait que je vais esquisser ici, si mes chers lecteurs veulent bien m'accorder encore, un instant, leur bienveillante attention.

M. Gide n'a pas l'air d'un enfant d'amour, ni d'un éléphant, ni de plusieurs hommes : il a l'air d'un artiste ; et je lui ferai ce seul compliment, au reste désagréable, que sa petite pluralité provient de ce fait qu'il pourrait très aisément être pris pour un cabotin. Son ossature n'a rien de remarquable ; ses mains sont celles d'un fainéant, très blanches, ma foi ! Dans l'ensemble, c'est une toute petite nature. — M. Gide doit peser dans les 55 kilos et mesurer 1 m 65 environ — Sa marche trahit un prosateur qui ne pourra jamais faire un vers. Avec ça, l'artiste montre un visage maladif, d'où se détachent, vers les tempes, de petites feuilles de peau plus grandes que des pellicules, inconvénient dont le peuple donne une explication en disant vulgairement de quelqu'un : « il pèle ».

Et pourtant l'artiste n'a point les nobles ravages du prodigue qui dilapide et sa fortune et sa santé. Non, cent fois non : l'artiste semble prouver au contraire qu'il se soigne méticuleusement, qu'il est hygiénique et qu'il s'éloigne d'un Verlaine qui portait sa syphilis comme une langueur, et je crois, à moins d'un démenti de sa part, ne pas trop m'aventurer en affirmant qu'il ne fréquente ni les filles ni les mauvais lieux ; et c'est bien encore à ces signes que nous sommes heureux de constater, comme nous aurions eu souvent l'occasion de le faire, qu'il est prudent.

André Gide

Je ne vis M. Gide qu'une fois dans la rue : il sortait de chez moi : il n'avait que quelques pas à faire avant de tourner la rue, de disparaître à mes yeux ; et je le vis s'arrêter devant un bouquiniste : et pourtant il y avait un magasin d'instruments chirurgicaux et une confiserie.

Depuis, M. Gide m'écrivit une fois [1], et je ne le revis jamais.

J'ai montré l'homme, et maintenant j'eusse volontiers montré l'œuvre si, sur un seul point, je n'eusse pas eu besoin de me redire.

Maintenant.

1. La lettre autographe de M. Gide est à enlever à nos bureaux au prix de 0,15 franc.

Franz Kafka

1883-1924

SUR *la trame de l'homme moyen d'aujourd'hui, du passant qui se hâte parallèle à la pluie battante, dans une lumière qui ne varie pas au-delà des tons de tissus d'un album de tailleur, Kafka fait passer en rafale l'interrogation capitale de tous les temps : où va-t-on, à quoi est-on soumis, quelle est la loi ? L'individu humain se débat au centre d'un jeu de forces dont il a généralement renoncé à démêler le sens et son manque total de curiosité à cet égard paraît bien être la condition même de son adaptation à la vie sociale : il est exceptionnel que le métier de cordonnier ou d'opticien soit compatible avec une méditation approfondie sur les fins de l'activité humaine. De l'admirable Prague, sa ville natale, la pensée de Kafka épouse tous les charmes, tous les sortilèges : tout en marquant la minute présente, elle tourne symboliquement à rebours avec les aiguilles de l'horloge de la synagogue, elle dirige à midi les ébats des mouettes innombrables sur la Moldau ; au jour tombant, elle réveille pour elle seule les fours éteints de la petite rue des Alchimistes, véritable quartier réservé de l'esprit. Cette pensée, profondément pessimiste, n'est pas sans se reconnaître des affinités avec celle des moralistes français : nous songeons en particulier au dernier et à l'un des plus grands d'entre eux, Alphonse Rabbe, selon qui « Dieu a soumis le monde à l'action de certaines lois secondaires qui s'exécutent pour l'accomplissement d'un but qui nous est inconnu, en nous annonçant, toutefois, par la voix puissante de l'instinct moral, le* monde invisible des réparations solennelles, *où tout se dévoilera, s'expliquera. » Mais les héros de Kafka se ruent en vain contre la porte de ce monde : celui-ci, éperdument ignorant de ce dont on l'accuse, sera exécuté sans jugement ; cet autre, mandé dans un château, ne parviendra pas, au prix d'efforts harassants, à en découvrir l'accès. Le problème soulevé ici dans toute son ampleur est celui de l'obscure nécessité naturelle, telle qu'elle s'oppose à la nécessité humaine ou logique, rendant chimérique toute aspiration profonde à la liberté.*

Le rêve a fourni à Kafka une solution provisoire de ce conflit. Les objets virtuels qui le peuplent cessent en effet d'être étrangers au dormeur, leur présence est toujours justifiable, la flamme du moi *les éclaire sur toutes les faces et, désertant pour eux le corps humain étendu, peut aller jusqu'à les parcourir intérieurement.*

« Je » me confonds avec ce dont, éveillé, tout me séparait. Nul n'est parvenu comme Kafka à innerver de sa sensibilité propre les choses inanimées, nul n'a su reprendre avec plus d'éclat l'enseignement des Vers dorés *de Gérard de Nerval. Employé en Autriche à l'administration des eaux, on se flatte de l'illusion qu'il lui appartint de lancer et de diriger ces eaux à travers la forêt des conduites tout comme, de sa seule substance émotionnelle, il sut*

filer une toile qui ne laisse subsister aucune solution de continuité entre les règnes et les espèces jusqu'à l'homme et qui vibre tout entière au moindre contact.

Nulle œuvre ne milite tant contre l'admission d'un principe souverain extérieur à celui qui pense : « C'est l'homme, a-t-on pu dire, qui bout dans la marmite de Kafka. Il y mijote minutieusement dans le bouillon ténébreux de l'angoisse, mais l'humour fait sauter le couvercle en sifflant et trace dans l'air en lettres bleues des formules cabalistiques. »

Bibliographie : *Nouvelles* (Le Verdict, La Métamorphose, etc.). — *Le Procès.* — *Amérika.* — *Le Château.* — *La Muraille de Chine.* — *La Colonie pénitentiaire,* etc.

La métamorphose

UN matin, au sortir d'un rêve agité, Grégoire Samsa s'éveilla transformé dans son lit en une formidable vermine. Il était couché sur le dos, un dos dur comme une cuirasse, et, en levant un peu la tête, il s'aperçut qu'il avait un ventre brun en forme de voûte divisé par des nervures arquées. La couverture à peine retenue par le sommet de cet édifice était près de tomber complètement, et les pattes de Grégoire, pitoyablement minces pour son gros corps, papillotaient devant ses yeux.

« Que m'est-il arrivé » pensa-t-il. Ce n'était pourtant pas un rêve : sa chambre, une vraie chambre d'homme quoique un peu petite à vrai dire, se tenait bien sage entre ses quatre murs habituels. Au-dessus de la table où s'étalait la collection d'échantillons de drap — Grégoire était voyageur de commerce — on pouvait toujours voir la gravure qu'il avait découpée récemment dans un magazine et entourée d'un joli cadre doré. Cette image représentait une dame assise bien droit, avec une toque et un tour de cou en fourrure ; elle offrait aux regards des amateurs un lourd manchon dans lequel son bras s'engouffrait jusqu'au coude.

Grégoire regarda par la fenêtre ; on entendait des gouttes de pluie sur le zinc ; ce temps brouillé le rendit tout mélancolique : « Si je me rendormais encore un peu pour oublier toutes ces bêtises », pensa-t-il ; mais c'était absolument impossible ; il avait l'habitude de dormir sur le côté droit et ne pouvait arriver dans sa situation présente à adopter la position voulue. Il avait beau essayer de se jeter violemment sur le flanc, il revenait toujours sur le dos avec un petit mouvement de balançoire. Il essaya bien cent fois en fermant les yeux, pour ne pas voir les vibrations de ses jambes, et n'abandonna la partie qu'en ressentant au côté une douleur sourde qu'il n'avait jamais éprouvée.

« Quel métier, pensa-t-il, quel métier ai-je été choisir ! Tous les jours en voyage ! Des ennuis pires que dans le commerce de mes parents ! et par-dessus le marché, cette plaie des voyages : les changements de train, les correspondances qu'on rate, les mauvais repas qu'il faut prendre n'importe quand ; à chaque instant, des têtes nouvelles, des gens qu'on ne reverra jamais, avec lesquels il n'y a pas moyen d'être camarades ! Que le diable emporte la boîte ! » Il sentit une petite démangeaison en haut du ventre, s'approcha un peu plus du bois de lit — en se traînant lentement sur le dos — pour pouvoir mieux lever la tête, et aperçut à l'endroit qui le démangeait toute une série de petits points blancs auxquels il ne comprit rien ; il essaya de tâter l'endroit avec une de ses pattes, mais il dut la retirer bien vite, car ce contact lui donnait des frissons glacés.

Il reprit sa position primitive. « Il n'y a rien d'aussi abrutissant, pensa-t-il, que de se lever toujours si tôt. L'homme a besoin de son sommeil. Et dire qu'il y a des voyageurs qui vivent comme des femmes de harem ! Quand je retourne à l'hôtel, l'après-midi, pour noter les commandes, je trouve ces messieurs qui n'en sont encore qu'à leur petit déjeuner. Je voudrais voir ce que dirait mon chef si j'essayais chose pareille ; je serais congédié immédiatement. Qui sait d'ailleurs si ce ne serait pas une bonne affaire ! Si je ne me retenais à cause de mes parents, il y a longtemps que j'aurais donné ma démission, je serais allé trouver le patron et je ne lui aurais pas mâché les choses. Il en serait tombé de son bureau. Voilà encore une drôle de manière : s'asseoir sur le bureau pour parler aux employés du haut d'un trône, surtout quand on est dur d'oreille et qu'il faut que les gens s'approchent tout près ! Enfin, tout espoir n'est pas perdu ; une fois que j'aurai réuni la somme que mes parents lui doivent — cela pourrait bien durer cinq ou six ans — je ferai certainement la chose. Et alors, un point, je tourne la page. En attendant, il faut me lever pour le train de cinq heures. »

.. ..

Il allait d'abord se lever tranquillement sans être gêné par personne, s'habiller et surtout déjeuner ; ensuite, il serait temps de réfléchir ; ce n'était pas au lit, il le sentait bien, qu'il pourrait trouver une solution raisonnable du problème. Il n'est pas rare d'éprouver à la suite d'une fausse position de ces petits malaises qui disparaissent dès qu'on se lève, et Grégoire était curieux de voir se dissiper petit à petit son hallucination présente. Quant au changement de sa voix, c'était, selon sa conviction intime, le prélude de quelque sérieuse angine, la maladie professionnelle des voyageurs.

Il n'eut aucun mal à rejeter sa couverture ; il se gonfla un peu et elle tomba d'elle-même. Mais ensuite Grégoire fut gêné par sa carrure formidable. Pour se lever il lui aurait fallu des bras et des jambes et il ne possédait que de petites pattes en vibration perpétuelle sur lesquelles il n'avait aucun moyen d'action. Avant d'en pouvoir plier une il lui fallait d'abord s'étirer, et, quand il arrivait à exécuter le mouvement voulu, toutes les autres se déchaînaient sans contrôle, le faisant souffrir atrocement. « Ne restons surtout pas inutilement au lit », se dit Grégoire.

Pour en sortir, il essaya d'abord de commencer par l'arrière-train ; malheureusement, cet arrière-train, qu'il n'avait pas encore vu et dont il ne se faisait pas une idée précise, se révéla à l'expérience très difficile à mouvoir ; la lenteur du procédé l'exaspéra ; il réunit toutes ses forces pour se jeter en avant, mais, ayant mal calculé sa trajectoire, il se heurta violemment contre l'un des montants du lit, et la cuisante douleur qu'il en ressentit lui apprit que la partie inférieure de son corps était sans doute la plus sensible.

Il voulut donc, changeant de tactique, commencer par le haut du corps et tourna prudemment la tête vers le bord du lit. Il y réussit sans peine, et le reste de sa masse, malgré son poids et son volume, finit par suivre et s'orienter du même côté. Mais quand la tête fut sortie et qu'elle pendit dans le vide, Grégoire eut peur de continuer ; s'il tombait dans cette position, il se briserait le crâne à moins d'un miracle, et ce n'était pas le moment de perdre ses moyens ; mieux valait rester au lit.

Pourtant, lorsque, poussant un soupir après tant de peine, il se retrouva étendu comme auparavant, lorsqu'il vit ses petites pattes se livrer bataille avec plus d'acharnement que jamais, désespérant de trouver aucun moyen de restaurer la paix et l'ordre dans cette société despotique, il recommença à croire qu'il ne pouvait absolument pas rester au lit et qu'il fallait raisonnablement tout sacrifier à la plus petite chance de sortir de là. Il ne s'en rappelait pas moins que les résolutions désespérées ne valent pas la réflexion froide et sage. D'ordinaire, dans ces moments-là, il concentrait ses regards sur la fenêtre pour en tirer des encouragements et des motifs d'espoir, mais, ce jour-là, la rue n'avait rien à lui dire ; le brouillard empêchait de la voir. « Sept heures, pensa-t-il, déjà sept heures, et le brouillard n'a pas diminué ! » Il se recoucha un moment, pour ménager sa respiration et ses forces, comme s'il attendait du calme complet le retour de la vie normale.

Puis il se dit : « Avant le quart, il faut absolument que je sois debout. D'ici là, d'ailleurs, on aura envoyé quelqu'un de la maison pour me demander, car le magasin ouvre avant sept heures. » Et il se mit à se balancer sur le dos pour sortir du lit dans toute sa longueur et d'une seule pièce. De cette façon, il pourrait toujours préserver sa tête en la tenant levée pendant le saut. Son dos, qui lui semblait assez dur, ne risquerait rien sur le tapis. Il ne craignait que le vacarme de sa chute qui allait retentir dans toute la maison, y propageant l'effroi ou tout au moins l'inquiétude.

Quand il eut une moitié du corps hors du lit — avec la nouvelle méthode c'était plutôt un jeu qu'une corvée, il n'y avait qu'à se balancer par secousses — il se mit à penser à la facilité avec laquelle il aurait pu se lever s'il avait eu un peu d'aide. Deux personnes fortes comme son père et la bonne auraient amplement suffi. Ils n'auraient eu qu'à passer les bras sous son dos rond, le dégager du lit, s'incliner ensuite avec leur fardeau et puis attendre prudemment qu'il eût fini d'opérer son rétablissement sur le sol où il fallait espérer que ses pattes trouveraient enfin leur raison d'être.

Mais, même si les portes n'avaient pas été fermées, aurait-il vraiment bien fait d'appeler à l'aide ? A cette idée, malgré tout son malheur, il ne put réprimer un sourire.

L'opération était déjà si avancée qu'en accentuant son mouvement d'escarpolette il se sentait presque perdre l'équilibre ; il lui fallait prendre une décision définitive, car il ne disposait plus que de cinq minutes avant l'écoulement du quart d'heure fatidique ; mais soudain, il entendit sonner. « Quelqu'un est venu du magasin », se dit-il, et il sentit son sang se figer tandis que ses petites pattes accéléraient leur sarabande. Il n'entendit rien d'un instant et pensa dans une lueur d'espoir absurde que personne n'allait ouvrir. Mais la bonne, comme toujours, se dirigea d'un pas ferme vers la porte. Le premier mot du visiteur suffit à Grégoire pour l'identifier — c'était le gérant lui-même. Pourquoi fallait-il que Grégoire fût condamné à servir dans une maison où l'on soupçonnait toujours le pire à la moindre inadvertance du personnel ? Ces employés étaient-ils donc tous des fripouilles, sans exception ? Ne se trouvait-il dans leur nombre aucun de ces serviteurs dévoués et fidèles, qui, s'il leur arrive par hasard de s'oublier une ou deux heures le matin, se trouvent si malades de remords qu'ils n'en peuvent plus quitter le lit ? N'aurait-il vraiment pas suffi d'envoyer aux renseignements un apprenti quelconque — si toutefois un pareil interrogatoire était nécessaire — au lieu de déranger immédiatement le gérant comme pour montrer à toute la famille — qui n'en pouvait mais —, que l'éclaircissement d'une affaire aussi suspecte ne pouvait être confié qu'à l'intelligence d'un grand manitou ? Ces réflexions irritèrent tellement Grégoire qu'il se jeta de toute sa force hors du lit : ce fut le résultat moins d'une détermination véritable que de son irritation. Il en résulta un choc bruyant, mais non le vacarme redouté. Le tapis ayant amorti la chute, et le dos du jeune homme étant plus élastique qu'il ne l'avait d'abord pensé, le bruit sourd ne s'était accompagné d'aucun grabuge. La tête seule avait souffert ; Grégoire, ne l'ayant pas relevée suffisamment, se l'était cognée dans sa chute : il dut la tourner un peu, pour la frotter sur le tapis, de douleur et de colère.

. . . .

Afin de s'éclaircir la voix pour la conversation qu'il allait avoir à soutenir, il toussa un peu, mais le plus doucement possible, car il craignait que sa toux ne sonnât pas comme celle d'un homme ; il n'osait plus s'en rapporter là-dessus à son propre jugement. Entre-temps, un grand silence s'était fait dans la pièce contiguë. Peut-être ses parents s'étaient-ils assis à table pour un conciliabule secret, peut-être aussi tout le monde était-il en train d'écouter à la porte.

Grégoire se dirigea lentement vers elle avec sa chaise ; là, il abandonna le siège, se jeta contre la porte et se maintint debout en s'aidant du bois — car le bout de ses pattes sécrétait une substance collante — puis se reposa un moment de son effort ; après quoi, il essaya de faire tourner la clef dans la serrure avec sa bouche. Comment saisir la clef ? S'il n'avait pas de vraies dents, il possédait en revanche des mâchoires très robustes et il arriva effectivement à remuer la clef en négligeant le mal qu'il pouvait se faire ; il lui coulait de la bouche un liquide brunâtre qui se répandait sur la serrure, puis s'égouttait sur le tapis. « Ecoutez, disait le gérant dans la pièce voisine, il est en train de tourner la clef. » Ce fut un encouragement bien précieux pour Grégoire ; il aurait voulu que son père, sa mère, tout le monde enfin se mît à lui crier : « Courage, Grégoire, vas-y, pousse donc ! » Et dans l'idée que tout le monde enfin suivait ses efforts avec une attention passionnée, il se cramponnait au morceau à pleine mâchoire, de toutes ses forces, presque jusqu'à l'inconscience. Suivant les progrès de la giration de la clef, il dansait autour de la serrure, se maintenant simplement de la bouche, se pendait même après l'anneau s'il était nécessaire et le ramenait en bas de tout le poids de son corps. Le déclic clair du pêne qui avait cédé sonna le réveil de Grégoire. « Je me suis passé du serrurier », se dit-il avec un soupir de soulagement, et il posa sa tête sur la poignée pour finir d'ouvrir.

Cette méthode, la seule possible, empêcha les autres de le voir un bon moment, même avec la porte ouverte. Il lui fallait contourner l'un des battants avec la plus grande prudence pour ne pas rater son entrée en s'étalant sur le dos ; il s'y escrimait encore, toute son attention absorbée par la manœuvre, quand il entendit son chef pousser un de ces « Oh ! » sonores, tels qu'en produisent les mugissements du vent, et le vit — le gérant était près de la porte — presser la main sur sa bouche ouverte et battre en retraite comme si quelque force invisible et d'intensité constante l'eût repoussé de cet endroit. La mère, qui était restée là, malgré la présence du gérant, avec ses cheveux en bataille encore pleins du désordre de la nuit, commença par regarder le père en joignant les mains, puis fit deux pas dans la direction de Grégoire et tomba enfin au centre du cercle de famille, au milieu de ses jupes qui s'étalèrent autour d'elle tandis que son visage, s'affaissant sur son sein, devenait absolument introuvable. Le père serra les poings d'un air méchant, comme pour rejeter Grégoire dans sa chambre, regarda la salle à manger d'un œil perplexe, se couvrit les yeux de ses mains et pleura avec de gros sanglots qui agitaient sa puissante poitrine.

Grégoire s'abstint donc de pénétrer dans la pièce, il se contenta de s'appuyer sur le battant fermé de la porte, ne laissant voir que la moitié de son corps, et, tout en haut, sa tête penchée sur le côté pour guetter la suite. Cependant, le temps s'était beaucoup éclairci ; on voyait nettement de l'autre côté de la rue un morceau de la maison d'en face, un long hôpital noirâtre, avec les fenêtres régulières qui trouaient durement sa façade; il pleuvait encore, mais par grandes gouttes bien séparées qui tombaient sur le sol une par une. La vaisselle du petit déjeuner s'étalait abondamment sur la table, car ce repas était pour le père le plus important du jour ; il le prolongeait des heures entières par la lecture de divers journaux. Sur la cloison, on pouvait voir Grégoire photographié en lieutenant, comme au temps de son service, souriant, la main sur son sabre, heureux de vivre, et semblant par son allure exiger le respect de sa tenue. La porte de la pièce étant ouverte, on découvrait à travers celle du vestibule l'espace qui s'étendait au-delà du palier et les premières marches de l'escalier.

. . . .

Un divertissement

Je possède un curieux animal, moitié agneau, moitié chat. C'est un héritage de mon père. Mais il ne s'est développé que de mon temps ; au début, il était beaucoup plus agneau que chat. Maintenant, il est les deux en parts à peu près égales. Il a emprunté au chat sa tête et ses griffes, à l'agneau sa taille et sa forme ; aux deux, ses yeux, qui sont sauvages et changeants, son pelage laineux, étendu ras sur son corps, ses mouvements, qui tiennent à la fois de l'esquive et du bond. Couché au soleil, sur le rebord de la fenêtre, il se roule en boule et ronronne ; dehors, dans la prairie, il fonce çà et là comme un fou et on a du mal à le rattraper. Il fuit comme les chats et il fait mine d'attaquer les agneaux. Par les nuits de clair de lune, les tuiles sont sa promenade favorite. Il ne sait pas miauler et il a horreur des rats. Auprès de la cage à poules, il peut rester tapi en embuscade pendant des heures, mais il n'a saisi jusqu'à présent aucune occasion de meurtre.

Je le nourris avec du lait ; c'est ce qui semble le mieux lui convenir. A longues gorgées, il lape le lait entre ses dents de bête de proie. C'est naturellement une grande source d'amusement pour les enfants. Le dimanche matin est réservé aux visites. Je m'assieds avec la petite bête sur mes genoux, et les enfants de tout le voisinage s'assemblent autour de moi.

C'est alors que sont posées les plus étranges questions, auxquelles nulle créature humaine ne pourrait répondre : pourquoi il y a seulement un animal de cette sorte, pourquoi moi, plutôt qu'un autre, en suis le possesseur, s'il y eut jamais auparavant un animal semblable et ce qui arriverait s'il mourait, s'il ne se sent pas seul, pourquoi il n'a pas d'enfant, comment on l'appelle, etc.

Je ne me casse jamais la tête pour répondre et me borne, sans plus de commentaires, à exhiber mon bien. Quelquefois, les enfants apportent avec eux des chats ; une fois même, ils amenèrent deux agneaux. Mais, contre tous leurs espoirs, il n'y eut aucune scène de reconnaissance. Les animaux se regardèrent calmement de l'un à l'autre avec leurs yeux d'animaux, acceptant visiblement leur mutuelle existence comme un fait divin.

Assise sur mes genoux, la bête ne connaît ni peine ni désir de fuite. C'est pressée contre moi qu'elle est le plus heureuse. Elle reste fidèle à la famille qui l'a élevée. En cela, il n'y a certes aucune marque extraordinaire de fidélité, mais seulement le pur instinct d'un animal qui, bien qu'il ait de par le monde d'innombrables parentés par alliance, n'a peut-être pas une seule relation de sang, et pour lequel, par conséquent, la protection qu'il a trouvée auprès de nous est chose sacrée.

Quelquefois, je ne puis m'empêcher de rire lorsqu'il vient flairer autour de moi et se frotter entre mes jambes ou que simplement il refuse de me quitter. Non content d'être agneau et chat, il insiste presque, par-dessus le marché, pour être chien !

Un jour que je ne voyais plus aucun moyen pour sortir de mes difficultés d'affaires et de tout ce qui dépend de ces sortes de choses, et en étais arrivé à la résolution de tout laisser courir, et que, dans cette humeur, je gisais affalé sur le rocking-chair de mon salon avec la bête sur mes genoux, il m'advint de baisser les yeux et de voir des larmes ruisseler de ses énormes paupières. Etaient-ce mes larmes, ou celles de l'animal ? Ce chat possédait-il, à côté de son âme d'agneau, les ambitions d'un être humain ? Je n'ai pas hérité grand-chose de mon père, mais ce pas grand-chose mérite d'être considéré.

Il a l'inquiétude des deux bêtes, différentes comme elles sont, celle de l'agneau et celle du chat. C'est la raison pour laquelle il paraît se sentir tellement à l'étroit dans sa peau. Parfois il saute à côté de moi sur le bras du fauteuil, pose ses pattes de devant sur mon épaule et appuie son museau contre mon oreille. C'est comme s'il me disait vraiment quelque chose et, effectivement, il tourne ensuite la tête et me regarde en face pour voir l'effet qu'a produit sa communication. Et moi, pour l'obliger, je fais comme si j'avais compris et je hoche la tête. Alors, il bondit par terre et danse de joie.

Peut-être le couteau du boucher serait-il une délivrance pour cet animal ; mais, comme c'est un héritage, je dois lui refuser cela. Il lui faudra donc patienter jusqu'à ce que le souffle quitte volontairement son corps, bien qu'il me fixe parfois avec un regard de compréhension humaine, me suppliant de faire la chose à laquelle tous les deux nous songeons.

La Muraille de Chine, traduction d'Henri Parisot.

Le pont

J'ÉTAIS dur et froid, j'étais un pont, j'étais tendu au-dessus d'un ravin. Mes orteils d'un côté, mes doigts crispés de l'autre, je m'étais encastré solidement dans l'argile croulante. Les pans de mon habit flottaient à mes côtés. Loin au-dessous grondait le torrent glacé. Aucun touriste ne s'égarait vers ces hauteurs inaccessibles ; le pont n'était encore mentionné sur aucune carte. Aussi je restais tendu et j'attendais ; je ne pouvais faire autre chose qu'attendre. A moins de tomber, aucun pont, une fois en place, ne peut cesser d'être un pont.

Ce fut un jour vers la fin de l'après-midi — était-ce le premier jour, était-ce le millième ? je ne saurais dire — mes pensées demeuraient confuses et tournaient perpétuellement dans un cercle ; c'était vers le soir en été, le grondement du torrent était devenu plus sourd, quand j'entendis le bruit d'un pas humain. Vers moi, vers moi. Pont, raidis-toi ; prépare-toi, passerelle, à supporter le passager dont on te confie la charge ! Si son pas est incertain, rassure-le sans intervenir, mais s'il perd l'équilibre, montre de quoi tu es fait et, comme un dieu de la montagne, rejette-le de l'autre côté, sur la terre ferme.

Il vint ; il éprouva ma solidité avec la pointe de fer de sa canne ; puis avec cette même pointe, il releva et arrangea derrière moi les pans de mon habit. Il enfonça la pointe de sa canne dans ma chevelure en broussaille et l'y laissa longtemps, m'oubliant sans doute, tandis qu'il jetait autour de lui des regards sauvages. Mais soudain — alors que j'étais justement en train de le suivre en pensée par-dessus montagnes et vallées — il sauta au milieu de mon corps à pieds joints. Je ressentis une violente douleur, sans comprendre ce qui arrivait. Qu'était-ce donc ? Un enfant ? Un rêve ? Un voyageur ? Un suicide ? Un esprit de tentation ou de destruction ? Et je me retournai pour me rendre compte. Un pont, se retourner ? Je n'avais pas achevé mon mouvement que, déjà, je commençai à tomber, que je tombai, et qu'en un instant je fus déchiré et transpercé par les roches aiguës qui m'avaient toujours si paisiblement regardé d'en bas à travers la ruée des flots.

Récits posthumes, traduction d'Henri Parisot.

Jacob Van Hoddis

1884-1921

UNE *girouette chante dans le ciel de Berlin, une pompe enchantée rit sous la glace dans la campagne et c'est un petit livre de poèmes qui ne veut pas brûler, qui se refuse à subir le sort de tant d'autres ouvrages dont la dictature hitlérienne a organisé l'autodafé, dans l'espoir de contenir la pensée révolutionnaire toujours en marche. Nous sommes ici à l'extrême pointe de la poésie allemande, la voix de Van Hoddis nous parvient de la plus haute et de la plus fine branche de l'arbre foudroyé. L'homme, qui passe une seconde au bras de Arp, se signale par un comportement discordant : invité à dîner, il frappe à toute volée de la cuiller son assiette pour faire du bruit, il n'est pas loin comme Harpo Marx d'offrir sa jambe aux dames. Au tournant historique de la fin de la guerre, telle qu'elle est éprouvée plus cruellement en Allemagne, il disparaît dans un asile d'aliénés. Belles chansons des asiles, où s'exalte le sentiment d'une liberté totale — les rassemblements militaires et autres se brisent contre les murs — nous sommes avec elles au pays même de l'humour noir, reconnaissable à son aspect symbolique, mystérieux, invariable : essaims blancs de mouches, tapis à fleurs, chats verdissants.*

Bibliographie : *Weltende.*

Le rêveur

Nuit bleu-vert, les couleurs muettes se consument.
Est-il menacé par les rayons rouges des lances
et par les cuirasses crues ? Défilent-elles ici les
troupes de Satan ?
Les taches jaunes qui flottent dans l'ombre sont
les yeux désincarnés des grands chevaux.
Son corps est nu et pâle et sans défense.
Une rose fade purule de la terre.

Tohub

Trois petits bonshommes chantent dans l'air
la chanson terrible :
as-tu des punaises, des poux, des puces,
le temps ne te sera pas long.

Toujours tu as à croquer.
Ça court ici, ça court là.
Tu peux saisir et pincer,
bon Dieu, alleluia.

Pourquoi trouver le temps long
quand tu déchois si noblement.
Tes minutes deviennent des lieues,
tu ne vois plus que le temps et tu grognes.

Sur le crâne tu entends les cheveux,
derrière les oreilles te pousse de l'herbe.
Ta mâchoire devient une crécelle,
geignant lourdement à travers les ans,
s'ouvrant sans cesse et se fermant.

Trois petits bonshommes chantent dans l'air
la chanson terrible :
as-tu des punaises, des poux, des puces,
le temps ne te sera pas long.

Ils montaient dans l'aurore
Et chantaient jour et nuit
Et dérangeaient déjeuners et dîners
Et terre et air éclataient.

Le vision-air

Lampe, ne bêle pas.
Du mur surgit un mince bras de femme.
Il était pâle et veiné de bleu.
Les doigts étaient badigeonnés de bagues
  précieuses.
Comme je baisais la main, j'eus peur :

Le vision-air

Elle était vivante et chaude.
Ma figure s'en trouva griffée ;
Je pris un couteau de cuisine et tranchai quelques veines.
Un grand chat léchait avec grâce le sang sur le plancher.
Pendant ce temps un homme aux cheveux hérissés
grimpait après le manche d'un balai appuyé au mur.

Traduction de H. Arp et G. Hugnet.

Marcel Duchamp

Né en 1887

Le *génie de Marcel Duchamp consiste peut-être, ayant franchi le fossé qui sépare les idées particulières des idées générales, ce qui est déjà le propre des grands esprits, à les avoir abandonnées à leur tour pour se porter au-devant de ce qu'on pourrait appeler les idées générales particularisées. Ainsi se demande-t-on si, sous le nom de Délie, Maurice Scève a chanté une femme déterminée, l'idéal féminin ou tout simplement « l'idée »* (*abstraite de toute représentation féminine*), l'idée *dont Délie est l'anagramme. Les principes courants de la connaissance et de l'existence délibérément transgressés, il a pu être question pour la première fois avec Duchamp de « donner toujours ou presque le pourquoi du choix entre deux ou plusieurs solutions* (*par causalité ironique*) *», c'est-à-dire de faire intervenir le plaisir jusque dans la formulation de la loi à laquelle la réalité doit répondre* (*exemples : « un fil horizontal tombe d'un* *mètre de hauteur sur un plan horizontal en se déformant* à son gré *et donne une figure nouvelle de l'unité de longueur* », « par condescendance *un poids est plus lourd à la descente qu'à la montée* », *les bouteilles* de marque (*genre Bénédictine*) *obéissent à un* « *principe de densité oscillante* »). *En cela réside ce que Duchamp a appelé l'*« *ironisme d'affirmation* », *par opposition à l'*« *ironisme négateur dépendant du rire seulement* », *ironisme d'affirmation qui est à l'humour ce que la fleur de farine est au blé. Le meunier, en l'espèce, celui qui, au terme de tout le processus historique de développement du dandysme, a consenti à faire figure, comme dit Mme Gabrielle Buffet, de* « *technicien bénévole* », *notre ami Marcel Duchamp est assurément l'homme le plus intelligent et* (*pour beaucoup*) *le plus gênant de cette première partie du vingtième siècle. La question de la réalité, dans ses rapports avec la possibilité, question qui demeure la grande source d'angoisse, est ici résolue de la manière la plus hardie :* « *La réalité possible* (*s'obtient*) en distendant un peu *les lois physiques et chimiques.* » *Il est hors de doute qu'on s'attachera plus tard à retrouver l'ordre chronologique rigoureux des trouvailles auxquelles cette méthode a pu conduire Marcel Duchamp dans l'ordre plastique et dont l'énumération excéderait le cadre de cette notice. L'avenir ne pourra faire moins qu'en remonter systématiquement le cours, qu'en décrire avec précaution les méandres, à la recherche du trésor caché qui fut l'esprit de Duchamp et, à travers lui, en ce qu'il a de plus rare et de plus précieux, celui de ce temps même. Il y va de toute l'initiation profonde à la façon de sentir la plus moderne, dont l'humour se présente dans cette œuvre comme la condition implicite.*

Après un passage météorique dans la peinture (Jeune homme triste dans un train, Nu descendant un escalier, Le roi et la reine entourés de nus vites, Le roi et la reine traversés par des nus vites, Vierge, Le passage de la Vierge à la Mariée, Mariée), *Duchamp, tout en se consacrant de 1912 à 1923 à cette sorte d'« anti-chef-d'œuvre »* : La mariée mise à nu par ses célibataires même *qui constitue son œuvre capitale, a signé, en protestation contre l'indigence, le sérieux et la vanité artistiques, un certain nombre d'objets tout faits* (ready made) *dignifiés* a priori *par la seule vertu de son choix : portemanteau, peigne, porte-bouteilles, roues de bicyclette, urinoir, pelle à neige, etc. En attendant de passer aux* ready made *réciproques* (*« se servir d'un Rembrandt comme planche à repasser »*) *il s'en est tenu dans cette voie aux* ready made *aidés : Joconde embellie d'une paire de moustaches, cage à oiseau remplie de morceaux de marbre blanc imitant des morceaux de sucre et traversée par un thermomètre, etc.*

Alternant avec quelques arrière-pensées inédites, bien caractéristiques de sa manière, on se plaira à trouver ci-après une suite assez complète de ces phrases construites de mots soumis au « régime de la coïncidence », phrases dans lesquelles de tels objets ont trouvé leur accompagnement idéal, qui brillent de la lumière même du télescopage et montrent dans le langage ce qu'on peut attendre du « hasard en conserve », grande spécialité de Marcel Duchamp.

Bibliographie : *La Mariée mise à nu par ses célibataires même,* 1935.

Etrangler l'étranger.

☆

Eglise, exil.

☆

Des bas en soie... la chose aussi.

☆

Un mot de reine, des mots de reins.

☆

Nous livrons des moustiques domestiques (demi-stock).

☆

Rrose Sélavy et moi esquivons les ecchymoses des Esquimaux aux mots exquis.

☆

Le système métrite par un temps blennorhagieux.

☆

Fossettes d'aisances.

☆

My niece is cold because my knees are cold.

☆

A çoups trop tirés.

☆

Parmi nos articles de quincaillerie paresseuse nous recommandons le robinet qui s'arrête de couler quand on ne l'écoute pas.

☆

Avez-vous déjà mis la moelle de l'épée dans le poil de l'aimée ?

☆

Matin et soir : Bains de gros thé pour grains de beauté sans trop de Bengué.

☆

Une nymphe amie d'enfance.

☆

Physique de bagage :
Calculer la différence entre les volumes d'air

déplacé par une chemise propre (repassée et pliée) et la même chemise sale.

☆

Il y a celui qui fait le photographe et celle qui a de l'haleine en dessous.

☆

Inceste ou passion de famille.

☆

...Un incesticide doit coucher avec sa « parente » avant de la tuer ; les punaises sont de rigueur.

☆

Paroi parée de paresse de paroseis.

☆

A charge de revanche et à verge de rechange.

☆

Sacre du printemps, crasse de tympan.

☆

Oh ! crever un abcès au pus lent.

☆

Ajustage de coïncidence d'objets ou partie d'objets ; la hiérarchie de cette sorte d'ajustage est en raison directe du « disparate. »

☆

Robe oblongue dessinée exclusivement pour dames affligées du hoquet.

☆

« Sa robe est noire », dit Sarah Bernhardt.

☆

Une boîte de suédoises pleine est plus légère qu'une boîte entamée parce qu'elle ne fait pas de bruit.

☆

Une 5 CV qui rue sur pignon.

☆

Du dos de la cuiller au cul de la douairière.

☆

Daily lady cherche démêlés avec Daily Mail.

☆

Faut-il réagir contre la paresse des voies ferrées entre deux passages de trains ?

☆

Transformateur destiné à utiliser les petites énergies gaspillées comme :
l'excès de pression sur un bouton électrique.
l'exhaltation de la fumée de tabac.
la poussée des cheveux, des poils et des ongles.

la chute de l'urine et des excréments.
les mouvements de peur, d'étonnement, d'ennui, de colère.
le rire.
la chute des larmes.
les gestes démonstratifs des mains, des pieds, les tics.
les regards durs.
les bras qui en tombent du corps.
l'étirement, le bâillement, l'éternuement.
le crachement ordinaire et de sang.
les vomissements.
l'éjaculation.
les cheveux rébarbatifs, l'épi.
le bruit de mouchage, le ronflement.
l'évanouissement.
le sifflage, le chant.
les soupirs, etc.

Hans Arp

Né en 1887

A SUPPOSER *que l'on puisse faire une coupe dans la pensée poétique de ce temps, on découvrirait que ses racines pénètrent au plus profond le* soi *qui est à l'esprit humain ce que l'assise géologique est à la plante. C'est dans le* soi *que sont déposées les traces mnémoniques, résidu des innombrables existences individuelles antérieures. L'automatisme n'est autre chose que le moyen de pénétration et de dissolution dont use l'esprit pour puiser dans ce sol, que le correspondant de l'action mécanique par laquelle les racines végétales parviennent à écarter les pierres et à disjoindre les assises dures. Le* moi, *comme partie différenciée du* soi *appelée à subir l'influence du monde extérieur, est chargé de transformer la libido sexuelle accumulée précisément dans le* soi : *on sait qu'il ne peut le faire qu'en triomphant du complexe d'Œdipe et de la bisexualité constitutionnelle de l'individu. Le* surmoi, *présidant à l'accomplissement de cette dernière opération, peut être assimilé à la couche d'humus qui vient recouvrir le sol après la tombée des feuilles et mobiliser les éléments fertilisants de la terre. L'humour, au sens où nous l'entendons, constituerait, on l'a vu, un moyen latent de sublimation : serait la possibilité de choir en beauté, de se reposer sur l'humus dont use la plante pour réparer, au bénéfice de toutes les autres, sa propre énergie vitale lorsque celle-ci est gravement compromise.*

Comme nous aimions, enfant, extraire sans effort du moelleux tapis de la forêt le très clair marronnier de quelques centimètres à la base duquel le marron continue à luire du soleil des meubles du passé, le marron conservant toute sa présence et témoignant concrètement déjà de sa puissance de mains vertes, d'ombre, de pyramides aériennes blanches ou roses, de bals... et de marrons futurs que, sous les jeunes pousses, découvriront à perte de vue émerveillés d'autres enfants ! C'est dans cette perspective qu'est située, comme aucune autre, l'œuvre de Arp. Cette coupe dont nous parlions, il est par excellence celui qui s'est trouvé à même de la pratiquer et toute sa poésie, tant plastique que verbale, semble en avoir disposé pour nous rendre sensible le monde en faible part aérien, en grande partie souterrain que l'esprit explore comme la plante au moyen d'antennes. Il s'est appliqué à tracer, chaque matin, le même dessin pour en surprendre les variations ; il s'est plu à proposer comme organisation *des morceaux de carton découpés, coloriés, secoués et fixés au terme de leur mouvement (objets assemblés selon la loi du hasard). Il est entré au plus vif de lui-même dans le secret de cette vie germinative où le plus minime détail est de toute importance, où par contre la distinction même entre les éléments perd sa valeur, acclima-*

tant un humour sous roche, *permanent, des plus particuliers. « L'air est une racine. Les pierres sont remplies d'entrailles. Bravo, Bravo. Les pierres sont des branches d'eaux. Sur la pierre qui prend la place de la bouche pousse une feuille-arête. Bravo. Les pierres sont tourmentées comme la chair. Les pierres sont des nuages... Bravo. Bravo. »*

Convoqué au consulat allemand de Zurich lors de l'autre guerre, Arp, un peu troublé comme il l'avoue lui-même, s'arrête pour faire le signe de croix devant le portrait de Hindenbourg. A quelque temps de là, invité par un psychiatre à donner par écrit la date de sa naissance, il la répète jusqu'au bas de la feuille, où il tire un trait et, sans trop se soucier de l'exactitude de l'addition, présente un total de quelques chiffres.

Bibliographie : *Le Siège de l'air,* poèmes, 1915-1945.

Bestiaire sans prénom

l'éléphant est amoureux du millimètre

l'escargot est fier
sous son chapeau d'or
son cuir est calme
avec un rire de flore
il porte son fusil de gélatine

l'aigle a des gestes de vide présumé
son pis est rempli d'éclairs

le lion porte une moustache
en pur gothique flamboyant
et des souliers pâles et purgés
comme un néo-soldat
après une défaite de lune

la langouste descend du mât
échange sa canne contre une baguette
et remonte avec son bâton
le long du tronc d'arbre

la mouche avec un regard ronflant
repose son nez sur un jet d'eau

la vache prend le chemin de parchemin
qui se perd dans un livre de chair
chaque poil de ce livre
pèse une livre

le serpent saute avec picotement et picotement
autour des cuvettes d'amour
remplies de cœurs percés de flèches

le papillon empaillé
devient un papapillon empapaillé
le papapillon empapaillé
devient un grandpapapillon grandempapaillé

le rossignol frère du sphinx
arrose des estomacs des cœurs des cerveaux des tripes
c'est-à-dire des lys des roses des œillets des lilas

la puce porte son pied droit
derrière son oreille gauche
et sa main gauche
dans sa main droite
et saute sur son pied gauche
par-dessus son oreille droite

Alberto Savinio

Né en 1891

TOUT *le mythe moderne encore en formation s'appuie à son origine sur les deux œuvres dans leur esprit presque indiscernables, d'Alberto Savinio et de son frère Giorgio de Chirico, œuvres qui atteignent leur point culminant à la veille de la guerre de 1914. Les ressources du visuel et de l'auditif se trouvent par eux simultanément mises à contribution pour la création d'un langage symbolique, concret, universellement intelligible du fait qu'il prétend rendre compte au plus haut degré de la réalité spécifique de l'époque (l'artiste s'offrant à être victime de son temps) et de l'interrogation métaphysique propre à cette époque (le rapport des objets nouveaux dont elle est amenée à se servir et des objets anciens, abandonnés ou non, est des plus bouleversants en ce qu'il exaspère le sentiment de* fatalité). « *La voie destinée à prédominer à l'heure actuelle, écrit Savinio en 1914, se caractérise surtout par sa forme austère et som-*

bre et par l'apparence rigide et bien matérialisée de sa métaphysique... Loin de ces âges où l'abstraction régnait complète, notre époque serait portée à faire jaillir des matières mêmes (des choses) leurs éléments métaphysiques complets. L'idée métaphysique *passerait, de l'état d'abstraction, à celui de sens. Ce serait ainsi la mise en valeur totale des éléments qui* informent[1] *le type de l'homme pensant et sensible.* »

Nous sommes ici au cœur même du monde sexuel symbolique, tel que l'ont décrit Volkelt et Scherner avant Freud. Tout comme dans les premiers tableaux de Chirico le jeu des tours et des arcades — les premières justifiant des titres qui tournent autour de la nostalgie, *les secondes des titres qui insistent sur l'*énigme *— expriment le rapport du sexe masculin avec le sexe féminin, nous voyons, dans les* Chants de la Mi-Mort *de Savinio (1914) défiler « l'homme-chauve » à l'image du père, tel que Chirico l'a peint dans le* Cerveau de l'Enfant, *son visage rappelant vaguement « certaines photos de Napoléon III et aussi d'Anatole France à l'époque du* Lys rouge, *ce monsieur qui vous regarde en riant sous cape c'est toujours lui, le* démon tentateur », *« l'homme jaune » poussé par un dieu-amour invisible (très probablement le* moi *lui-même sous les feux croisés de ses luminaires), « Daisyssina » l'Eternel féminin, « la mère de pierre » sous le masque de laquelle il est impossible de ne pas reconnaître la très hautaine et dure baronne de Chirico, dans l'ombre de qui son fils Giorgio s'est peint et abîmé tant de fois (l'homme jaune « tue sa mère, puis l'embrasse ; il la lance au plafond et la rattrape ; il la jette et la piétine. Grands éclats de rire »), « les hommes de fer forgé » qui constituent la grille tout*

1. C'est nous qui soulignons ce dernier mot.

ornementale de la société, « deux anges, un roi fou, les hommes-cibles », sans oublier « le garçonnet » dont l'entrée est assez symptomatique « en chemise de nuit, tenant une bougie. Du revers de sa mule, il écrase un faucheux qui grimpait sur le mur ; puis, tremblant, il observe la bête aplatie qui agite une antenne », situant à lui seul toute l'action aux confins mystérieux du moi *et du* surmoi, *ce dernier figuré dans toute sa puissance comme chez Chirico par des statues généralement équestres, « disséminées un peu partout » et qui, le cas échéant, se mettent à galoper.*

L'humour, chez les deux frères, jaillit de la conscience, intermittente, mais très aiguë, qu'ils prennent de leur propre refoulement. C'est ainsi que l'un et l'autre gardent vivace la croyance primitive que les propriétés de la chose mangée se communiquent à celui qui l'a absorbée et forment son caractère, d'où toutes sortes de prohibitions : Hebdomeros, héros d'un livre de Chirico, partage les mets en « moraux et immoraux ». Il réprouve formellement la consommation des mollusques et des crustacés. « Il considérait comme très immoral le fait de consommer des glaces dans les cafés, et, en général, de mettre des morceaux de glace dans les boissons... Il considérait la fraise et la figue comme les plus immoraux des fruits. » Freud a souligné la relation qui existe entre la persistance de cette croyance, à savoir que l'absorption orale pourrait tirer à grave conséquence, et l'angoisse à l'occasion du choix de l'objet sexuel.

Alberto Savinio avait prévu, aux Chants de la Mi-Mort, *un accompagnement musical. « Nous ne saurions, écrit à ce propos le critique des* Soirées de Paris, *passer sous silence la façon dont M. Savinio interprète ses œuvres au piano. Exécutant d'une maîtrise et d'une force incomparables, ce jeune compositeur, qui a en horreur le veston, se tient devant son instrument en bras de chemise, et c'est un singulier spectacle que de le voir se démener à l'extrême, hurler, fracasser les pédales, décrire des moulinets vertigineux, lancer des coups de poing dans le tumulte des passions, du désespoir, des joies déchaînées... Après chaque morceau on étanchait le sang qui maculait les touches. » — Deux mois plus tard, la guerre éclatait.*

Introduction à une vie de mercure

. . . .

AFIN de faciliter la circulation des navires de gros tonnage et aussi pour encourager la livraison à domicile, la *casa* Rana n'avait ni marches ni perron. Malgré cela, ce fut au milieu de l'indifférence la plus complète que le paquebot, poussant la porte d'une proue orgueilleuse, pénétra en sifflant jusqu'au milieu de la salle.

La famille Rana se trouvait au complet, ainsi que Robert Danesi, le postulant tragique.

Après les insultes d'usage, les deux hôtes furent aimablement invités par le maître de céans à se laisser botter le derrière. Chez les Rana, gens de grande race, on avait le culte des belles manières.

Mme Giulia Rana, la maîtresse de la maison, portait une magnifique robe de soirée à grands ramages verts, qui lui seyait à merveille.

Mister Pard s'étant approché d'elle pour lui cracher à la figure, ainsi qu'il est d'usage dans la meilleure société, s'aperçut que cette robe n'était qu'un leurre.

Fille de batraciens, grenouille elle-même, Mme Giulia Rana gardait sur sa peau ces mêmes ornements qui paraient l'épiderme de Monsieur l'amphibie son père. Inutile d'ajouter que Mme Giulia était complètement nue sous ses ramages congénitaux. Quant à son ventre, tout blanc, tout rondelet et d'une délicatesse telle qu'elle en devenait crispante, il s'écrasait comme un ballon d'enfant contre le rebord de la table.

Dégoûté par ce nouveau témoignage de l'instabilité du caractère humain, le consul s'assit dans un coin et, ayant croisé ses jambes, il commença à caresser d'un main affectueuse le bout de sa queue qui dépassait du pantalon métallique.

M. Luigi Rana, mari de Mme Giulia et Président d'honneur de la Société pour l'Encouragement de la Pédérastie dans les Familles, agitait dans un irrigateur un cocktail composé d'ammoniaque et d'excréments divers. Quant au capitaine Tullio Rana, grand mutilé de guerre et frère de M. Luigi, il sautillait dans le salon avec des gestes de silhouette de tir à la cible, car, ayant brillamment résisté à la pression des *Sturmtruppen*, son corps avait été réduit à l'épaisseur d'une pastille.

De grandes étoiles poussives et désaffectées étaient rangées contre les murs. Elles ne gardaient de leur splendeur passée qu'une vague lueur blafarde, qui papillotait faiblement au bout de leurs pattes naguère si radieuses. De la fenêtre on découvrait la ville, toute blanche et ronde dans ses remparts, pareille à une charlotte à la russe baignant dans sa crème.

La séance allait s'ouvrir comme une fleur. Tout le monde entoura la belle Mme Rana, celle qui par sa grâce unique servait de trou de dégagement aux révélations de l'occulte.

Bien que la *casa* Rana fût totalement dépourvue de siège, tous les assistants de cette séance mémorable étaient paisiblement assis autour de la table, les mains mollement posées sur le tapis, le torse bien cambré et le derrière dans le vide.

Robert Danesi prit la parole. Comme depuis sa fameuse tentative de suicide à la strychnine il était devenu catobléphare, il s'était accoutumé de ne s'adresser à ses auditeurs qu'en leur tournant le dos. Il dit :

« Au mois de novembre 1918, nous décidâmes de quitter la Suisse pour rentrer en Europe. Nous prîmes passage, Mme Danesi, mon fils Thémistocle et moi, sur un bateau-lavoir. La guerre était finie, j'avais hâte d'aller mettre mon bras au service de ma patrie. Mais ceci n'est qu'un détail. A la hauteur du numéro 24 de la rue Jacob à Paris, notre navire fut torpillé par l'inadvertance de certains pêcheurs à la dynamite qui opéraient dans ces parages. Serrant mon fils Thémistocle dans mes bras, je réussis à m'agripper au coffre-fort du bord, qui étant complètement vide flottait sur l'océan comme une coloquinte. Il nous ramena sains et saufs devant la maison de passe de l'endroit. Depuis cette nuit tragique, je n'eus plus de nouvelles de ma femme jusqu'à hier, onze septembre, où un accordéoniste de Tel-Aviv eut l'amabilité de m'annoncer par T.S.F. que Mme Danesi n'est pas plus morte que vous et moi, et qu'elle est hospitalisée actuellement dans un grand établissement de viande frigorifiée de Londres, où les plus grands spécialistes de l'endroit procèdent à la suppression de ses tatouages.

« Messieurs, continua le postulant tragique d'une voix qui se fit plus grave, voici la cause qui nous réunit ce soir. Je désire connaître par la bouche de cette saloperie de Mme Giulia Rana, gracieux commissaire de l'au-delà, et en présence de cette ordure de Mister Pard, consul d'Angleterre, si mon cher Thémistocle, sang et chair du vingt-troisième amant de ma femme adorée, peut encore prononcer le doux nom de mère. »

Après la déclaration de Robert Danesi, Mme Rana, s'étant profondément recueillie, ouvrit démesurément son nombril et d'une voix crémeuse prononça :

« Esprit ! Est-il vrai que Mme Danesi soit hospitalisée présentement dans un grand établissement de viande frigorifiée de Londres où l'on procède à la suppression de ses tatouages ? Réponds sans tarder, je te l'ordonne ! »

Quelques secondes après que le silence plein d'extase eut absorbé l'écho de l'exhortation ombilicale, des spasmes affreux secouèrent le nombril de Mme Rana, et une voix qui n'était plus la sienne cria : « Sommes débordés. Egorgeons enfant. Repassez plus tard. »

. . . .

Extrait de la revue Bifur.

Jacques Vaché

1896-1919

LA *strélitzie aux doigts, l'esprit même de l'humour remonte en marchant sur des œufs le cours des années de la « dernière*[1] *» guerre, le corps bien de face et le visage de profil. Nullement abstentionniste, cela va sans dire, il arbore un uniforme admirablement coupé et, par surcroît, coupé en deux, uniforme en quelque sorte synthétique qui est, d'un côté, celui des armées « alliées », de l'autre celui des armées « ennemies » et dont l'unification toute superficielle est obtenue à grand renfort de poches extérieures, de baudriers clairs, de cartes d'état-major et de tours serrés de foulards de toutes les couleurs de l'horizon. Les cheveux rouges, les yeux « flamme morte » et le papillon glacial du monocle parfont la dissonance voulue continuelle et l'isolement. Le refus de participa-*

1. (L'autre, entendons-nous.)

tion est aussi complet que possible, sous le couvert d'une acceptation de pure forme poussée très loin : tous les « signes extérieurs de respect », d'une adhésion en quelque sorte automatique à ce que l'esprit trouve précisément le plus insensé. Avec Jacques Vaché plus un cri, pas même un soupir : les « devoirs » de l'homme, dont toute l'agitation de l'époque entraîne à prendre pour type le « devoir patriotique » défient jusqu'à l'objection, qui, à ses yeux, serait encore de bien trop bonne grâce. Pour trouver le désir et la force de s'opposer, encore faudrait-il être moins loin de compte. A la désertion à l'extérieur en temps de guerre, qui gardera pour lui quelque côté palotin, *Vaché oppose une autre forme d'insoumission qu'on pourrait appeler la désertion à l'intérieur de soi-même. Ce n'est même plus le défaitisme rimbaldien de 1870-71, c'est un parti pris d'indifférence totale, au souci près de ne servir à rien ou plus exactement de* desservir *avec application. Attitude individualiste s'il en fut. Elle nous apparaît comme le produit même, le produit le plus évolué à cette date, de l'ambivalence affective qui veut qu'en temps de guerre, la mort d'autrui soit considérée beaucoup plus librement qu'en temps de paix et que la vie de l'être devienne d'autant plus intéressante que celle de l'ensemble est moins généralement épargnée. Il y a là un retour au stade primitif qui se traduit en moyenne par la réaction « héroïque » (le* surmoi *chauffé à blanc parvenant à obtenir du* moi *son désistement, le consentement à la perte) et, dans les cas exceptionnels, par l'exacerbation des penchants égoïstes, qui cessent de pouvoir se transformer en penchants sociaux, faute pour cela de rencontrer le ferment érotique approprié (le* soi *reprenant le dessus comme dans le cas d'Ubu ou du brave soldat Chveïk). Un* surmoi *de pure simulation, véritable dentelle du genre, n'est plus retenu par Vaché que comme pa-*

rure ; une extraordinaire lucidité confère à ses rapports avec le soi un tour insolite, volontiers macabre, des plus inquiétants. C'est de ces rapports que jaillit à jet continu l'humour noir, l'Umour (sans h) selon l'orthographe inspirée à laquelle il recourt, l'Umour qui va prendre avec lui un caractère initiatique et dogmatique. D'emblée le moi est gravement éprouvé : « Je l'ai échappé, dit Vaché, d'assez peu — à cette retraite. Mais j'objecte à être tué en temps de guerre. » Il se tuera peu après l'armistice. « Au moment de terminer cette étude, écrit M. Marc-Adolphe Guégan dans la Ligne de cœur (janvier 1927) je reçois d'une personne digne de foi une déclaration terrible. Jacques Vaché aurait dit plusieurs heures avant le drame : « Je mourrai quand je voudrai « mourir... Mais alors je mourrai avec quelqu'un. « Mourir seul, c'est trop ennuyeux... De préférence « un de mes amis les meilleurs. » De telles paroles, ajoute M. Guégan, rendent moins certaine, je le reconnais, l'hypothèse de la maladresse, surtout si l'on se rappelle que Jacques Vaché n'est pas mort seul. Un de ses amis fut victime du même poison, le même soir. Ils paraissaient dormir l'un à côté de l'autre quand on découvrit qu'ils n'existaient plus. Mais admettre que cette double mort fut la conséquence d'un projet sinistre, c'est rendre affreusement responsable une mémoire. » Provoquer la dénonciation de cette « affreuse responsabilité » fut, à coup sûr, la suprême ambition de Jacques Vaché.

Bibliographie : *Lettres de guerre*, 1920.

X. le 11 octo. 16.

Cher Ami,

Je vous écris d'un lit où une température agaçante et la fantaisie m'ont allongé au milieu du jour.

J'ai reçu votre lettre hier — L'Evidence est que je n'ai rien oublié de notre amitié, qui, j'espère, durera tant rares sont les sârs et les mîmes ! — et bien que vous ne conceviez l'Umour qu'approximativement.

Je suis donc interprète aux anglais — et y apportant la totale indifférence ornée d'une paisible fumisterie que j'aime à apporter ès les choses officielles, je promène de ruines en villages mon monocle de crystal et une théorie de peintures inquiétantes — J'ai successivement été un littérateur couronné, un dessinateur pornographique connu et un peintre cubiste scandaleux — Maintenant, je reste chez moi et laisse aux autres le soin d'expliquer et de discuter ma personnalité d'après celles indiquées — Le résultat n'importe.

Je vais en permission vers la fin de ce mois, et passerai quelque temps à Paris — J'y ai à voir mon très meilleur ami que j'ai complètement perdu de vue.

... A part cela — qui est peu — Rien. L'Armée Britannique, tant préférable qu'elle soit à la Française, est sans beaucoup d'Umour — J'ai prévenu plusieurs fois un colonel à moi attaché que je lui enfoncerai un petit bout de bois dans les oneilles — Je doute qu'il m'ait entièrement saisi = d'ailleurs ne comprenant pas le Français.

Mon rêve actuel est de porter une chemisette rouge, un foulard rouge et des bottes montantes — et d'être membre d'une société chinoise sans but et secrète en Australie.

Vos illuminés ont-ils le droit d'écrire ? — Je correspondrai bien avec un persécuté, ou un « catatonique » quelconque.

. . . .

X. 29. 4. 17.

Cher Ami,

... Je vous écris d'un ex-village, d'une très étroite étable-à-cochon tendue de couvertures — Je suis avec les soldats anglais — Ils ont avancé sur le parti ennemi beaucoup par ici — C'est très bruyant — Voilà.

... Et puis vous me demandez une définition de l'umour — comme cela ! —

« IL EST DANS L'ESSENCE DES SYMBOLES D'ÊTRE SYMBOLIQUES » m'a longtemps semblé digne d'être cela comme étant capable de contenir une foule de choses vivantes : EXEMPLE : vous savez l'horrible vie du réveillematin — c'est un monstre qui m'a toujours épouvanté à cause que le nombre de choses que ses yeux projettent, et la manière dont cet honnête me fixe lorsque je pénètre une chambre — pourquoi donc a-t-il tant d'umour, pourquoi donc ? — Mais voilà : c'est ainsi et non autrement — Il y a beaucoup de formidable UBIQUE aussi dans l'umour — comme vous verrez — Mais ceci n'est naturellement — définitif et l'umour dérive trop d'une sensation pour ne pas être très difficilement exprimable — Je crois que c'est une sensation — J'allais presque dire un SENS — aussi — de l'inutilité théâtrale (et sans joie) de tout.

Quand on sait.

Et c'est pourquoi alors les enthousiasmes (d'abord c'est bruyant), *des autres* sont haïssables — car — n'est-ce pas — nous avons le génie — puisque nous savons l'UMOUR — Et tout — vous n'en aviez d'ailleurs jamais douté ? nous est permis. Tout ça est bien ennuyeux, d'ailleur.

Je joins un bonhomme — et ceci pourrai s'appeler OBCESSION — ou bien — oui — BATAILLE DE LA SOMME ET DU RESTE — oui.

Il m'a suivi longtemps, et m'a contemplé d'innombrables fois dans des trous innombrables — Je crois qu'il essaie de me mystifier un peu — J'ai beaucoup d'affection pour lui, entre autres choses.

. . . .

18. 8. 17.

Cher Ami,

... D'ailleurs. — L'ART n'existe pas, sans doute — Il est donc inutile d'en chanter — pourtant : on fait de l'art — parce que c'est comme cela et non autrement — Well — que voulez-vous y faire ?

Donc nous n'aimons ni l'ART ni les artistes (à bas Apollinaire) ET COMME TOGRATH A RAISON D'ASSASSI-

NER LE POÈTE ! Toutefois puisqu'ainsi il est nécessaire de dégager un peu d'acide ou de vieux lyrisme, que ce soit fait saccade vivement — car les locomotives vont vite.

Modernité aussi donc — constante, et tuée chaque nuit — Nous ignorons MALLARMÉ, sans haine, mais il est mort — Nous ne connaissons plus Apollinaire — CAR — nous le soupçonnons de faire de l'art trop sciemment, de rafistoler du romantisme avec du fil téléphonique, et de ne pas savoir les dynamos. LES ASTRES encore décrochés ! — c'est ennuyeux — et puis parfois ne parlent-ils pas sérieusement ! — Un homme qui croit est curieux. MAIS PUISQUE QUELQUES-UNS SONT NÉS CABOTINS...

Eh bien — je vois deux manières de laisser couler cela — Former la sensation personnelle à l'aide d'une collision flamboyante de mots rares — pas souvent, dites — ou bien dessiner des angles, ou des carrés nets de sentiments — ceux-là du moment, naturellement — Nous laisserons l'Honnêteté logique — à charge de nous contredire — comme tout le monde.

... L'umour ne devrait pas produire — mais qu'y faire ? J'accorde un peu d'umour à LAFCADIO, car il ne lit pas et ne produit qu'en expériences amusantes, comme l'Assassinat — et cela sans lyrisme satanique — mon vieux Baudelaire pourri ! — Il fallait notre air sec un peu ; machinerie — rotatives à huiles puantes — vrombis, vrombis — vrombis — Siffle ! Reverdy — amusant le pohète, et ennuie en proses ; MAX Jacob, mon vieux fumiste — PANTINS — PANTINS — PANTINS voulez-vous des beaux pantins de bois colorié ! ? Deux yeux-flamme-morte et la rondelle de cristal d'un monocle — avec une pieuvre machine-à-écrire — J'aime mieux...

. . . .

14. 11. 18.

Bien cher ami,

Dans quel affalement me trouva votre lettre ! — Je suis vide d'idées, et peu sonore, plus que jamais sans doute enregistreur inconscient de beaucoup de choses, en bloc — quelle cristallisation ?... je sortirai de la guerre doucement gâteux, peut-être bien, à la manière de ces splendides idiots de village (et je le souhaite)... ou bien... ou bien... quel film je jouerai ! — Avec des automobiles folles, savez-vous bien, des ponts qui cèdent, et des mains majuscules qui rampent sur l'écran vers quel document !... inutile et inappréciable ! — Avec des colloques si tragiques, en habit de soirée, derrière le palmier qui écoute ! — Et puis Charlie, naturellement, qui rictusse, les prunelles paisibles. Le Policeman qui est oublié dans la malle ! ! Téléphone, bras de chemise, avec des gens qui se hâtent, avec ces bizarres mouvements décomposés — William R. G. Eddie, qui a seize ans, des milliards à nègres-livrées, de si beaux cheveux blancs cendre, et un monocle d'écaille. Il se mariera.

Je serai aussi trappeur, ou voleur, ou chercheur, ou chasseur, ou mineur, ou sondeur. Bar de l'Arizona (Whisky-Gin and mixed ?) et belles forêts exploitables et vous savez ces belles culottes de cheval à pistolet mitrailleuse, avec étant bien rasé, et de si belles mains à solitaire. Tout ça finira par un incendie, je vous dis, ou dans un salon, richesse faite. — Well.

Comment vais-je faire, pauvre ami, pour supporter ces derniers mois d'uniforme ? — (on m'a affirmé que la guerre était terminée) — Je suis on ne peut plus à bout... et puis ILS se méfient... ILS se doutent de quelque chose — Pourvu qu'ILS ne me décervèlent pas pendant qu'ILS m'ont en leur pouvoir ?...

Benjamin Péret

1899-1959

IL *fallait — on va voir pourquoi je pèse mes mots — il fallait* un détachement à toute épreuve, *dont je ne connais bien sûr pas d'autre exemple, pour émanciper le langage au point où d'emblée Benjamin Péret a su le faire. Lui seul a pleinement réalisé sur le* verbe *l'opération correspondante à la « sublimation » alchimique qui consiste à provoquer l' « ascension du subtil » par sa « séparation d'avec l'épais ».* L'épais, *dans ce domaine, c'est cette croûte de signification exclusive dont l'usage a recouvert tous les mots et qui ne laisse pratiquement aucun jeu à leurs associations hors des cases où les confine par petits groupes l'utilité immédiate ou convenue, solidement étayée par la routine. Le compartiment étroit qui s'oppose à toute nouvelle entrée en relation des éléments significateurs figés aujourd'hui dans les mots accroît sans cesse la zone d'opacité qui aliène l'homme de la nature et de lui-même. C'est ici que Benjamin Péret intervient en libérateur. Jusqu'à lui, en effet, les poètes les plus grands s'étaient comme excusés d'avoir vu « très franchement une mosquée à la place d'une usine » ou avaient dû prendre une attitude de défi pour affirmer qu'ils avaient vu « une figue manger un âne ». Ils semblent, en proférant de telles paroles, garder le sentiment qu'ils commettent un viol, qu'ils profanent la conscience humaine, qu'ils enfreignent le plus sacré des tabous. Avec Benjamin Péret, au contraire, cette sorte de « mauvaise conscience » a pris fin, la censure ne joue plus, on excipe du « tout est permis ». Jamais les mots et ce qu'ils désignent, échappés une fois pour toutes à la domestication, n'avaient manifesté une telle liesse. Il n'est pas jusqu'aux objets manufacturés que les objets naturels ne réussissent à entraîner dans la sarabande, les uns et les autres rivalisant de disponibilité. On est absolument quitte avec la vieillerie, avec la poussière. La joie panique est revenue. C'est toute la magie dans un verre de vin blanc :*

ce vin qui n'est blanc qu'au lever du soleil
parce que le soleil lui met la main dans les cheveux

*Tout est délivré, tout poétiquement est sauvé par la remise en vigueur d'un principe généralisé de mutation, de métamorphose. On ne se borne plus à célébrer les « correspondances » comme de grandes lueurs malheureusement intermittentes, on ne s'oriente et on ne se meut que par une réalisation ininterrompue d'*accords passionnels.

J'en parle de trop près comme d'une lumière qui, jour par jour, trente ans durant, m'a embelli la vie. L'humour jaillit ici comme de source.

Benjamin Péret

Bibliographie : *Le Passager du Transatlantique,* 1921. — *Au 125 du boulevard Saint-Germain,* 1923. — *Immortelle Maladie,* 1924. — *152 Proverbes mis au goût du jour,* en coll. avec Paul Eluard (1925). — *Il était une boulangère,* 1925. — *Dormir, dormir dans les pierres,* 1927. — *Le Grand jeu,* 1928. — *... Et les seins mouraient,* 1928. — *De derrière les fagots,* 1934. — *Je ne mange pas de ce pain-là,* 1936. — *Je sublime,* 1936. — *Trois cerises et une Sardine,* 1936. — *Au paradis des Fantômes,* 1938. — *La parole est à Péret,* 1943. — *Le Déshonneur des poètes,* 1945. — *Dernier malheur, dernière chance,* 1945. — *Main forte,* 1946. — *Feu central,* 1947. — *La Brebis galante,* 1949.

Les parasites voyagent

VOICI comment cela s'est passé :

« J'avais reçu un ferreux [1] sur le rond [2] et je glissais dans le blanc [3], lorsque je sentis qu'on me serrait les tiges [4].

« Je pensais : « Ça devient sec [5] ! » mais j'étais trop loin pour m'exprimer [6]. Quand il y eut de l'air [7] je me trouvais avec les voletants [8] à au moins quinze pipes [9] au-dessus des crottes [10] ; mais tu sais, je n'avais jamais aimé jouer avec la fumée [11] ; je ne souhaitais qu'une chose : me retrou-

---

1. *Ferreux :* éclat d'obus.
2. *Rond :* tête.
3. *Glisser dans le blanc :* s'évanouir.
4. *Serrer les tiges :* prendre par les membres.
5. *Ça devient sec :* ça tourne mal.
6. *Être trop loin pour s'exprimer :* être trop étourdi pour se défendre.
7. *Quand il y eut de l'air :* quand je revins à moi.
8. *Les voletants :* les oiseaux.
9. *Pipe :* mètre.
10. *Crottes :* sol.
11. *Jouer avec la fumée :* se trouver en l'air dans une position instable.

ver sur les crottes. Je me dis : « Ce n'est pas « sourd[1], je n'ai qu'à me couler le long des pous- « sants[2]. » Mais de le dire, était autre chose que de le faire. Lorsque je voulus essayer, je vis que les poussants et moi ça ne faisait qu'un. Ce n'est pas drôle de se savoir tout d'un coup un employé du noir[3], étant donné surtout qu'il n'y avait pas de raison pour qûe cela se terminât. J'essayai encore une fois de quitter le poussant, mais c'était du vent[4] !

« J'étais poussant et bien poussant. Je sentais le cogneur[5] qui s'affolait dans ma valise[6]. Je croyais que j'en étais aux dernières lignes de mon chapitre[7], je me mordais[8] ; un bavard[9] se posa sur mon occ[10], roula sur mon cornu[11], de là sur ma valise, descendit sur mon percot[12] et me brûla une tige.

« Je gueulais comme une sirène, sans me rendre compte que, depuis que ma tige était brûlée, je n'étais plus fixé au poussant. Je fis un bol[13] et tombai sur un éclai[14] qui, au lieu d'être tussé[15], s'enfonça dans ma valise. Ce n'était pas

---

1. *Sourd :* difficile.
2. *Se couler le long des poussants :* se glisser le long des branches, ou d'un arbre.
3. *Etre un employé du noir :* être les feuilles qui font de l'ombre.
4. *Vent :* impossible.
5. *Cogneur :* cœur.
6. *Valise :* poitrine.
7. *La dernière ligne de mon chapitre :* les derniers instants que j'avais à vivre.
8. *Se mordre :* se tromper.
9. *Bavard :* bouche.
10. *Occ* . front.
11. *Cornu :* nez.
12. *Percot :* ventre.
13. *Bol :* mouvement.
14. *Eclai :* chat.
15. *Tussé :* écrasé.

de l'amour [1] ! Lui, surtout, éclairait [2] et je ne savais pas comment faire pour qu'il parmînt [3].

« J'eus un coup [4] — et il fallait que je fusse vraiment trouc [5] pour n'avoir pas pensé à cela plus tôt. Je me mis à faire des fleurs [6] et après quelques grosses tulipes [7] le rond de l'éclai apparut hors de mon piston [8]. Et il chantait, et il chantait, c'était pire que la Chenal.

« Je tirai sur le rond de l'éclai, et après une dizaines de râles [9] d'efforts, je réussis à me débarrasser de l'éclai. Libre, il n'eut rien de plus pressé que de jouer la sève [10]. Quant à moi, j'étais dans les bois flottants [11] et cependant je prends le vieux [12] à témoin que je n'avais rien dans la blague [13] depuis deux sets [14]. J'avais des tiges d'air [15], sans doute parce que je n'avais rien saqué [16] depuis longtemps et, au bout de dix pipes, je fondis [17] et ne tardai pas à me balancer [18]. Je retournai à l'air [19] en sentant les fraises [20] me tomber sur le rond.

« Bon Dieu, voilà la décharge [21] !

---

1. *Ce n'était pas de l'amour :* ce n'était pas agréable.
2. *Eclairer :* être furieux.
3. *Parmenir :* s'en aller rapidement.
4. *Coup :* idée.
5. *Trouc :* bête.
6. *Faire des fleurs :* excréter.
7. *Tulipe :* excrément.
8. *Piston :* anus.
9. *Râle :* minute.
10. *Jouer la sève :* s'enfuir.
11. *Etre dans les bois flottants :* être ivre.
12. *Vieux :* Dieu.
13. *La blague :* l'estomac.
14. *Set :* jour.
15. *Avoir des tiges d'air :* flageoler sur ses jambes.
16. *Saquer :* manger.
17. *Fondre :* tomber, s'effondrer.
18. *Se balancer :* dormir.
19. *Retourner à l'air :* se réveiller.
20. *Fraises :* grosses gouttes de pluie.
21. *Décharge :* averse.

« Cette claque[1] eut un effet magique, et le brûleur[2] réapparut. Il pouvait être salé[3] et, comme nous étions en été, le brûleur aurait dû se trouver au-dessus de moi. Il était à ma gauche et il se rapprochait de moi à toute vitesse. Cinq ou six râles plus tard, il était entre mes jambes ! et mon radis[4] était prêt.

« Ah ! Quelle douceur mon pope[5] ! C'était comme une mince[6] nouvelle et tout minçait[7] en moi. Jamais je n'avais douillé[8] cela. Et je t'assure que maintenant, c'est bien fini avec les culottes[9]. Tu ne sais pas ! tu ne sais pas !

« Après cela, le brûleur disparut dans un poussant.

« Je sentais que j'étais gallé[10] mince, et je minçais seul, pendant des pailles[11] et des pailles. Je partis vers le brûleur qui était retourné à sa place dans le chapeau[12] mais, au bout de quelques râles, je sentis que je ne pourrais y arriver, je retombai sur les crottes et m'y enfonçai tout entier, mais c'était chal[13] et cela challait[14] de plus en plus.

« A la fin, je revins à la surface des crottes, mais je m'aperçus que j'étais gallé cygne sur un

---

1. *Claque :* parole.
2. *Brûleur :* soleil.
3. *Salé :* midi.
4. *Radis :* sexe.
5. *Pope :* ami, camarade.
6. *Mince :* danse.
7. *Mincer :* danser.
8. *Douiller :* imaginer.
9. *Culotte :* femme.
10. *Galler :* devenir.
11. *Paille :* heure.
12. *Chapeau :* ciel.
13. *Chal :* chaleur.
14. *Challer :* chauffer.

porte-feuilles[1] et j'avais les boucles[2] au vent. Sur les crottes était un gros doré[3] en pleine misère[4]. Il me fit un signe du plat[5] et me cria :

« — Hé ! Lohengrin ! Avance au ralliement ! »

Mort aux vaches et au champ d'honneur, roman inédit.

Trois cerises et une sardine

Ce qui s'élève d'un champ de blé ne ressemble pas forcément à un pot à eau
pas plus que ce qui mange les trônes ne ressemble à un wagon-lit
où des cerveaux en feu
jaillissent des pluies de sensitives
qui imitent parfois les danseuses remontant leur jarretière
ce qui permet au spectateur caché derrière un artichaut de cristal souriant comme un arbre
secret arraché
qui inonde la campagne
où ne pousseront plus que des avertisseurs d'incendie
en forme de pantalons de femme

1. *Porte-feuilles :* étang couvert de nénuphars.
2. *Boucles :* plumes.
3. *Gros doré :* général.
4. *En pleine misère :* en grande tenue.
5. *Le plat :* la main.

ce qui permet dis-je
au spectateur à tête de palissade couverte de capucines
de dépaver sa rue
une enseigne de bordel à la main
mais s'il avait un parapluie d'enfant pendu aux oreilles
et les côtes en forme d'Ophélie
il respirerait aussi tranquillement qu'un baryton pané
gardant un champ de cerisiers morts
à cause de l'éclatement du soutien-gorge des bourgeons
dont la sève
transparente dans la pénombre des cinémas
s'envolerait au passage des tramways qui ne deviendraient jamais des chamois
comme les ruines fumantes au sourire de rue barrée
dont la sève
d'humeur sombre comme un pneu poignardé
ou joyeuse comme une église transformée en abattoir
lit le journal du soir où l'on raconte
comment la barbe d'un vétéran de la grande guerre
sert de porte-plume à ses petits-enfants
qui me font irrésistiblement penser
à une réclame de chocolat offrant des tickets-primes à tout acheteur.
Cependant la grande lutte qui oppose le charbon aux soutiers
ne se terminera que par la victoire des étoiles de mer
qui se brossent les dents avec un cierge de groseille
aux yeux clos
comme un volcan qui contemple son sperme
en route vers la mer

et malgré les scorpions qui se suicident entre
ses flammes
n'hésite pas à massacrer quelques douzaines de
seins de grand-mères ou de signaux de chemin de fer
qui deviendront si facilement du mâchefer pour
édredons
agités de soubresauts convulsifs à la manière
des aubépines en fleurs
Et les yeux roussis par les pastèques verront
dans un nuage de moustaches de grandes serrures molles se balancer comme de trompes
d'éléphant à seins de Mi-Carême
à pieds de sourires
à jambes d'oscillations frénétiques
rappelant
de loin il est vrai
les tremblements nerveux des sources du Nil
où naquit la danse de Saint-Guy
dans une coquille de noix
amère comme un coup de pied au cul
attendu depuis l'apparition au-delà des champs
de navets et de tulipes
croisés comme des épées prêtant serment
de la lune dans un pot à confitures usé comme
une sauterelle
qui pourrait remplacer une gondole
propulsée par les éternuements des rameurs
aussi facilement qu'un gobe-mouches tatoué
comme un pape dans une source thermale
où l'on soigne
les verrues lumineuses qui croissent à l'intérieur
des vieux crânes célèbres
avale les plus profonds soupirs
qui se camouflent parfois en bains de lait
orageux comme un mouton
parfois en brute épaisse
qui rêve de dentelles
comme un haricot au clair de lune

Jacques Rigaut

1899-1929

Le « *stoïcisme, dit Baudelaire, religion qui n'a qu'un sacrement : le suicide !* » *Bien que très tôt le suicide ait pris pour lui cette valeur de sacrement unique, c'est une tout autre religion que le stoïcisme qu'il faudrait prêter à Jacques Rigaut. La résignation n'est pas son fort : pour lui non seulement la douleur mais encore l'absence de plaisir est un mal intolérable. Un égoïsme absolu, flagrant, le dispute à une générosité naturelle confinant à la suprême prodigalité, celle de la vie même constamment offerte, disposée à se perdre pour un oui, pour un non. Le plus beau présent de la vie est la liberté qu'elle vous laisse d'en sortir à votre heure, liberté au moins théorique mais qui vaut peut-être la peine d'être conquise par une lutte acharnée contre la lâcheté et tous les pièges d'une nécessité faite homme, en relation par trop obscure, par trop peu suivie, avec la nécessité naturelle. Jacques Rigaut, vers vingt ans, s'est condamné lui-même à mort et a attendu impatiemment, d'heure en heure, pendant dix ans, l'instant de parfaite convenance où il pourrait mettre fin à ses jours. C'était, en tout cas, une expérience humaine captivante, à laquelle il sut donner un tour mi-tragique, mi-humoristique qui n'appartient qu'à lui. Les ombres de Pétrone, d'Alphonse Rabbe, de Paul Lafargue, de Jacques Vaché fonctionnent comme des signaux le long d'une voie gardée aussi par quelques héros fâcheusement distincts de ceux qui les ont appelés à l'existence sensible : « Qui est-ce qui n'est pas Julien Sorel ? Stendhal. — Qui est-ce qui n'est pas M. Teste ? Valéry. — Qui est-ce qui n'est pas Lafcadio ? Gide. — Qui est-ce qui n'est pas Juliette ? Shakespeare. » Jacques Rigaut, dont l'ambition littéraire s'est bornée à vouloir fonder un journal dont le titre en dit assez long :* Le Grabuge, *glisse chaque soir un revolver sous son oreiller : c'est sa façon de se rallier à l'opinion commune que la nuit porte conseil et d'espérer en finir avec les malfaiteurs du dedans, c'est-à-dire avec les formes conventionnelles d'adaptation. Baudelaire dit encore : « La vie n'a qu'un charme vrai : c'est le charme du jeu. Mais s'il nous est indifférent de gagner ou de perdre ? » Rigaut tourne autour de cette indifférence sans y parvenir mais le jeu reste. Courir sa chance ; en cas de doute plus ou moins poignant, tirer la certitude à pile ou face. Il se donne pour « un personnage moral » mais qu'on s'entende bien : vu le caractère même de sa résolution, avec lui adieu la bienséance. Le dandysme éternel est en jeu : « Je serai un grand mort... Essayez, si vous le pouvez, d'arrêter un homme qui voyage avec son suicide à la boutonnière. » Il a voyagé curieusement comme le bâillement de Chateaubriand jusqu'à nous : « Imprudence : l'homme qui bâille devant sa glace. Qui des deux se lassera de bâil-*

ler ? Qui a bâillé le premier ? De mâchoire à mâchoire, mon bâillement glisse jusqu'à la belle Américaine. Un nègre a faim, une jeune fille s'ennuie : c'est moi qui ai bâillé. » Il est toujours question de sauter dans une Rolls-Royce, mais, qu'on ne s'y trompe pas, en marche arrière. « Après moi le déluge », ces mots ne lui suggèrent d'autre idée que de se poursuivre dans son ascendance, de rattraper les morts quelque peu valables au cours de leur vie, de donner à leur destinée le petit tour de manivelle qui les bifurque. Seul le véhicule est à trouver. C'est la course de dix mille livres de Jarry appliquée à la vie mentale.

Le 5 novembre 1929 enfin, l'instant est venu. Jacques Rigaut, après de très minutieux soins de toilette et en apportant à cette sorte de départ toute la correction extérieure qu'elle exige : ne rien laisser qui dépasse, prévenir au moyen de coussins toute éventualité de tremblement qui puisse être une dernière concession au désordre, se tire une balle dans le cœur.

Bibliographie : *Papiers posthumes*, 1934.

Je serai sérieux comme le plaisir. Les gens ne savent pas ce qu'ils disent. Il n'y a pas de raison de vivre, mais il n'y a pas de raison de mourir non plus. La seule façon qui nous soit laissée de témoigner notre dédain de la vie, c'est de l'accepter. La vie ne vaut pas qu'on se donne la peine de la quitter. On peut par charité l'éviter à quelques-uns, mais à soi-même ? Le désespoir, l'indifférence, les trahisons, la fidélité, la solitude, la famille, la liberté, la pesanteur, l'argent, la pauvreté, l'amour, l'absence d'amour, la syphilis, la santé, le sommeil, l'insomnie, le désir, l'impuissance, la platitude, l'art, l'honnêteté, le déshonneur, la médiocrité, l'intelligence, il n'y a pas là de quoi fouetter un chat. Nous savons trop de quoi ces choses sont faites pour y prendre garde ; juste bonnes à propager quelques négligeables suicides-accidents. (Il y a bien, sans doute, la souffrance du corps. Moi, je me porte bien : tant pis pour ceux qui ont mal au foie. Il s'en faut que j'aie le goût des victimes, mais je n'en veux pas aux gens quand ils jugent qu'ils ne peuvent endurer un cancer.) Et puis, n'est-ce pas, ce qui nous libère, ce qui nous ôte toute chance de souffrance, c'est ce revolver avec lequel nous nous tuerons ce soir si c'est notre bon plaisir. La contrariété et le désespoir ne sont jamais, d'ailleurs, que de nouvelles raisons de s'attacher à la vie. C'est bien commode, le suicide : je ne cesse pas d'y penser : c'est trop commode : je ne me suis pas tué. Un regret subsiste : on ne voudrait pas partir avant de s'être compromis ; on voudrait, en sortant, entraîner avec soi Notre-Dame, l'amour ou la République.

Le suicide doit être une vocation. Il y a un sang qui tourne et qui réclame une justification à son interminable circuit. Il y a dans les doigts l'impatience de ne se serrer que sur le creux de la main. Il y a le prurit d'une activité qui se retourne sur son dépositaire, si le malheureux a négligé de savoir lui choisir un but. Désirs sans images. Désirs d'impossible. Ici se dresse la limite entre les souffrances qui ont un nom et un objet, et celle-là, anonyme et autogène. C'est pour l'esprit une sorte de puberté, ainsi qu'on la décrit dans les romans (car, naturellement, j'ai été corrompu trop jeune pour avoir connu une crise à l'époque où commence le ventre), mais on en sort autrement que par le suicide.

Je n'ai pas pris grand-chose au sérieux ; enfant, je tirais la langue aux pauvresses qui dans la rue abordaient ma mère pour lui demander l'aumône, et je pinçais, en cachette, leurs marmots qui pleuraient de froid ; quand mon bon père, mourant, prétendit me confier ses derniers désirs et m'appela près de son lit, j'empoignai la servante en chantant : *Tes parents faut les balancer, — Tu verras comme on va s'aimer*... Chaque fois que j'ai pu tromper la confiance d'un ami, je crois n'y avoir pas manqué. Mais le mérite est mince à railler la bonté, à berner la charité, et le plus sûr élément de comique c'est de priver les gens de leur petite vie, sans motifs, pour rire. Les enfants, eux, ne s'y trompent pas et savent goûter tout le plaisir qu'il y a à jeter la panique dans une fourmilière, ou à écraser deux mouches surprises en train de forniquer. Pendant la guerre j'ai jeté une grenade dans une cagna où deux camarades s'apprêtaient, avant de partir en permission. Quel éclat de rire en voyant le visage de ma maîtresse, qui s'attendait à recevoir une caresse, s'épouvanter quand je l'eus frappée de mon coup de poing américain, et son corps s'abattre quelques pas plus loin ; et quel spectacle, ces gens qui luttaient pour sortir du Gaumont-Palace, après que j'y eus mis le feu ! Ce soir, vous n'avez rien à craindre, j'ai la fantaisie d'être sérieux. — Il n'y a évidemment pas un mot de vrai dans cette histoire et je suis le plus sage petit garçon de Paris, mais je me suis si souvent complu à me figurer que j'avais accompli ou que j'allais accomplir d'aussi honorables exploits, qu'il n'y a pas là non plus un mensonge. Quand même, je me suis moqué de pas mal de choses ! D'une seule au monde, je n'ai réussi à me moquer : le plaisir. Si j'étais encore capable de honte ou d'amour-propre, vous pensez bien que je ne me laisserais pas aller à une si pénible confidence. Un autre jour je vous expliquerai pourquoi je ne mens jamais : on n'a rien à cacher à ses domestiques. Revenons plutôt au plaisir, qui, lui, se charge bien de vous rattraper et de vous entraîner, avec deux petites notes de musique, l'idée de la peau et bien d'autres encore. Tant que je n'aurai pas surmonté le goût du plaisir, je serai sensible au vertige du suicide, je le sais bien.

La première fois que je me suis tué, c'est pour embêter ma maîtresse. Cette vertueuse créature refusa brusquement de coucher avec moi, cédant au remords, disait-elle, de tromper son amant-chef d'emploi. Je ne sais pas bien si je l'aimais, je me doute que quinze jours d'éloignement eussent singulièrement diminué le besoin que j'avais d'elle : son refus m'exaspéra. Comment l'atteindre ? Ai-je dit qu'elle m'avait gardé une profonde et durable tendresse ? Je me suis tué pour embêter ma maîtresse. On me pardonne ce suicide quand on considère mon extrême jeunesse à l'époque de cette aventure.

La deuxième fois que je me suis tué, c'est par paresse. Pauvre, ayant pour tout travail une horreur anticipée, je me suis tué un jour sans conviction, comme j'avais vécu. On ne me tient pas rigueur de cette mort, quand on voit quelle mine florissante j'ai aujourd'hui.

La troisième fois... je vous fais grâce du récit de mes autres suicides, pourvu que vous consentiez à écouter encore celui-ci : Je venais de me coucher, après une soirée où mon ennui n'avait certainement pas été plus assiégeant que les autres soirs. Je pris la décision et, en même temps, je me le rappelle très précisément, j'articulai la seule raison : Et puis zut ! Je me levai et j'allai chercher l'unique arme de la maison, un petit revolver qu'avait acheté un de mes grands-pères, chargé de balles également vieilles. (On verra tout à l'heure pourquoi j'insiste sur ce détail.) Couchant nu dans mon lit, j'étais nu dans ma chambre. Il faisait froid. Je me hâtai de m'enfouir sous mes couvertures. J'avais armé le chien, je sentis le froid de l'acier dans ma bouche. A ce moment il est vraisemblable que je sentais mon cœur battre, ainsi que je le sentais battre en écoutant le sifflement d'un obus avant qu'il n'éclatât, comme en présence de l'irréparable pas encore consommé. J'ai pressé sur la gachette, le chien s'est abattu, le coup n'était pas parti. J'ai alors posé mon arme sur une petite table, probablement en riant un peu nerveusement. Dix minutes après, je dormais. Je crois que je viens de faire une remarque un peu importante, si tant est que... naturellement ! Il va de moi que je ne songeai pas un instant à tirer une seconde balle. Ce qui importait, c'était d'avoir pris la décision de mourir, et non que je mourusse.

Un homme qu'épargnent les ennuis et l'ennui trouve peut-être dans le suicide l'accomplissement du geste le plus désintéressé, pourvu qu'il ne soit pas curieux de la mort ! Je ne sais absolument pas quand et comment j'ai pu penser ainsi, ce qui d'ailleurs ne me gêne guère. Mais voilà tout de même l'acte le plus absurde, et la fantaisie à son éclatement, et la désinvolture plus loin que le sommeil et la compromission la plus pure.

Jacques Prévert

Né en 1900

En *étudiant chez l'enfant de trois à treize ans les formes successives du respect que cet enfant voue aux règles du jeu de billes, M. Jean Piaget, auteur de remarquables ouvrages dont :* Le Jugement moral chez l'enfant (1932), *parvient à en énumérer trois, qui répondent à une conduite foncièrement différente et se succèdent d'une manière invariable : obéissance à la règle* motrice *pure et simple, correspondant avant sept ans à l'intelligence motrice préverbale à peu près indépendante de tout rapport social, à la* règle coercitive *correspondant de sept à onze ans au respect unilatéral du petit qui reçoit un ordre sans réplique possible, à la règle* rationnelle, *à partir de onze ans, règle constituée-constituante à base de respect mutuel. Dans la mesure où tout le jeu social de l'adulte tend à reproduire à une autre échelle le mécanisme du jeu de billes, d'usage immémorial et universel, force est de convenir que peu d'individus s'y élèvent au degré de conscience qui marque l'accession au troisième stade, que l'immense majorité des hommes s'arrête au second (soumission aveugle au chef méchant, qu'il se nomme Hitler ou Staline, pratique fanatique de la règle suppléant à la conscience de la règle, besoin de se faire bien voir du « grand » équivalant dans les cas désespérés à ce qu'à l'école, vis-à-vis du maître, la plupart des enfants flétrissent du nom de « lèche » : la surenchère, le mouchardage, etc.).*

Jacques Prévert semble avoir accompli l'exploit à saute-mouton, c'est bien le mot, de passer du premier au troisième stade, non seulement l'avoir accompli, mais s'être maintenu en posture de le renouveler en sens inverse et ainsi de suite. Un pied sur le soi, *un autre sur le* moi, *ce dernier aussi différencié que possible du* surmoi *postiche ou mieux, comme il a dit lui-même, « un pied sur la rive droite, un pied sur la rive gauche et le troisième au derrière des imbéciles », il dispose souverainement du raccourci susceptible de nous rendre en un éclair toute la démarche sensible, rayonnante de l'enfance, et de pourvoir indéfiniment le réservoir de la révolte.*

Bibliographie : *Paroles*, 1947.

Tentative de description d'un dîner de têtes à Paris-France

Ceux qui pieusement...
Ceux qui copieusement...
Ceux qui tricolorent
Ceux qui inaugurent
Ceux qui croient
Ceux qui croient croire
Ceux qui croa-croa
Ceux qui ont des plumes
Ceux qui grignotent
Ceux qui andromaquent
Ceux qui dreadnougtnent
Ceux qui majusculent
Ceux qui chantent en mesure
Ceux qui brossent à reluire
Ceux qui ont du ventre
Ceux qui baissent les yeux
Ceux qui savent découper le poulet
Ceux qui sont chauves à l'intérieur de la tête

Ceux qui bénissent les meutes
Ceux qui font les honneurs du pied
Ceux qui debout les morts
Ceux qui baïonnette... on
Ceux qui donnent des canons aux enfants
Ceux qui donnent des enfants aux canons
Ceux qui flottent et ne sombrent pas
Ceux qui ne prennent pas le Pirée pour un homme
Ceux que leurs ailes de géants empêchent de voler
Ceux qui plantent en rêve des tessons de bouteilles sur la grande muraille de Chine
Ceux qui mettent un loup sur leur visage quand ils mangent du mouton
Ceux qui volent des œufs et qui n'osent pas les faire cuire
Ceux qui ont quatre mille huit cent dix mètres de Mont Blanc, trois cents de Tour Eiffel, vingt-cinq centimètres de tour de poitrine et qui en sont fiers
Ceux qui mamellent de la France
Ceux qui courent, volent et nous vengent, tous ceux-là, et beaucoup d'autres entraient fièrement à l'Elysée en faisant craquer les graviers, tous ceux-là se bousculaient, se dépêchaient, car il y avait un grand dîner de têtes et chacun s'était fait celle qu'il voulait.

L'un une tête de pipe en terre, l'autre une tête d'amiral anglais, il y en avait avec des têtes de boule puante, des têtes de gallifet, des têtes d'animaux malades de la tête, des têtes d'Auguste Comte, des têtes de Rouget de Lisle, des têtes de sainte Thérèse, des têtes de fromage de tête, des têtes de pied, des têtes de monseigneur et des têtes de crémier.

Quelques-uns, pour faire rire le monde, portaient sur leurs épaules de charmants visages de veaux, et ces visages étaient si beaux et si tristes, avec les petites herbes vertes dans le creux des oreilles comme le goémon dans le creux des rochers, que personne ne les remarquait.

Une mère à tête de morte montrait en riant sa fille à tête d'orpheline au vieux diplomate ami de la famille qui s'était fait la tête de Soleilland.

C'était véritablement délicieusement charmant et d'un goût si sûr que lorsqu'arriva le président avec une somptueuse tête d'œuf de Colomb ce fut du délire.

« C'était simple, mais il fallait y penser », dit le président en dépliant sa serviette et devant tant de malice et de simplicité les invités ne peuvent maîtriser leur émotion ; à travers des yeux cartonnés de crocodile un gros industriel verse de véritables larmes de joie, un plus petit mordille la table, de jolies femmes se frottent les seins très doucement et l'amiral, emporté par son enthousiasme, boit sa flûte de champagne par le mauvais côté, croque le pied de la flûte et, l'intestin perforé, meurt debout cramponné au bastingage de sa chaise en criant : « Les enfants d'abord. »

Etrange hasard, la femme du naufragé, sur les conseils de sa bonne, s'était, le matin même, confectionné une étonnante tête de veuve de guerre, avec les deux grands plis d'amertume de chaque côté de la bouche, et les deux petites poches de la douleur, grises sous les yeux bleus.

Dressée sur sa chaise, elle interpelle le président et réclame à grands cris l'allocution militaire et le droit de porter sur sa robe du soir le sextant du défunt en sautoir.

Un peu calmée, elle laisse ensuite son regard de femme seule errer sur la table et, voyant parmi les hors-d'œuvre des filets de harengs, elle en prend machinalement en sanglotant, puis en reprend, pensant à l'amiral qui n'en mangeait pas si souvent de son vivant et qui pourtant les aimait tant. Stop. C'est le chef du protocole qui dit qu'il faut s'arrêter de manger, car le président va parler.

Le président s'est levé, il a brisé le sommet de sa coquille avec son couteau pour avoir moins chaud, un tout petit peu moins chaud.

Il parle et le silence est tel qu'on entend les mouches voler et qu'on les entend si distinctement voler qu'on n'entend plus du tout le président parler, et c'est bien regrettable parce qu'il parle des mouches, précisément, et de leur incontestable utilité dans tous les domaines et dans le domaine colonial en particulier.

... car sans les mouches, pas de chasse-mouches, sans chasse-mouches pas de Dey d'Alger, pas de consul... pas d'affront à venger, pas d'oliviers, pas d'Algérie, pas de grandes chaleurs, messieurs, et les grandes chaleurs c'est la santé des voyageurs, d'ailleurs...

mais quand les mouches s'ennuient elles meurent et toutes ces histoires d'autrefois, toutes ces statistiques les emplissant d'une profonde tristesse, elles commencent par lâcher une patte du plafond, puis l'autre, et tombent comme des mouches, dans les assiettes... sur les plastrons, mortes comme le dit la chanson.

.. ..

Extrait de la revue Commerce.

Salvador Dali

Né en 1904

Si *l'humour, démenti à la réalité, affirmation grandiose du principe du plaisir, est bien le produit d'un déplacement brusque de l'accent psychique, ce dernier en l'occurrence retiré au* moi *pour être reporté au* surmoi ; *si le* surmoi *est bien l'intermédiaire indispensable au déclenchement de l'attitude humoristique, on peut s'attendre à ce que celle-ci prenne un tour fonctionnel, affecte un caractère à peu près constant dans les états mentaux déterminés par un arrêt évolutif de la personnalité au stade du* surmoi. *Ces états existent : ce sont les états « paranoïaques » répondant, d'après la définition de Kraepelin, « au développement insidieux, sous la dépendance de causes internes et selon une évolution continue, d'un système délirant durable et impossible à ébranler, et qui s'instaure avec une conservation complète de la clarté et de l'ordre dans la pensée, le vouloir et l'action. » On sait, d'autre part, grâce à Bleuler, que le délire paranoïaque tire son origine d'un état affectif chroni-*

que (à base de complexe) propice au développement cohérent de certaines erreurs auxquelles le sujet marque un attachement passionnel. La paranoïa suppose, en dernière analyse, une affectivité à « forte action de circuit » caractérisée par la stabilité de ses réactions et un détournement de la fonction logique de ses voies ordinaires. Les artistes présentent en commun avec les malades paranoïaques un certain nombre de ces dispositions, qui tiennent à leur fixation à la période de narcissisme secondaire (réincorporation au moi d'une partie de la libido *et, par suite, d'une partie du monde extérieur, cette partie de la* libido *étant déjà projetée sur les objets doués de valeur subjective, c'est-à-dire essentiellement sur les objets parentaux, d'où allégement des contraintes répressives, accommodation avec le mécanisme auto-punitif du* surmoi). *C'est sans doute dans la mesure même où l'artiste est apte à* reproduire, *à objectiver par la peinture ou par tout autre moyen les objets extérieurs dont il subit douloureusement la contrainte, qu'il échappe pour une grande part à la tyrannie de ces objets et évite de verser dans la psychose proprement dite. La* sublimation, *qui s'opère en pareil cas, semble le produit simultané, à l'occasion d'un trauma, du besoin de fixation narcissique (de caractère sadique-anal) et des instincts sociaux (érotisation des objets fraternels) appelés à se manifester électivement à cette période.*

La grande originalité de Salvador Dali est de s'être montré de force à participer à cette action à la fois comme acteur et comme spectateur, d'avoir réussi à se porter mi-juge, mi-partie au procès intenté par le plaisir à la réalité. En cela consiste l'activité paranoïaque-critique *telle qu'il l'a définie : « méthode spontanée de connaissance irrationnelle basée sur l'association interprétative-critique des phénomènes délirants ». Il est parvenu à équilibrer en lui et en dehors de lui l'état lyrique fondé sur l'intuition pure, tel qu'il ne supporte d'aller que de jouissance en jouissance (conception du plaisir artistique érotisé au possible) et l'état spéculatif fondé sur la réflexion, tel qu'il est dispensateur de satisfactions d'un ordre plus modéré, mais d'une nature assez spéciale et assez fine pour que le principe du plaisir s'y retrouve. Il est bien entendu qu'on a affaire avec Dali à une paranoïa latente, de la sorte la plus bénigne, la paranoïa à paliers délirants isolés (pour reprendre la terminologie kraepelinienne) dont l'évolution est à l'abri de tout accident confusionnel. Chez lui l'intelligence, de tout premier ordre, excelle à relier après coup, mais aussitôt, ces paliers les uns aux autres, à rationaliser par degrés la distance parcourue. Les expériences visionnaires vécues, les falsifications pleines de sens de la mémoire, les interprétations illicites ultra-subjectives qui composent le tableau clinique de la paranoïa lui fournissent la matière première de son œuvre, elles sont regardées, elles sont données par lui comme le filon précieux. Mais un travail méthodique d'organisation, d'exploitation se poursuit à partir d'elles, travail qui tend à réduire au fur et à mesure ce que les formes de la vie quotidienne ont d'hostile et à surmonter cette hostilité à* l'échelle universelle. *Dali ne perd, en effet, pas de vue que le drame humain ne se dégage et ne s'exaspère de rien tant que de la contradiction qui existe entre la nécessité naturelle et la nécessité logique, ces deux nécessités ne parvenant à fusionner que par éclairs, pour découvrir dans l'éblouissant le pays aussi vite éteint qu'allumé du « hasard objectif » : « L'activité paranoïaque-critique est une force organisatrice et productrice du hasard objectif. »*

L'objet extérieur, considéré par Dali tel qu'on l'a vu arrêté au stade du surmoi *et se complaisant à cet arrêt, est doué d'une vie symbolique qui prime toutes les autres et tend à en faire le véhicule concret de l'humour. Cet objet est, en effet, distrait de sa signification convenue, utilitaire ou autre, pour être rapporté étroitement au* moi, *par rapport auquel il garde une valeur constitutive. « Soyez persuadés que les fameuses montres molles de Salvador Dali ne sont autre chose que le camembert paranoïaque-critique tendre, extravagant, solitaire du temps et de l'espace. » Dali a exposé à New York un téléphone peint en rouge dont le récepteur était formé par un homard vivant (on peut suivre là jusqu'à sa conjuration artistique la progression du mécanisme autopunitif d'essorillement, par exemple, depuis Van Gogh). Son attitude en présence de ce qu'il appelle les « corps étranges » de l'espace est révélatrice de la non-différenciation infantile à laquelle il se tient de la connaissance des objets et de celle des êtres et caractéristique de l'« aérodynamisme moral » qui lui a permis de réaliser cette rare fantaisie spectaculaire : « Louer une petite vieille propre, au plus haut degré de décrépitude, et l'exposer habillée en toréador, en lui posant sur la tête, préalablement rasée, une omelette fines-herbes : laquelle tremblera par suite du branlement continu de la petite vieille. On pourra aussi poser une pièce de vingt francs sur l'omelette.*[1] »

Bibliographie : *La Femme visible,* 1930. — *L'Amour et la Mémoire,* 1931. — *Babaouo,* 1932. — *La Conquête de l'Irrationnel,* 1935. — *Métamorphose de Narcisse,* 1937. — *Le Mythe tragique de l'Angélus de Millet,* 1963.

1. Il va sans dire que la présente notice ne s'applique qu'au premier Dali, disparu vers 1935 pour faire place à la personnalité mieux connue sous le nom d'Avida Dollars, portraitiste mondain depuis peu rallié à la foi catholique et à « l'idéal artistique de la Renaissance », qui se prévaut aujourd'hui des félicitations et encouragements du pape (décembre 1949).

Les nouvelles couleurs du sex-appeal spectral

Le poids des fantômes.

Depuis quelque temps, et à mesure que les années passent, la notion de fantôme devient suave, s'alourdit et s'arrondit de ce poids persuasif, de cette stéréotypie potelée et de ce contour analytique et nutritif qui est propre aux sacs de pommes de terre vus à contre-jour, lesquels, comme chacun sait, sont précisément ceux que François Millet, peintre involontaire des fantômes les plus importants, eut la complaisance insistante de nous transmettre, en les figeant dans ses toiles immortelles, réalisées magistralement, avec toute la bassesse émotionnelle dont un peintre peut être capable et avec tout ce louche, concret et unique, grâce auquel nous avons tous, depuis quelque temps, le luxe de nous horrifier.

Les raisons de l'alarmante augmentation de poids, de l'alourdissement compact, de l'affaissement réaliste et extra-mou des fantômes actuels ne sont que les conséquences découlant de la notion toute première et originaire de la matérialisation même de l'idée de fantôme et qui, comme nous allons le voir rapidement, réside dans le sentiment de « volume virtuel. »

Le pourquoi de l'obésité des fantômes.

Le fantôme se matérialise par le « simulacre du volume ». — Le simulacre du volume est l'enveloppe. — L'enveloppe cache, protège, transfigure, incite, tente, donne une notion trompeuse du volume. — Elle rend ambivalent à l'égard du volume et le fait tenir en suspicion. — Elle favorise l'éclosion des théories délirantes du volume. — Elle provoque des vertiges de connaissance idéale du volume, de connaissance inconsistante du volume. L'enveloppe dématérialise le contenu, le volume, débilite l'objectivité du volume, rend le volume virtuel angoissant.

La graisse est l'élément angoissant du volume concret de la viande, et nous savons que la libido humaine rend l'angoisse anthropomorphe, qu'elle personnifie le volume angoissant, qu'elle transforme le volume angoissant en chair concrète, qu'elle transforme l'angoisse métaphysique en graisse concrète.

Car qu'est cette graisse effrayante de la chair ?

N'est-elle pas précisément ce qui enveloppe, cache, protège, transfigure, incite, tente, donne une notion trompeuse du volume ? Elle fait tenir le volume en suspicion, elle favorise les théories délirantes du volume, elle provoque des vertiges de connaissance nutritive, idéale du volume, elle provoque des représentations gélatineuses du volume, des représentations extra-fines, « virtuelles », angoissantes du volume.

Le pire se produit donc quand, derrière le linge des fantômes qui encore « conservaient la ligne », les volumes « virtuels » commencent à prendre cette allure de plus en plus grave et qui est celle qui marque le poids impossible à confondre de la réalité et de la graisse substantielle ; mais pire que cela est encore le moment où ce même linge, en tombant, laisse à découvert et à sa place les volumes suspects par leur analytique, lourde, massive et mignonne apparence (caractéristiques du lamentable état d'obésité des fantômes actuels), laisse à découvert, je le répète, la minuscule quoique monumentale nourrice récemment apparue dans mes tableaux, laquelle reste immobile, malgré une pluie torrentielle de printemps, assise dans l'attitude d'une personne qui tricote, dans une mare d'eau, les jupes désagréablement et intégralement trempées, le dos tendu, hitlérien, ramolli et tendre. Ce petit, grand et authentique fantôme de nourrice reste là, immobile, pendant que, dans le paysage où il se mouille, surgit, entre le cyprès bœcklinien et le nuage d'orage bœcklinien, le « spectre irisé » plus beau et terrifiant que la truffe blanche de la mort : l'arc-en-ciel.

C'est ici que la misère des prétendus synonymes se heurte aux antagonismes les plus irréductiblement spécifiques ; car comment ne pas considérer comme spécifiquement différents, d'une part l'important volume de la nourrice, assise dans l'eau, et, d'autre part, la virtualité illusionniste et éphémère des rayons de soleil décomposés par l'eau ?

.. ..

Le « Sex-appeal » sera « spectral ».

Je suis très fier d'avoir en 1928, en plein apogée de l'anatomie fonctionnaliste et pratique, prédit, au milieu du plus moqueur des scepticismes, l'imminence des muscles ronds et salivaires, terriblement gluants d'arrière-pensées biologiques, de

Mae West. Aujourd'hui j'annonce que toute la nouvelle attirance sexuelle des femmes viendra de la possible utilisation de leurs capacités et ressources spectrales, c'est-à-dire de leur possible dissociation, décomposition charnelles, lumineuses. Le spectre irisé s'oppose au fantôme (représenté encore par ce pharmacien nostalgique de ville de province auquel ressemble tellement, désespérément cet autre fantôme prosaïque et diabétique qui s'appelle Greta Garbo).

La femme spectrale sera la femme démontable.

Comment devenir spectrale ?

Anticipations utopiques. — La femme deviendra spectrale par la désarticulation et la déformation de son anatomie. Le « corps démontable » est l'aspiration et la vérification de l'exhibitionnisme féminin, lequel deviendra furieusement analytique, permettant de montrer chaque pièce séparément, d'isoler, pour les donner à manger à part, des anatomies montées *sur griffes,* atmosphériques et spectrales comme celle montée *sur griffes* et *spectrale* de la mante religieuse. Cela se réalisera grâce au perfectionnement pervers des prochains costumes aérodynamiques et de la gymnastique irrationnelle. Les corsets de toutes sortes seront justement réactualisés à des fins extra-fines, de nouvelles et incommodes pièces anatomiques artificielles seront employées pour accentuer le sentiment atmosphérique d'un sein, d'une fesse ou d'un talon (de faux seins extrêmement doux et bien moulés quoique légèrement tombants et naissant dans le dos, seront indispensables pour la tenue de ville.) Le sourire spectral sera provoqué artificiellement par les fibres métalliques vibratoires des chapeaux. Mais le modèle incontestable, l'antécédent sensationnel des costumes spectraux sera toujours, jusqu'à nouvel ordre, celui de Napoléon ; je tiens surtout à attirer l'attention sur les pantalons *bons*

(bons à manger) de Napoléon, qui rendent évidents et suaves les volumes superfins, tendres et confondus que vous connaissez aussi bien que moi, et cela grâce aux facteurs : abdomen et cuisses, « démontables », qui sont à part, isolés, atmosphériques et spectraux, superfinement blancs, encadrés dans le noir et l'attitude fantomatique de la silhouette du reste du costume (chapeau compris) de tous également bien connue.

« *Les grandes automobiles deviendront sereines.* »

A travers la luminosité fulgurante et extra-rapide du sex-appeal spectral des écorchées vivantes, le prosaïsme monumental des grandes automobiles, des planches à repasser et des nourrices tendres deviendra fantomatique et serein.

Extrait de la revue Minotaure.

Jean Ferry

Né en 1906

HORS *la nouvelle ci-après, qui d'emblée m'a paru quintessencier le trouble des années d'après 40 et en réfléchir sur nous le « frisson nouveau », les autres textes lyriques de Jean Ferry se déploient autour de l'idée de l'homme* perdu. *Le bateau est reparti sans préavis, les passagers sont éparpillés on ne sait où. L'île est déserte, bien qu'on soit averti la nuit de son peuplement. Ici, ce n'est pas l'homme qui se déplace, c'est la terre. Le monde sensible est l'extension à perte de vue de ces chausse-trapes que l'homme ne rencontrait jusqu'alors que de loin en loin : « Il vous est arrivé de mettre le pied, dans l'obscurité, sur la dernière marche de l'escalier, celle qui n'existe pas ?... Eh bien ce pays, c'est toujours comme ça. La matière dont est faite cette marche absente de votre escalier, elle en constitue ici la matière même. » Gengis Khan, en pleine fièvre de possession et de destruction, s'expose, en raison de la rotondité de la pla-*

nète, à se nier en attaquant ses propres terres à jamais rases. Non seulement il est impossible de savoir d'où l'on vient mais de qui l'on vient : rien de commun, en tout cas, avec ceux qui se font passer pour les auteurs de vos jours — de quels jours ? Plutôt se composer une généalogie selon son caprice et son cœur, mais s'ils n'en veulent pas ? (On peut voir à cette occasion s'exprimer sans frein une des contestations et des revendications capitales de l'enfant : il est autre que celui qu'on dit, un rapt a été commis à son préjudice. Effrayez-vous si vous voulez, nous en sommes là, c'est au tour des parents de ne plus être « reconnus » par les enfants.) L'important est que l'homme est perdu dans le temps qui le précède immédiatement, ce qui ne fait qu'attester, en reflet, qu'il est perdu dans celui qui le suit.

Un des grands ressorts de l'humour chez Jean Ferry est que la fatigue qu'il accuse volontiers ne perd pas une occasion de se mettre en scène, répandant à cet effet sous nos yeux tous les trésors de l'énergie. Elle lui est un tremplin extraordinaire, qui me remémore le jeu de ces deux « excentrics » qu'on pouvait voir se produire il y a une trentaine d'années à l'Olympia dans un numéro intitulé « L'homme qui se dégonfle ». Dans le cadre d'une maison qu'ils édifiaient en qualité de maçons et dont finalement il ne restait pas pierre sur pierre, l'un d'eux était constamment obligé de redresser l'autre qui, livré à lui-même, les yeux noyés, se mettait aussitôt à pivoter lentement tout en perdant de la hauteur jusqu'à l'aplatissement total qui ne lui laissait plus à ras de terre que l'épaisseur de ses vêtements. Je n'ai rien vu d'aussi irrésistiblement drôle et troublant depuis lors. Je crois qu'en Jean Ferry ces deux personnages ne sont pas moins étroitement associés. Ils ont même un papier à lettres commun sur lequel on lit : « Jean Ferry — Fabrication de scénarios en tous genres. — Travail *rapide et consciencieux. — Spécialité de constructions psychologiques. — Grand choix de paradoxes, idées hardies, etc. — Toujours en stock : sujets forts et humains. — Détails poétiques : sur demande. — Pointes d'humour : selon grosseur.* » *Sans trop perdre de vue le Jean Ferry II,* « *encore plus fatigué que d'habitude* », *et quitte à se porter constamment à son secours, le Jean Ferry Ier a pu, durant dix années, poursuivre et partiellement mener à bien une des tâches les plus ardues, le déchiffrement de l'énigme posée par Raymond Roussel.*

Bibliographie : *Le Mécanicien, et autres contes,* 1947.

Le tigre mondain

ENTRE toutes les attractions de music-hall stupidement dangereuses pour le public comme pour ceux qui les présentent, aucune ne me remplit d'une horreur plus surnaturelle que ce vieux numéro dit du « tigre mondain ». Pour ceux qui ne l'ont pas vu, car la nouvelle génération ignore ce que furent les grands music-halls de l'après-midi précédente, je rappelle en quoi consiste ce dressage. Ce que je ne saurais expliquer, ni essayer de communiquer, c'est l'état de terreur panique et de dégoût abject dans lequel me plonge ce spectacle, comme dans une eau suspecte et atrocement froide. Je ne devrais pas entrer dans les salles où ce numéro, de plus en plus rare d'ailleurs, figure au programme. Facile à dire. Pour des raisons que je n'ai jamais pu éclaircir, « le tigre mondain » n'est jamais annoncé, je ne m'y attends pas, ou plutôt si, une obscure menace, à peine formulée, pèse sur le plaisir que je prends au music-hall. Si un soupir de soulagement me libère le cœur après la dernière attraction du programme, je ne connais que trop la fanfare et le cérémonial qui annoncent ce numéro — toujours exécuté, je le répète, comme à l'improviste. Dès que l'orchestre attaque cette valse cuivrée, si caractéristique, je sais ce qui va se passer ; un poids écrasant me serre la poitrine, et j'ai le fil de la peur entre les dents comme un aigre courant de bas voltage. Je devrais m'en aller, mais je n'ose plus. D'ailleurs, personne ne bouge, personne ne partage mon angoisse, et je sais que la bête est déjà en route. Il me semble aussi que les bras de mon fauteuil me protègent, oh, bien faiblement...

D'abord, c'est dans la salle l'obscurité totale. Puis un projecteur s'allume à l'avant-scène, et le rayon de ce phare dérisoire vient illuminer une loge vide, le plus souvent très près de ma place. Très près. De là, le pinceau de clarté va chercher à l'extrémité du promenoir une porte communiquant avec les coulisses, et pendant qu'à l'orchestre les cors attaquent dramatiquement « L'invitation à la Valse », ils entrent.

La dompteuse est une très poignante beauté rousse, un peu lasse. Pour toute arme, elle porte un éventail d'autruche noire, dont elle dissimule d'abord le bas de son visage ; seuls, ses immenses yeux verts apparaissent au-dessus de la frange sombre des vagues onduleuses. En grand décolleté, les bras nus que la lumière irise d'un brouillard de crépuscule d'hiver, la dompteuse est moulée dans une robe de soirée romantique, une robe étrange aux reflets lourds, d'un noir de grandes profondeurs. Cette robe est taillée dans une fourrure d'une souplesse et d'une finesse incroyables. Au-dessus de tout cela, l'éruption en cascades d'une chevelure de flammes, piquée d'étoiles d'or. L'ensemble est à la fois oppressant et un peu comique. Mais qui songerait à rire ? La dompteuse, jouant de l'éventail, et découvrant ainsi des lèvres pures au sourire immobile, s'avance, suivie par le rayon du projecteur, vers la loge vide, au bras, si l'on peut dire, du tigre.

Le tigre marche assez humainement sur ses deux pattes de derrière ; il est costumé en dandy d'une élégance raffinée, et ce costume est si parfaitement coupé qu'il est difficile de distinguer, sous le pantalon gris à pattes, le gibet à fleurs, le jabot d'un blanc aveuglant aux plissés irréprochables, et la redingote cintrée de main de maître, le corps de l'animal. Mais la tête au rictus épouvantable est là, avec les yeux fous qui roulent dans leurs orbites pourpres, le hérissement furieux des moustaches, et les crocs qui, parfois, étincellent sous les lèvres retroussées. Le tigre avance, très raide, tenant au creux du bras gauche un chapeau gris clair. La dompteuse marche à pas balancés, et si ses reins parfois se cambrent, si son bras nu se contracte, faisant apparaître sous le velours fauve clair de la peau un muscle inattendu, c'est que d'un violent effort secret, elle a redressé son cavalier qui allait tomber en avant.

Les voici à la porte de la loge, que pousse d'un coup de griffe, avant de s'effacer pour laisser passer la dame, le tigre mondain. Et lorsque celle-ci est allée s'asseoir et s'accouder négligemment à la peluche fanée, le tigre se laisse tomber à côté d'elle sur une chaise. Ici, d'habitude, la salle éclate en applaudissements béats. Et moi, je regarde le tigre, et je voudrais tant être ailleurs que j'en pleurerais. La dompteuse salue noblement d'une inclinaison de son incendie bouclé. Le tigre commence son travail, manipulant les accessoires disposés à cet effet dans la loge. Il feint d'examiner les spectateurs à travers une lorgnette, il ôte le couvercle d'une boîte de bonbons et feint d'en offrir un à sa voisine. Il sort une pochette de soie, qu'il feint de respirer ; il feint, à la vive hilarité des uns et des autres, de consulter le programme. Puis il feint de devenir galant, il se penche vers la dompteuse et feint de lui murmurer à l'oreille quelque déclaration. La dompteuse feint d'être offensée et met coquettement entre le satin pâle de sa belle joue et le mufle puant de la bête planté de lames de sabre, l'écran fragile de son éventail de plumes. Là-dessus, le tigre feint d'éprouver un désespoir profond, et il s'essuie les yeux du revers de sa patte fourrée. Et pendant toute cette lugubre pantomime, mon cœur bat à coups déchirants sous mes côtes, car seul je vois, seul je sais que toute cette parade de mauvais goût ne tient que par un miracle de volonté, comme on dit, que nous sommes tous dans un état d'équilibre affreusement instable, qu'un rien pourrait rompre. Que se passerait-il si, dans la loge voisine de celle du tigre, ce petit homme à tournure d'employé modeste, ce petit homme au teint blême et aux yeux fatigués, cessait un instant de vouloir ? Car c'est lui, le vrai dompteur, la femme aux cheveux rouges n'est qu'une figurante, tout dépend de lui, c'est lui qui fait du tigre une marionnette, une mécanique plus sûrement enchaînée que par câbles d'acier.

Mais si ce petit homme se mettait tout à coup à penser à autre chose ? S'il mourait ? Nul ne se doute du danger à chaque seconde possible. Et moi qui sais, j'imagine, j'imagine, mais non, il vaut mieux ne pas imaginer à quoi ressemblerait la dame de fourrure si... Mieux vaut regarder la fin du numéro, qui ravit et rassure toujours le public. La dompteuse demande si quelqu'un dans l'assistance veut bien lui confier un enfant. Qui refuserait quoi que ce soit à une aussi suave personne ? Il y a toujours une inconsciente pour tendre vers la loge démoniaque un bébé ravi, que le tigre berce doucement au creux de ses pattes pliées, en penchant vers le petit morceau de chair des yeux d'alcoolique. Dans un grand tonnerre d'applaudissements, la lumière se fait dans la salle, le bébé est rendu à sa légitime propriétaire, et les deux partenaires saluent avant de se retirer par le chemin même qui les avait amenés.

Dès qu'ils ont passé la porte, et ils ne reviennent jamais saluer, l'orchestre fait éclater ses plus bruyantes fanfares. Peu après, le petit homme se recroqueville en s'épongeant le front. Et l'orchestre joue de plus en plus fort, pour couvrir les rugissements du tigre, rendu à lui-même dès qu'il a passé les barreaux de sa cage. Il hurle comme l'enfer, se roule en déchiquetant ses beaux habits qu'il faut renouveler à chaque représentation. Ce sont les vociférations, les imprécations tragiques d'une rage désespérée, des bonds furieux et fracassants contre les parois de la cage. De l'autre côté des grilles, la fausse dompteuse se déshabille en grande hâte, pour ne pas rater le dernier métro. Le petit homme l'attend au bistrot près de la station, celui qui s'appelle « Au Grand Jamais ».

La tempête de cris que déchaîne le tigre empêtré dans ses lambeaux d'étoffe pourrait impressionner désagréablement, si lointaine soit-elle, le public. C'est pourquoi l'orchestre joue de toutes ses forces l'ouverture de « Fidelio », c'est pourquoi le régisseur, dans les coulisses, presse les cyclistes burlesques d'entrer en scène.

Je déteste ce numéro du tigre mondain, et je ne comprendrai jamais le plaisir qu'y trouve le public.

Leonora Carrington

Née en 1917

MICHELET, *qui a rendu si belle justice à la* Sorcière, *met chez elle en lumière ces deux dons, inestimables du fait qu'ils ne sont départis qu'à la femme,* « l'illuminisme de la folie lucide » *et* « *la sublime puissance de la* conception solitaire ». *Il la défend aussi contre la réputation chrétiennement intéressée qu'on lui a faite d'être laide et vieille.* « *Au mot Sorcière, on voit les affreuses vieilles de Macbeth. Mais leurs cruels procès apprennent le contraire. Beaucoup périrent précisément parce qu'elles étaient jeunes et belles.* »

Qui aujourd'hui pourrait, aussi bien que Leonora Carrington, répondre à l'ensemble de cette description ? Les respectables personnes qui, il y a une douzaine d'années, l'avaient invitée à dîner dans un restaurant de marque ne sont pas encore remises de la gêne qu'elles éprouvèrent à constater que, tout en prenant grand part à la conversation, elle s'était déchaussée pour s'enduire patiem-

ment les pieds de moutarde. — De tous ceux qu'elle invita souvent chez elle à New York, je crois avoir été seul à faire honneur à certains plats auxquels elle avait donné des heures et des heures de soins méticuleux en s'aidant d'un livre de cuisine anglais du XVIe *siècle — quitte à remédier de manière tout intuitive au manque de tels ingrédients introuvables ou perdus de vue depuis lors (un lièvre aux huîtres, qu'elle m'obligea à fêter pour tous ceux qui préféraient en rester sur le fumet, m'induisit, je l'avoue, à espacer un peu ces agapes.)*

*Sur ces exploits et sur bien d'autres par lesquels, à n'en pas douter, elle entend « mettre et retirer le masque qui (la) préservera contre l'hostilité du conformisme » règne un regard velouté et moqueur, tirant grand parti de sa discordance avec une voix rauque. La curiosité, portée ici à son degré le plus ardent, est bien près de ne trouver son bien que dans l'*interdit. *Au retour d'un de ces voyages dont on a peu de chances de revenir et qu'elle a relaté dans* En bas *avec une précision bouleversante, Leonora Carrington a gardé la nostalgie des rivages qu'elle a abordés et n'a pas désespéré de les atteindre à nouveau, cette fois sans coup férir et comme munie d'un permis de circuler à volonté dans les deux sens. En témoigneraient assez les admirables toiles qu'elle a peintes depuis 1940, sans doute les plus chargées de « merveilleux » moderne, toutes pénétrées de lumière occulte et qui renseigneront aussi bien sur son optique physique (« Le devoir de l'œil droit est de plonger dans le télescope tandis que l'œil gauche interroge le microscope ») que sur son optique intellectuelle (« La raison doit connaître la raison du cœur et toutes les autres raisons »).*

Bibliographie : *La Femme ovale,* 1939. — *En bas,* recueilli par Jeanne Mégnen, 1943.

La débutante

QUAND j'étais débutante, j'allais souvent au Jardin zoologique. J'y allais si souvent que j'ai mieux connu les animaux que les jeunes filles de mon âge. C'était même pour échapper au monde que je me trouvais chaque jour au Zoo. La bête que j'ai le mieux connue était une jeune hyène. Elle me connaissait aussi ; elle était fort intelligente ; je lui appris le français et, en retour, elle m'apprit son langage. Nous passâmes ainsi beaucoup d'heures agréables.

Le premier jour de mai, ma mère arrangeait un bal en mon honneur ; pendant des nuits entières je souffris : j'ai toujours détesté les bals, surtout ceux donnés en mon propre honneur.

Le matin du premier mai 1934, de très bonne heure, j'ai rendu visite à l'hyène. « C'est emmerdant, lui-dis-je, je dois aller à mon bal ce soir.

— Vous avez de la chance, dit-elle, moi j'irais bien. Je ne sais pas danser, mais enfin je peux faire la conversation.

— Il y aura bien des choses à manger, dis-je :

j'ai vu des camions entièrement pleins de nourriture qui s'amenaient à la maison.

— Et vous vous plaignez, répond l'hyène avec dégoût : moi, je mange une fois par jour, et ce qu'on peut me foutre comme cochonneries ! »

J'avais une idée osée, j'ai presque ri : « Vous n'avez qu'à aller à ma place.

— On ne se ressemble pas assez, autrement, j'irais bien, dit l'hyène un peu triste.

— Ecoutez, dis-je, dans les lumières du soir on ne voit pas très bien ; si vous êtes un peu déguisée, dans la foule on ne remarquera pas. D'autre part, nous sommes à peu près de la même taille. Vous êtes ma seule amie, je vous en supplie. »

Elle réfléchissait à ce sentiment, je savais qu'elle avait envie d'accepter.

« C'est fait », dit-elle subitement.

C'était de très bonne heure, il n'y avait pas beaucoup de gardiens. Vite, j'ouvre la cage et en très peu d'instants nous étions dans la rue. J'ai pris un taxi, et, à la maison, tout le monde était couché. Dans ma chambre, j'ai sorti la robe que je devais porter le soir. C'était un peu long et l'hyène marchait mal dans les hauts talons de mes souliers. J'ai trouvé des gants pour déguiser ses mains trop poilues pour ressembler aux miennes. Quand le soleil arriva dans ma chambre elle fit plusieurs fois le tour de la pièce en marchant plus ou moins droit. Nous étions tellement occupées que ma mère, qui venait me dire bonjour, faillit ouvrir la porte avant que l'hyène ne fût cachée sous mon lit. « Il y a une mauvaise odeur dans ta chambre, dit ma mère en ouvrant la fenêtre, avant ce soir tu prendras un bain parfumé avec mes nouveaux sels.

— C'est entendu », dis-je.

Elle ne resta pas longtemps, je crois que l'odeur était trop forte pour elle.

« Ne sois pas en retard pour le petit déjeuner », dit ma mère en quittant ma chambre.

La difficulté la plus grande était de trouver un déguisement pour sa figure. Des heures et des heures nous cherchâmes ; elle rejeta toutes mes propositions. Enfin, elle me dit :

« Je crois connaître une solution. Vous avez une bonne ?

— Oui, dis-je, perplexe.

— Eh bien, voilà. Vous sonnerez pour la bonne et, quand elle entrera, on se jette sur elle et on lui arrache la figure ; je porterai sa figure, ce soir, à la place de la mienne.

— Ce n'est pas pratique, dis-je ; elle sera probablement morte quand elle n'aura plus de figure ; quelqu'un trouvera sûrement le cadavre et nous irons en prison.

— J'ai assez faim pour la manger, répliqua l'hyène.

— Et les os ?

— Ça aussi, dit-elle : alors, c'est entendu ?

— Seulement si vous me promettez de la tuer avant de lui arracher la figure ; ça lui fera trop mal autrement.

— Bon, ça m'est égal. »

Je sonnai Marie, la bonne, avec une certaine nervosité. Je ne l'aurais pas fait si je ne détestais pas tellement les bals. Quand Marie entra, je me tournai vers le mur pour ne pas voir. J'avoue que ce fut vite fait. Un cri bref et c'était fini. Pendant que l'hyène mangeait, je regardais par la fenêtre.

Quelques minutes après, elle dit :

« Je ne peux plus manger ; il reste toujours les deux pieds, mais si vous avez un petit sac, je les mangerai plus tard dans la journée.

— Vous trouverez dans l'armoire un sac brodé avec des fleurs de lys. Videz les mouchoirs qu'il y a dedans et prenez-le. » Elle faisait comme je lui avais indiqué. Ensuite elle dit : « Retournez-vous maintenant et regardez comme je suis belle ! »

Devant la glace, l'hyène s'admirait dans le visage de Marie. Elle avait mangé très soigneusement tout autour de la figure afin qu'il reste juste ce qu'il fallait. « Certes, c'est proprement fait », dis-je. Vers le soir, quand l'hyène fut tout habillée, elle m'annonça : « Je me sens en très bon état. J'ai l'impression que j'aurai grand succès ce soir. »

Quand on eut entendu pendant quelque temps la musique en bas, je lui dis : « Allez-y maintenant et souvenez-vous bien de ne pas vous mettre à côté de ma mère : elle saurait sûrement que ça n'est pas moi. Autrement je ne connais personne. Bonne chance. » Je l'embrassai en la quittant, mais elle sentait très fort. La nuit était tombée. Fatiguée par les émotions de la journée, je pris un livre et, près de la fenêtre ouverte, je me livrai au repos. Je me souviens que je lisais *Gulliver's Travels,* par Jonathan Swift. Ce fut peut-être une heure après que le premier signe de malheur s'annonça. Une chauve-souris entra par la fenêtre en jetant de petits cris. J'ai terriblement peur des chauves-souris. Je me cachai derrière une chaise en claquant des dents. A peine étais-je à genoux que les battements d'ailes étaient étouffés par un grand bruit à ma porte. Ma mère entra, pâle de fureur : « Nous venions de nous mettre à table, dit-elle, quand la chose qui était à ta place se lève et crie : « Je sens un peu « fort, hein ? Eh bien, moi, je ne mange pas les « gâteaux. » Là-dessus, elle arracha sa figure et la mangea. Un grand saut et elle disparut par la fenêtre. »

La Dame ovale.

Gisèle Prassinos

Née en 1920

Il *sied encore de dresser sur l'horizon de l'humour noir ce que Dali a appelé le « monument impérial à la femme-enfant. » J'y mettrais quatorze de mes dents, dirait la nourrice shakespearienne, qu'elle n'avait pas encore quatorze ans quand il nous fut donné de l'entendre pour la première fois et c'était aussi la reine Mab, la sage-femme entre les fées, comme on ne sait pas traduire, elle n'avait donc pas d'âge quoiqu'elle parût d'une génération en retard sur les auteurs qui la précèdent ici immédiatement. La reine Mab n'a pas beaucoup changé depuis Shakespeare et son rôle est toujours de parcourir le nez des hommes pendant leur sommeil. C'est la « jeune chimère » de Max Ernst, c'est l'écolière ambiguë que, sous le titre « l'Ecriture automatique », présente une couverture de* La Révolution surréaliste. *La pitié ayant décidément plié bagage, la « petite vieille », sur laquelle tend aussi à s'exercer électivement l'* « *aérodynamisme moral* » *de Salvador Dali, va passer un mauvais quart d'heure.* « *La voilà nue. Son corps est traversé par des épingles à tricoter violettes qu'elle a enfoncées exprès pour que ça fasse beau ; et à chaque bout d'épingle, elle a attaché un petit ruban vert. Elle n'a pas de cuisses. Il y a du vide entre son bas-ventre et ses genoux. Pour que ça tienne, elle a suspendu ses jambes avec un bout de ficelle. Enfin, elle rentre dans son lit pendant que ses yeux, hors des orbites, tombent à ses pieds. Elle a éteint le ventre du petit minet. Donc il fait très noir.* » *Très noir : c'est une enfant qui rit de peur dans la nuit ; ce sont tous les peuples primitifs qui lèvent la tête pour voir si leurs ancêtres, à l'air un peu fatigué, qu'ils viennent de faire monter à l'arbre et auxquels ils ont tiré l'échelle avant de secouer vont tomber. C'est la* révolution permanente *en belles images coloriées à un sou — elles n'existent plus — mais le ton de Gisèle Prassinos est unique : tous les poètes en sont jaloux. Swift baisse les yeux, Sade referme sa bonbonnière.*

Bibliographie : *La Sauterelle arthritique,* 1935. — *Une demande en mariage,* 1935. — *Le Feu maniaque,* 1936. — *Quand le bruit travaille,* 1936. — *Calamités des origines,* 1937. — *La Lutte double,* 1938. — *Une belle famille,* 1938, etc.

Une conversation

Dans un champ de blé,
L'homme est vêtu d'une tunique de dentelle ocre tachée de rouge.
Le cheval est nu. A sa queue est pendue une boîte d'allumettes d'où sortent les antennes d'une sauterelle.
L'homme est assis sur un coussin blanc orné de dessins verts.
Le cheval sur l'homme.

L'homme : Avons-nous méprisé le diamant vert ?
Le cheval : Je crois que par la loi nous avons dû le faire. La loi étant diminuée, mon esprit demande la réduction des bougies.
L'homme : Rappelle-toi, cachet, que l'homme n'a pas le droit de satisfaire les employés et que même le téléphone refuse de payer les impôts.
Le cheval : Comprendre, c'est diminuer.
L'homme : Non, puisque nous n'avons pas encore essayé notre chance. Nous pourrions le faire, étant donné que c'est plus facile.
Le cheval : Non, non, ne croyez pas en ces cho-

ses concrètes qui doivent, malgré leur dignité, épuiser leur bavadage. Outrez-les, dites-leur des bêtises qui manquent de courage, vous verrez comment ils nous suivront.

L'homme : Pourquoi cela ? N'ai-je pas assez de grossièretés pour m'occuper, en plus, de la queue d'un millionnaire ?

Le cheval : L'amour que j'ai aimé m'a toujours apprécié !

L'homme : Oui, moi aussi.

Le cheval : Nous sommes du même sommet.

Suite de membres

« IL veut absolument marcher », disait une femme à sa voisine : « Il dit qu'il a déjà appris à marcher et qu'on peut faire cinq kilomètres à l'heure avec des pieds comme les siens. L'autre jour, pendant que je cuisais mes pois, il s'est échappé de mes mains et il s'est mis à courir dans toute la maison. J'avais peur qu'il ne vînt à glisser sous les tapis ; mais comme ses pieds n'arrivaient pas à toucher terre, je l'ai laissé. Cela m'a fait plaisir de voir mon enfant debout pour la première fois. » La femme se laissait aller à des discours infinis sur l'allure de son enfant, qu'elle trouvait admirable.

« Mais il est encore trop petit pour marcher », répondait la voisine en riant très fort : « Le mien a couru bien après cet âge et il a marché deux fois sur des cailloux depuis. »

« Il est vraiment trop petit, trop petit », répétait la voisine, et la mère hochait la tête et se retournait souvent vers la cuisine pour surveiller quelque chose. « Ce n'est pas à cet âge, continuait la voisine, que l'on pose un enfant par terre. Ses jambes pourraient s'écarter et je ne sais pas si le chirurgien pourrait le visiter : il est si jeune encore ! »

« Il est si petit et si jeune encore, Madame, disait la mère. Mais il me dit que, si je ne le pose pas à terre cet après-midi, il ira se rouler tout seul au Jardin des Plantes. Il m'a même menacée de prendre de l'argent dans la caisse pour acheter du pain aux oies. Ce matin, il m'a réveillée avant sept heures pour me rappeler qu'il fallait laver son béret blanc et je n'ai pas pu me rendormir. Mais je ne le poserai à terre que la semaine prochaine. D'ailleurs, c'est le jour de Pâques et je l'enverrai à la messe. Ce sera bien d'aller à l'église en marchant pour la première fois. »

« Oh ! Madame, disait la voisine, il y a trop de cailloux à l'entrée de l'église. Le mien n'a marché que deux fois sur des cailloux. Je vous préviens, vous voulez lui faire faire des prouesses, Madame, mais vous ne réussirez pas : votre enfant est bien trop petit encore. »

La voisine ferma sa porte très fort et deux carreaux se fêlèrent. Des petits éclats de verre parvinrent jusque dans la cuisine d'en face où la femme avait enfin disparu en pleurant. Elle s'affairait dans la cuisine, faisait cuire ses pois et regardait l'heure. Son mari arrivait à midi exactement. Il était onze heures : « Encore une heure à attendre », se disait la femme en devenant toute rouge. Enfin, quand midi sonna, un gros homme habillé de flanelle rouge entra dans la cuisine. Il alla embrasser sa femme et, sans faire attention, l'appuya sur la cuisinière qui était brûlante. Elle ne dit rien encore. Il se mit à table et elle le servit : « Tu ne manges pas », dit l'homme. « Non, non, répondit la femme en criant. Le petit va bientôt marcher. Crois-tu... enfin, penses-tu qu'il faudrait l'envoyer à l'église pour Pâques ? » L'homme, tout à coup, devint ridicule : « Dans trois semaines, dit-il, il viendra m'aider au chantier. Je pourrai lui faire trouer les portes à l'endroit des serrures. » On ne lui répondit pas, et l'homme repartit joyeux.

Le soir, il revint, mangea de la même façon, puis ils allèrent se coucher.

La femme ne pouvait dormir. Elle se levait souvent et essayait d'attraper les moustiques qui volaient dans la chambre ; puis elle allait faire un tour à la cuisine et revenait en pleurant secouer les épaules de son mari. Il répondait en l'embrassant. Alors elle se remettait au lit.

La veille du jour de Pâques, la femme alla chez le cordonnier commander des chaussures vertes, pointure 43. « Votre mari a dû grandir », dit le commis en notant la commande. « Oui, oui, dit la femme ; on me l'a déjà dit. »

La nuit, elle dormit très mal encore. Le matin, elle se réveilla plus tôt qu'à l'ordinaire pour préparer du linge et des rameaux à bénir. A huit heures, elle alla réveiller son mari. L'homme se leva et ils se rendirent ensemble dans la cuisine. En déplaçant la cuisinière, ils découvrirent une petite caisse de bois blanc gentiment ornée de décalcomanies artistiques. Par deux gros trous pratiqués dans le couvercle sortaient deux énormes masses emmaillotées dans des chaussettes rayées.

Ils soulevèrent la caisse ensemble et la déposèrent sur le canapé. Puis la femme prit des chaussures jaunes qu'elle enfila sur les chaussettes rayées. Elle prit la caisse tendrement dans ses bras, la déposa sur le pas de sa porte et, comme elle n'était pas assez forte, elle appela son mari, qui vint en bretelles.

Il prit son élan et donna un vaste coup de pied dans la petite caisse qui descendit vivement les escaliers.

Jean-Pierre Duprey

1930-1959

« QUE *la ténèbre soit !* », *ces mots sur lesquels s'ouvre* L'Amour absolu *d'Alfred Jarry et qui empruntent antithétiquement à la phrase de la Genèse la plus bouleversante et la plus soudaine efficacité apparaissent comme le noyau même autour duquel se cristallise l'œuvre encore inédite de Jean-Pierre Duprey. Du chaos primordial, il semble en effet qu'eût pu sortir* « *la ténèbre* » *aussi bien que la lumière et le fait est que la nuit la plus sombre est peuplée d'animaux qui ne voient que par elle sans que rien n'autorise à leur attribuer un rang inférieur par rapport aux bêtes diurnes. Il est, du reste, assez bien établi que la voyance ne se connaît rien de plus défavorable que le plein jour extérieur : la lumière physique et la lumière mentale vivent en très mauvaise intelligence. L'idée de prééminence attachée à la lumière sur l'obscurité peut sans doute être tenue pour un reliquat de l'accablante philosophie grecque. J'ac-*

corde à cet égard une importance capitale et une vertu libérante des plus hautes à l'objection présentée par M. Stéphane Lupasco au système dialectique de Hegel, beaucoup plus tributaire encore d'Aristote qu'il n'eût fallu : « Une dialectique exactement inverse de la sienne... est possible et effective, celle où c'est la valeur de négation et de diversification, c'est-à-dire ce qu'il appelle l'antithèse, qui virtualise, en s'actualisant, la valeur contradictoire d'affirmation et d'identité qui constitue sa thèse, comme aussi une troisième dialectique, celle où ni l'une ni l'autre ne peut respectivement triompher et qui creuse donc une contradiction relative progressive.[1] »

Jean-Pierre Duprey est un des arceaux et non le moindre qui soutiennent cette perspective, cet arceau étant celui de l'intuition pure. Toute époque spirituelle, vue avec recul, est spécifiée à la fois par des mouvements de la pensée spéculative auxquels les contemporains prennent plus ou moins garde (ainsi, me semble-t-il, des récentes interventions de M. Lupasco) et par des phénomènes éruptifs sur le plan de la création artistique qui se produisent chez des êtres très jeunes sans que, bien entendu, la moindre intercommunication explique leur concordance.

*Les années qui séparent la première et la seconde éditions du présent recueil, quelque piétinement historique qu'elles aient marqué, n'en sont pas moins de celles qui comptent affectivement au maximum, du fait que l'*avenir, *sous sa forme la plus concrète et la plus simple, y est devenu aléatoire. Qu'en sera-t-il de cet avenir ou de ce*

---

1. Stéphane Lupasco : *Logique et Contradiction,* 1947. Cet ouvrage — aux yeux des artistes — aura en outre l'immense intérêt d'établir et d'éclairer la connexion « des plus énigmatiques » qui existe entre les valeurs logiques et leur contradiction, d'une part, les données effectives, d'autre part.

non-avenir approximatif ? Pour une fois, c'est le pouls de l'espèce humaine qu'il s'agit de prendre et comment le pourrait-on mieux qu'au contact et par la sollicitation d'une œuvre qui soit à ce jour la plus neuve et la plus inspirée ?

*Sans hésitation, à la veille de 1950, je me réponds que cette œuvre élective est celle de Jean-Pierre Duprey, bien qu'elle soit (ou parce qu'elle est) ce que ces dernières années hagardes nous proposent de plus « difficile ». Sa brousse vaut la peine qu'on s'y aventure. Il ne dépend ni de lui ni de moi que dans la composition de l'humour noir, aujourd'hui par rapport il y a dix ans, il faille forcer la dose du noir pur. Le génie de Duprey est de nous offrir de ce noir un spectre qui ne le cède pas en diversité au spectre solaire. Non moins secret que celui d'*Igitur : *« Il quitte la chambre et se perd dans les escaliers* (au lieu de descendre à cheval sur la rampe) », *ici l'humour couve sous la cendre (« Et c'est dans un même ordre que les choses se passèrent, après que l'on eut noyé la mer et enterré la terre ; le feu étant brûlé, l'air disparut dans la fumée du nouveau feu réengendré de tout cela. ») La lampe de la présence est plutôt de nature à nous dérober le vrai Duprey, prince du royaume des Doubles, sous des apparences d'ailleurs très séduisantes. Le principal d'entre eux, nous en savons par l'autre très peu de chose, sinon qu'avec sa femme « Ueline, la Noire » il habite une maison sise au cœur d'une forêt pleine de loups.*

Bibliographie : *Derrière son double,* 1948. — *La Fin et la Manière,* 1950. — *La Forêt sacrilège.*

La forêt sacrilège

Acte II

Scène IV

Même décor, mais la Nuit est devenue verte. Deux hommes sont assis.

LE NUMÉRO 1. Nous sommes au minuit vert, le 3 août de l'an zéro, et tout à l'heure lorsque le coq crachera par trois fois...

LE NUMÉRO 2. ... Le coq n'est plus, car l'araignée l'a remplacé. Elle chante mieux et plus fort avec toutes ses pattes qui sont ses trompes... Elle éternue pour de bon !...

LE NUMÉRO 1. Quand l'araignée aura craché trois fois, lorsqu'elle aura filé sa voix de toile grossie par ses béquilles de trompettes, le monde aura changé de sens et la terre de nom. Et déjà j'entends dire que l'avant-garde de l'armée des cadavres a mis le feu aux tombes et proclame l'avènement de la liberté par le cercueil...

LE NUMÉRO 2. Et les rôdeurs de la forêt verront leurs têtes voler au-dessus d'eux en projectiles qu'ils n'auront point lancés. Ils les verront, ceci est sûr, car leurs cous bien rasés et flambant de leur sang seront des yeux larges ouverts... ma colère en est témoin car je vois rouge.

LE NUMÉRO 1. Des corps pendus comme des cloches inutiles... Les arbres auront toujours des fruits.

LE NUMÉRO 2. Mais l'araignée-mille-doigts en aura long à filer et les linceuls seront très rares. Notre maître Estern, qui sait faire de deux pierres un seul coup, nous accorde la liberté d'être ses chiens. A son signal, nous aboierons d'une seule gueule commune dont manquent les crocs, et, c'est certain, la bataille sera gagnée !

Il se lève et tire son poignard.

LE NUMÉRO 2. Il me reste à coudre les arbres pour le voile de notre Maîtresse, car je me proclame tailleur...

Il enfonce son poignard dans un tronc d'arbre.

LE NUMÉRO 2. Les feuilles crient et quelques branches saignent... Mais cet alcool de tête de bois n'a aucun goût. J'ai soif !

Il boit.

LE NUMÉRO 1. Cependant, l'heure avance ; et puisque Estern, notre seigneur et maître docteur-ès-esternité, nous le permet sous peine de mort, soyons des chiens ! Mais voici quelqu'un ; j'entends très bien le silence de son pas à cause de mes deux mains sculptées en moignons de porc sourd et percées d'antennes d'âne... à cause de mes pattes supérieures, plutôt, lesquelles sont mes

deux oreilles supplémentaires !... Ceci explique que j'entende deux pas doubles...
... Mais rajustons nos masques !

Paraissent les numéros 3 et 4, aux pareils masques de chiens.

LE NUMÉRO 3. Je vous salue de tous mes crocs ; et que la lèpre achève vos déguisements ! Mon camarade, qui est une femme malgré les apparences, arrive de loin avec l'annonce d'une grande nouvelle. A l'heure déterminée d'un chiffre exact qui est XII — et cette heure-ci ne varie plus — apparaîtra, au carrefour des espaces manquants, le chevalier Sagittaire dont la monture, la monture de spectre, piétine un soleil de disque !... Le résultat n'est point prévu, mais je prédis en conséquence la fin prochaine des hostilités de la paix...
Au reste, la bataille fait déjà rage et c'est la rage même des cadavres en liberté qui mène le vent bon et mauvais.

Il jette ses armes. Le numéro 4 femelle s'approche.

LE NUMÉRO 4. Bien le bonjour selon la coutume et les politesses de chien ! Je serai donc votre obligée...

Elle arrache alors son masque... pour apparaître sous les traits authentiques de La NOIRE, femme d'Estern.

LA NOIRE. Debout ! Ou plutôt... couchez-vous, selon la manière de mes chiens et serpents de béquilles ! Béquilles vous-mêmes ! Et puisque vous me devez obéissance de liberté, je vous coudrai les os avec le fil de votre vie, si...
... Mais je préfère fermer le livre au cœur du-

quel j'ai souligné vos noms, ou encore vous voir ivres d'un sang de toutes vos veines qui n'éclateront pas !

Pétrifiés ils demeurent, mais ACHEVES. L'un s'est durci à même la pierre sur laquelle, roide, il est assis, mais sa tête penche. S'est écroulé son compagnon de toute la taille de ses deux mètres, qu'il n'atteint pas, de loin... Le numéro 3 s'est éclipsé.

LA NOIRE. Mais leurs lèvres étaient vieilles, leurs veines séchées ! Leurs membres étaient de bois, des croix qui les suivaient ; et leurs yeux, des œufs éteints !... Ils sont morts, mais cela fait des pierres de plus et il n'en manquera point pour reconstruire notre château.

Elle touche du pied le corps étendu qui ne bouge plus. Elle regarde autour d'elle, d'un œil qui cherche l'Œil qui a vu ou n'a rien vu... et quitte la scène.

Scène VII

Inanimés. ILS SE RANIMENT et leurs corps les dressent. Le numéro 1 démasqué. Ils frottent tous deux leurs membres courbaturés.

LE NUMÉRO 1. La mort n'a point d'importance puisque ce n'est qu'une sorte de génuflexion. Mais mon bras s'est heurté et mon crâne me fait mal, qui s'est ouvert sur un gouffre à l'intérieur de moi...

LE NUMÉRO 2. ... De même mes anses ou, si tu préfères, mes bras !... Ils me dévoilent un vide flottant dedans mon vase de corps ; et je verrais plutôt des blessures dans mes doigts ou ailleurs ! Mais je ne saigne ni ne transpire...

... Mais je boite ! Et ma patte gauche se trouve trop courte pour moi...

Il arrache son masque et reparaît sous tous les traits du fou-furieux-comme-boiteux.

LE FOU. ... Un signe me manque ! Mon pied-bot en est témoin.

LE NUMÉRO 1. Rêve de vampire... Verre de la mer et mort triple en mes yeux ! Le vent nous construira un édifice public et le ciel de cette tempête qui vient sera notre salle d'armes. Viens ! fou si tu veux, mais viens !

Il l'entraîne et la voix identifiée au chiffre 1 et au numéro de même nombre s'éloigne derrière eux et se perd...

VOIX DU NUMÉRO 1. Nous sommes en retard, mais tant pis !... Mordons les morts et faisons aux vivants des signes impossibles auxquels j'attribuerai, toutefois, un sens nettement négatif. La bataille fait rage... Mais nous laissons ici nos insignes de chiens...

TABLE

IMPRIMÉ EN FRANCE PAR BRODARD ET TAUPIN
58, rue Jean Bleuzen - Vanves - Usine de La Flèche.
LIBRAIRIE GÉNÉRALE FRANÇAISE - 14, rue de l'Ancienne-Comédie - Paris.
ISBN : 2 - 253 - 03424 - X

Ⓗ 42/3043/9